스칼렛 오아라

스칼렛 오아라

초판 1쇄 발행 | 2016년 9월 7일

지은이 이승민
발행인 이대식

주간 이지형 **편집** 나은심 손성원
마케팅 김혜진 배성진 박중혁 **관리** 홍필례
디자인 모리스

주소 서울시 종로구 평창길 329(우편번호 03003)
문의전화 02-394-1037(편집) 02-394-1047(마케팅)
팩스 02-394-1029
홈페이지 www.saeumbook.co.kr
전자우편 saeum98@hanmail.net
블로그 blog.naver.com/saeumpub
페이스북 facebook.com/saeumbooks

발행처 (주)새움출판사
출판등록 1998년 8월 28일(제10-1633호)

ⓒ 이승민, 2016
ISBN 979-11-87192-18-3 03810

스칼렛 오아라

이승민 장편소설

〈문학과 미래〉의 담당 편집자 김순옥은 전화를 걸어와 한숨부터 쉬었다. 오아라는 두세 번 이어지는 김순옥의 한숨과 한숨 사이에서 긴장할 수밖에 없었다. 작년 연말 신춘문예 결과를 기다리던 며칠 동안 느꼈던 것과는 다른 긴장감이었다. 그때의 감정이 일말의 기대를 동반한 긴장이었다면 이번에는 두려움에 보다 근접한 긴장이었다. 기대감은 전혀 깔려 있지 않은, 순수한 긴장. 편집자의 한숨 소리가 느낌의 윤곽을 더욱 선명하게 만들고 있었다. 얼굴도 보지 못한 사람이지만 김순옥의 목소리와 말투를 통해 오아라는 그녀의 막연한 이미지를 머릿속으로 그려보았다. 날카로운 턱선, 퀭한 두 눈, 짧게 끊어지는 눈썹, 얇은 입술. 오아라는 전혀 근거 없이 조합되고 있는 김순옥의 형체를 서둘러 지워버렸다.

　"등단작보다 그다음 작품이 더 중요한 건 아시죠."

　김순옥의 말끝이 올라가지 않고 내려갔다. 묻고 있는 것이 아니었다. 오아라는 답을 하지 못한 채 듣고만 있어야 했다. 설령 그것이 질문이었다고 해도 이미 답을 정해놓고 던지는 질문에는 선뜻 답을 할 수가 없다. '네'라는 짧은 답조차 구차스럽게 만드는 질문. 곧 이어질 그녀의 말을 기다릴 뿐이다. 잠시간의 침묵 동안 오아라의 머릿속에서는 또다시 상상 속 김순옥의 얼굴이 나타나기 시작했다. 정말 그렇게 생겼다면 목소리보다도 더 끔찍할 것 같은 모습으로.

"새롭지가 않아요. 갓 등단한 신인 작가다운 뭔가가 없어요."

김순옥의 얘기를 들으면서 오아라는 방 천장을 올려다봤다. 구석에 피어 있는 곰팡이가 어느새 무늬를 이루어 검은 꽃과 같은 형상을 띠고 있었다. 기이한 모습에 아예 시선을 빼앗긴 오아라에게 김순옥의 말은 꿈결처럼 아득하게 들려왔다. 편집자의 말보다 천장을 수놓고 있는 검은 꽃의 존재감이 훨씬 더 현실적인 실체로 다가왔기 때문이다.

원고를 보내면서도 내내 불안했다. 우려했던 일이 현실로 나타났을 때 어떻게 대처해야 할지에 대해서는 미처 생각해놓지 못했다. 불안하긴 했지만 예상은 하지 못했던 탓이다. 지방 일간지 신춘문예 출신에게 다음 작품을 발표할 수 있는 지면이 주어졌다는 게 얼마나 큰 행운이자 불행인지는 원고지 89장짜리 단편을 쓰는 한 달여 동안 내내 몸으로 체득했다. 천국과 지옥을 오가며 써낸 등단 작가로서의 첫 작품을 그래도 바닥은 아닐 거라고 생각하며 김순옥에게 메일로 보낸 지 일주일. 수신 확인을 하고도 아무런 연락이 없자 오아라는 자신에게 다가온 기회가 행운이 아닌 불행이 맞다고 확신하기 시작했다. 일단 작품을 보고 판단할게요. 김순옥은 원고 청탁을 하면서 정확히 그렇게 말했다. 작품을 실어준다고 한 것이 아니라 판단을 하겠다고. 그러니 판단에 따라 결과는 달라질 수 있는 것이었다. 경험이 없는 오아라는 원래 청탁과 작품 게재 과정이 이런 식으로 흘러가는 것인지 알 수 없었다.

처음 "문학과 미래 편집부 김순옥입니다"라는 전화를 받았을 때의 믿기지 않던 희열은 이미 희뿌연 신기루가 돼버렸다. 신춘문예 준비를 할 때는 안 돼도 그만이라는 생각이 걱정과 부담을 적절히 희석시켰다. 아니, 로또 당첨만큼 당선될 확률이 희박하다는 엄살 섞인 자각이 오히려 마음의 평온을 유지하는 데 도움을 주었다. 그나마 경쟁률이 덜한 지방 일간지를 노려 신춘문예 도전 4년 만에 등단을 한 후 막상 자신에게 주어진 지면을 위해 작품을 쓰려니 이번에는 좀처럼 가누기 힘든 긴장과 부담감이 몰려왔고, 그것은 어떤 방법으로도 희석되지 않았다. 경직된 마음이 사고와 상상력의 발목까지 붙들어 맸는지 글 한 줄 이어나가기가 여간 어렵지 않았다. '꾸역꾸역'이라는 표현밖에는 달리 그 과정을 설명할 수가 없었다. 작가로서의 운명이 판가름 나는 것은 등단작이 아니라 두 번째 작품이라는 얘기를 김순옥이 기계적인 어조로 전했을 때, 오아라는 낯선 공포를 느꼈다. 자신이 이미 충분히 검증받은 기성 작가였다면 기껏 고생해 써 보낸 작품에 대해 일개 편집부 직원이 그렇게까지 함부로 말했을까. 다른 편집부 사람과 소통을 해본 적 없는 그녀로서는 지금 이 상황이 그저 난감할 뿐이었다.

김순옥은 선심 쓰듯 시간을 더 줄 테니 좀 더 치열하게 다듬어보라고 말한 뒤 전화를 끊었다. 치열하게 다듬는다는 것의 의미가 이해되질 않아 오아라는 전화를 끊고도 휴대폰을 켠 채 한동안 멍하니 앉아 있었다. 그러다가 불쑥 화가 치밀었다. 도대체 작품의 무엇이, 어떻게, 왜 문제가 되는지에 대해 조목조목 따져 묻지 못한 자신 때문에. 그리고 작품에 대한 평가는 어디까지나 당신의 주관적인 견해 아니냐고 한 번이라도 반문하지 못한 것에 대해. 일방적인 소통이 한쪽에게 적잖은 모멸감을 안겨줄 수 있다는 것을 그녀 역시 모르지 않을 텐데 왜 그토록 냉정하게 말했을까. 분노 뒤에 따라오는 일말의 서글픔. 다시 한 번 곰곰이 생각해봐도 오아라는 자신의 작품이 이런 대접을 받을 만큼 최악이라는 생각은 들지 않았다. 지면을 주었다는 사실만으로도 한없이 황송해했던 기억은 소설보다도 더 허구 같은 찰나의 싸구려 감상으로 남았다.

오아라는 하는 수 없이 다시 컴퓨터를 켜고 원고 파일을 불러와 처음부터 찬찬히 읽어 내려갔다. 이제 내 손을 떠났다고 생각했던 작품은 좀처럼 다시 머릿속에 들어오지 않았다. 오아라는 신춘문예 심사평에 실렸던 한 구절을 떠올렸다.

'평범하지 않은 사건의 연속이지만 문장은 내성적이고 차분하다. 자기 연민보다 훨씬 더 강력한 도구인 성찰과 냉정한 시선을 가지고 있다는 게 느껴진다. 작가로서는 중요한 자원이다. 그걸 보여주는 것으로도 개성이 있다고 할 수 있다.'

이번 소설을 쓰면서도 오아라는 그 심사평을 내내 의식하면서 썼다. 과해지지 않도록, 자기 연민으로 흐르지 않도록, 냉정을 잃지 않도록 경계하면서. 한데 전혀 생각지 못한 '치열하게'가 발목을 붙들었다. 치열하게 쓰겠다는 생각은 하지 못했었다. 오아라는 인터넷 사전으로 '치열하다'를 검색해봤다. '기세나 세력 따위가 불길같이 맹렬하다'라는 뜻의 형용사. 그러니까, 김순옥은, 기세나 세력 따위가 불길같이 맹렬하게 타오르는, 그런 소설로 고치라고 한 것인가. 오아라는 한쪽 손으로 이마를 짚은 채 나지막이 긴 한숨을 쉬었다. 뜻을 헤아리고자 사전을 찾았으나 더 깊은 의미의 미로 속에 갇힌 느낌이었다.

그때 전화 한 통이 걸려왔다. 엄마가 있는 요양병원이었다. 오아라는 급히 전화를 받았다. 죄송한데, 이달 병원비가 아직 입금이 안 돼서요. 원무과 여직원이 잠시 뜸을 들이다가 미안한 목소리로 말했다. 그녀가 미안할 일은 아닌데. 그나마 신춘문예 당선 상금으로 받은 300만 원도 세 달 만에 바닥이 나버렸다. 예, 죄송해요. 이삼일 내로 넣을게요. 오아라는 김순옥과 달리 시종일관 친절하게 말하는 원무과 여직원에게 진심으로 미안한 마음이 들었다. 오아라는 이러고 있을 때가 아니다 싶어 원고를 띄운 지 10분 만에 컴퓨터를 끄고는 서둘러 옷을 챙겨 입은 후 밖으로 나갔다. 차라리, 다행이었다.

바깥세상은 모든 시름을 잊게 만드는 평화로운 햇살이 온 천지에 가득했다. 이렇게 은혜로울 정도로 눈부신 햇살을 비춰주는데도 삶이 어떻게 고통스럽거나 쓸쓸할 수 있냐고 귓전에서 은밀하게 속삭이는 듯했다. 그럼에도 불구하고 오아라는 사는 건 참 덧없고 요상한 거라고, 저 햇살을 설득하고 싶었다. 그러니 그렇게까지 눈부시게 작열하지 말라고. 비현실적이고 가식적이어서 불편하다고. 오아라는 가방 안에서 선글라스를 꺼내 썼다. 안 쓴 것보다는 좀 편해졌다.

부동산에 들른 오아라는 급하게 집을 팔아야 하니 들어올 사람을 알아봐달라는 말과 함께 보증금 천만 원에 월세 50만 원 아래로 입주 가능한 오피스텔이나 원룸을 구해달라고 부탁했다. 생각보다 시세가 너무 낮아 놀랐지만 부동산 여자는 집이 워낙 낡아 쉽게 빠지지 않을 거 같다고 푸념을 늘어놨다. 오아라는 미리 사간 박카스 한 박스를 내려놓으며 잘 부탁한다는 말을 거듭 건넸다. 손사래를 치면서도 박카스를 얼른 받아 든 부동산 여자는 오아라를 문밖까지 배웅하며 자신의 부동산을 찾아오길 잘했다는 말을 두 번이나 반복했다. 비록 여름마다 비가 새고 여기저기 곰팡이도 피어 있는 오래된 집이지만, 엄마가 10년 넘게 험한 식당일 해가며 모은 돈으로 어렵사리 마련해 다섯 해 넘게 산 곳이었다. 돈이 없어 도배도 제대로 못하고 들어왔지만 월세살이를 면케 해준 고마운 집이었고, 두 모녀에게 처음으로 독립된 공간을 허락해준 방 두 칸 딸린 아늑한 보금자리였다.

그곳에서 오아라는 열심히 글을 썼고 몇 년에 걸쳐 각종 문예지와 신춘문예에 거듭 투고한 끝에 뒤늦게나마 엄마에게 기쁨의 눈물을 안겼다. 엄마는 오아라를 부둥켜안고 생전 처음 꺼이꺼이 울었고 이제 우리에게 좋은 일만 생기려나 보다며 실성한 듯 웃었다. 그로부터 나흘 후 식당에서 일을 마치고 밤늦은 시각 집으로 돌아오던 엄마는 어둡고 외진 골목길에서 쓰러졌다. 그날따라 오가는 행인도 없었던 탓에 5시간이나 방치돼 있다가 새벽 미사를 가던 아주머니에게 발견되고 나서야 응급실로 옮겨질 수 있었다.

뇌졸중은 다행히 엄마의 목숨을 빼앗아 가진 않았지만 목소리를 빼앗았고 언어를 빼앗았고 인지와 행동 능력을 빼앗았으며, 딸과 함께한 28년 세월을 빼앗았다. 오아라는 요즘도 요양병원 중증 격리병동에서 인형처럼 누워 있는 엄마를 바라볼 때마다 목숨을 대신해 빼앗긴 것들이 과연 목숨값보다 덜 귀한 것이 맞는지에 대해 의문을 가졌다. 아무리 많은 것을 잃어도 목숨 하나 잃는 것보다는 그래도 낫다고 자위하며 버텨야 하는 것이 맞는지에 대해.

가끔은 엄마 귀에 대고 속삭인다. 엄마, 힘들면 가도 돼. 정 힘들면 말이야. 그렇게 읊조리듯 말하면 엄마는 두 눈을 뜬다.

처음에는 의사 찾고 간호사 부르며 수선 떨었던 오아라는 딱 거기까지라는 것을 알고는 모든 기대를 내려놨다. 목숨을 부지하게 된 엄마가 할 수 있는 유일한 움직임, 유일한 언어, 유일한 반응이 두 눈을 깜빡이는 것뿐이란 사실에 오아라는 감사했고 절망했다.

한데 진짜 처절한 목숨 부지의 대가는 이후 몇 장의 영수증이 되어 돌아왔다. 엄마가 죽음의 문턱에서 살아 돌아온 것이 돈으로 치면 얼마짜리인지 정확히 수치화돼 있는 영수증들을 들고서 오아라는 거북한 호흡 때문에 몇 번이고 깊은 숨을 몰아쉬어야 했다. 수술 후 한 달간 머물렀던 대학병원 중환자실 병원비만으로도 그녀는 진작 집을 처분했어야 했다. 어쩔 수 없이 옮기게 된 요양병원에서도 매달 기저귀값 하나까지 아낌없이 계산되어 한 장의 영수증으로 청구됐다. 세를 공제한 신춘문예 당선 상금 291만 원은 중환자실 병원비를 감당하기에 턱없이 부족하고 하찮은 돈이었다. 억만금보다 귀하게 대접받았어야 마땅한 291만 원은 단지 타이밍을 잘못 만난 관계로 2만 원 정도의 값어치만을 한 채 솜사탕처럼 순식간에 녹아 없어졌다.

부동산에서 나와 시계를 보니 저녁 논술 시간까지는 두 시간 정도 남아 있었다. 이대로 다시 집에 들어가기는 싫었던 오아라는 잠시 길에 서서 고민을 하다가 일단 버스를 타고 강남

쪽으로 이동하기로 했다. 평일 오후의 도로는 한산해서 버스는 곧 한남대교를 건너 도산대로 쪽으로 접어들었다. 한강 하나를 사이에 둔 저쪽과 이쪽의 풍경은 참 많이 달랐다. 잔뜩 물 먹어 구겨져 있던 세상은 다리 하나를 거치면서 다림질한 듯 반듯하고 짱짱한 세상으로 바뀌었다.

오아라는 논술 아르바이트를 위해 강남으로 넘어올 때마다 세상의 구조와 질서가 완전히 새로 서는 것 같은 기분을 종종 느끼곤 했다. 그 기분은 매번 똑같이, 여지없이 반복됐다. 한남대교는 오아라에게 마법의 다리였고 전혀 다른 차원으로 통하는 블랙홀이었다. 마법의 다리를 건널 때마다 오아라는 자주 그런 꿈을 꾼다. 유명한 작가가 되어 개인용 엘리베이터가 딸린 68평짜리 청담동 빌라에 살면서 오전에는 방음벽이 설치된 서재에서 글을 쓰고 오후에는 햇볕이 내리쬐는 테라스에서 책을 읽는 자신의 모습. 봄과 가을엔 오후 4시쯤 집을 나가 도산공원이나 가로수길을 한 바퀴 산책한 후 고급스럽지만 아늑한 근처 카페에서 수제 초콜릿과 코피루왁 한 잔을 즐기는.

신춘문예에 당선되자 오아라는 그 모든 꿈이 현실이 될 수도 있을 것 같은 순진한 상상을 했다. 꿈에도 그리던 등단을 하고 한 달, 두 달, 석 달의 시간이 흐르는 동안 일상이 아무것도 바뀌지 않는 것을 보면서 그녀는 자신이 품어왔던 꿈과 등단은 무관한 것임을 깨달았다. 도리어 좋은 일 뒤에 나쁜 일 온다고 자신이 등단하는 바람에 엄마가 불의의 사고를 당한 것 같은 생각에 신경안정제 처방까지 받아야 했다.

등단 후에도 전혀 달라지지 않는 일상을 보내고 있던 즈음에 걸려온 것이 김순옥의 전화였다. 신춘문예 당선작 잘 읽었다는 그녀의 인사말에 오아라는 자신이 해체시켰던 꿈의 그물망을 다시금 얼기설기 짜깁기했다. 이것이 또 하나의 불씨가 돼줄 것 같은 근거 없는 희망이 신경안정제의 약효보다 빠른 속도로 한풀 꺾였던 오아라의 의지를 일으켜 세웠다. 그 의지로 엄마 병문안까지 뒤로 미룬 채 심혈을 기울여 써 보냈던 작품이 가타부타 제대로 된 평 한 줄 들어보지도 못하고 누더기가 되어 돌아온 것이다. 사실 김순옥에게서 원고를 잘 받았다는 연락이 오면 염치 불구하고 원고료는 정확히 얼마이며 언제쯤 입금이 되는지 물어보려 했다. 아무리 적어도 엄마의 한 달 치 기저귀값보다는 많겠지 생각하면서.

짜증 나……. 버스 창밖을 조용히 바라보고 있던 오아라 입에서 나직이 한 마디가 흘러나왔다. 한남대교를 건너면서 깔끔하게 구획 정리되는 풍경처럼 운명이란 놈도 마법의 다리 하나만 건너면 완전히 새로운 구조로 재편될 수는 없을까. 절망에 다가갈수록 오아라의 사고 체계는 유아적으로 퇴보했다. 그녀는 다시 한 번 중얼거렸다. 짜증 나…….

오아라가 버스에서 내려 도착한 곳은 청담동 명품 편집숍인 마인더숍 매장 앞이었다. 우울하거나 가슴이 답답할 때마다 그녀가 찾는 곳 중 하나였다. 평일 오후의 마인더숍은 한산했다. 오아라는 이곳에 올 때마다 외계 행성에 온 느낌이 들었다. 외계인이 청담동 한복판에 뚝 떨어뜨리고 간 듯한 기하학적인 외관은 언제 봐도 인상적이었다. 세계 최고라 칭송받는 이탈리아의 한 건축 장인은 오랜 기간 리뉴얼을 통해 이곳을 단순한 명품 편집숍에서 럭셔리 라이프스타일을 대변하는 가장 농밀한 알레고리로 탈바꿈시켰다. 그리고 그는 사람을 흥분시키는 야릇한 위압감과 경외감을 놀라운 황금 비율로 형상화해냈다. 그래서 이름값은 중요하다고 오아라는 생각했다.

그녀가 안으로 들어가려는데 하얀색 벤틀리 쿠페 한 대가 주차장에서 나와 문 앞에서 멈췄다. 육중한 차 문이 열리고 검은색 정장을 입은 주차요원이 내렸다. 주차장에서 나오지 않았다면 오아라는 근사한 검은 양복 차림의 주차요원이 차 주인이라고 오해했을 것이다. 에르메스 타이를 매고 프라다 선글라스를 낀 채 일하는 주차요원은 월급이 얼마나 될까. 이곳에서 일하는 직원들은 혹시 할인가로 상품 구매가 가능할까. 온갖 명품을 싸게 구입할 수 있는 할인 특권을 줄 테니 주차요원으로 일하지 않겠냐는 제안을 받으면 어떻게 할까. 오아라는 일언지하에 거절하지는 못할 것 같았다. 세상에서 가장 매혹적인 '알바'인 것만은 분명할 테니. 적어도 겉으로 보기엔 말이다.

들어가는 것도 잊은 채 오아라가 잠시 벤틀리에 시선을 빼앗기고 있던 찰나, 문이 열리고 한 남자와 여자가 밖으로 나왔다.

여자의 양손에는 모아나와 부첼라티 쇼핑백이 들려 있었다. 오늘의 쇼핑 아이템은 가방과 파인 주얼리였던 모양이다. 레트로 스타일의 모터사이클 레더 재킷과 클래식한 치노 팬츠에 스트랩 부츠를 신은 남자는 방금 화보 속에서 걸어 나온 모델 같았다. 과하게 높은 하이힐을 신었음에도 머리가 남자 어깨선에 간신히 걸려 있는 여자는 얼핏 봐도 남자보다 네다섯 살은 많아 보였다. 값비싼 옷들이 전혀 제구실을 못하는 안타까운 비율. 그래도 그녀의 얼굴에는 어떤 확신 같은 것이 서려 있었다. 자신이 누리고 있는 행복을 그 누구도 감히 침범할 수 없을 거라는 확신. 반면 여자를 위해 차 문을 열어주는 남자의 얼굴은 무표정에 가까웠다. 외모, 분위기, 표정. 모든 것이 어울리지 않는 남자와 여자는 대체 무슨 관계일까.

번쩍거리는 차체 위로 쏟아지는 한낮의 햇살을 과격하게 튕겨내며 두 사람을 태운 벤틀리가 유유히 미끄러져 갔다. 오아라는 문득 멀어져가는 차를 향해 손을 뻗어보고 싶었다. 닿을 수 있을 것 같은 거리감 혹은 착시. 언제나 손만 뻗으면 닿을 것처럼 가깝게 느껴지는 것은 현실이 아니라 꿈일 때가 많다. 그리고 간절함이 최고조에 이르는 순간은 그것이 불가능하다는 걸 깨닫는 순간이다.

벤틀리가 사라진 후 오아라는 매장 안으로 들어갔다. 실내에는 1층에서 3층까지 다양한 미술 작품과 조형물이 함께 설치돼 있어서 런던 테이트모던과 뉴욕 구겐하임을 합쳐놓은 듯 거대하고도 미래지향적인 갤러리 느낌으로 가득했다. 오아라도 작품 컬렉션을 하듯 쇼핑을 하는 기분을 느껴보고 싶었다. 가격표의 0이 몇 개인지 상관없이 자신의 취향과 이번 시즌 트렌드와 브랜드의 명성과 디자이너 이름값만으로 상품을 고른 후 직원을 향해 한없이 무심한 표정과 나른한 목소리로 '저거요'라며 손가락을 까딱할 때의 기분을. 그러한 상상으로부터 출발했던 것이 오아라의 신춘문예 등단작이었다. 네가 가장 잘 쓸 수 있는 걸 써. 투고했던 작품마다 번번이 물을 먹고 있을 때 답답한 마음에 찾아간 문예창작과 시절 은사는 그녀에게 별 영양가 없을 듯한 충고를 하나 해줬는데, 결론적으로 그 충고 덕분에 등단을 한 셈이 됐다.

샤넬과 디올의 드레스, 다미아니와 반클리프 아펠의 하이 주얼리, 해리 윈스턴의 시계, 크리스찬 루부탱의 구두와 지방시의 백까지. 지금까지 신춘문예 당선작들에서는 좀처럼 볼 수 없었던 온갖 소비 향락적인 콘텐츠가 가득했던 소설을 쓰는 동안 오아라는 처음으로 묘한 배설의 쾌감을 느꼈다. 강남의 고급 숍이나 백화점 명품관을 돌아다닐 때마다 자신의 영혼을 가득 채워오던 오묘한 감흥과 그에 비례하는 상대적 박탈감 사이에서 발생하는 충돌의 에너지를 있는 그대로 솔직하게 써 내려간 소설.

그 불온한 것 같던 작업이 자기 연민이 아닌 성찰의 단계로까지 나아갔다는 것을 오아라는 심사평을 보고서야 알았다.

아니, 심사평을 읽으면서도 어느 대목에서 어떻게 성찰이 이루어졌다는 것인지 고개를 갸우뚱거려야 했다. 그래도 상관없었다. 문예창작과 시절 필사의 대상으로 삼기도 했던 중견 소설가가 자신의 소설을 두고 성찰이라는 과분한 표현을 썼다는 사실이 중요했다. 그런 분이 성찰이라고 하면 성찰인 거다. 성찰, 성찰, 성찰…… 오아라는 그 단어를 속으로 되새기면서 천천히 매장 안을 둘러봤다. 단 한 번도 자신의 것이 될 수 없었던 판타지의 세상에서 무엇인가 은밀하고도 매혹적인 주문을 거는 것 같은 기분이 들었다. 벽면을 채우고 있는 미술 작품뿐 아니라 천장에 달린, 정확히 무엇을 뜻하는지 파악이 되지 않는 난해한 형태의 조형물과 곳곳에 놓여 있는 소품 하나하나가 '이렇게까지 해놨는데도 나의 품격과 아름다움에 놀라지 않을 수 있어?'라고 거만하게 속삭이는 듯했다.

오아라는 시몬 로샤의 가방을 보면서도, 디올 부스에서 황홀한 자태로 전시돼 있는 디올라마 백을 보면서도 머릿속으로 독백을 했다. 난 이제 널 소유하지 못해도 허탈하지 않다. 난 지금 널 보며 성찰하고 있거든. 널 성찰의 대상으로 만들어줄 수 있는 작가가 됐거든. 그때 에르메스 버킨 백을 든 한 중년 여성이 오아라가 감상하고 있던 디올라마 백을 집어 들어 휙휙 건성으로 살펴보더니 직원을 불렀다.

"선물로 돌릴 건데 같은 걸로 다섯 개."

"죄송한데 지금 매장에는 두 피스밖에 없어서요. 최대한 서둘러서 내일 오전 중에 사모님 댁으로 퍼스널쇼퍼 보내드리겠습니다."

"그러든가."

오아라가 글로나마 상상해봤던, 무심하고도 나른한 표정으로 종결어미가 생략된 간략 화법을 구사한 여자는 허리 숙여 인사하는 여직원을 본체만체하고 돌아섰다. 그러고는 하얀색 벤틀리처럼 그녀 역시 유유히 밖으로 사라졌다. 이번에도 오아라는 여자의 뒷모습을 향해 손을 뻗고 싶은 충동을 느꼈다. 계산도 안 하고 주소도 알려주지 않은 채 그냥 가버린 걸 보니 이곳의 VVIP인 모양이었다. 오아라는 더 이상 아무 생각도 하지 않았다. 현실에서의 가식적인 성찰은 결코 오래가지 못한다. 방해물이 너무 많으므로.

마인더숍에서 나온 오아라는 다시 가방에서 선글라스를 꺼내 쓴 채 천천히 걸었다. 청담 파라곤 빌라까지는 걸어서 10분 정도 거리였다. 과외 시간은 아직도 한 시간 가까이 남아 있어서 오아라의 걸음걸이는 이상해 보일 정도로 더뎠다. 어디 들어가서 차라도 한 잔 마시고 싶었지만 청담동에는 자신이 사는 동네처럼 아메리카노 한 잔에 1500원 하는 구멍가게 같은 카페를 찾을 수 없다. 그 흔한 300원짜리 커피 자판기도 청담역이나 압구정 전철역에는 없다.

성찰 대신 어쩔 수 없는 자기 연민이 몰려올 때마다 버티기가 힘들었던 오아라는 그나마 등단을 통해 밑바닥까지 떨어진 자존감을 어느 정도 회복할 수 있었다. 자신도 이제 작가 타이틀을 달게 되었으니 세상 앞에 조금, 아주 조금 당당해질 수 있을 것 같았다. 한데 세상은 미리 준비하고 있었던 것처럼 또 다른 절망의 카드를 선보였다. 그깟 지방지 신춘문예 등단이 뭐 대수냐며 보기 좋게 조롱하듯. 등단 후에도 누추한 일상에 아무런 변화가 일어나지 않는다는 것 자체가 조롱의 증거였다. 엄마 병원비 때문에 푼돈이라도 벌고자 논술 아르바이트까지 찾아 나서야 하는 상황이 되고 보니 오아라는 등단을 반납하고 엄마의 사고 이전으로 삶을 되돌리고 싶었다. 김순옥의 전화가 더욱 불쾌했던 것은 내내 자신을 따라다니는 보이지 않는 조롱의 시선이 비로소 그녀의 목소리를 통해 육화된 것만 같은 느낌을 받았기 때문이다.

신춘문예 당선의 기쁨도 잠시, 다시 찾아온 삶의 열패감과 싸우며 오아라는 〈문학과 미래〉에 보낼 단편을 썼다. 그것은 또 하나의 위기를 전복시킬 희망의 불씨 같은 것이었다. 그러니 신춘문예를 준비할 때와는 마음가짐도, 작품에 대한 집중도 사뭇 달랐다. 온갖 명품 브랜드로 포장된 속물적 욕망과 자괴감에 쌓인 자아 사이에서 벌어지는 서글픈 아이러니 대신 진짜 작가로서의 가능성과 확신을 보여줄 수 있는 작품을 쓰고자 애썼다. 성찰이니 뭐니 하는 심사평도 어쩌다 보니 얻어 걸린 것만 같은 자격지심을 이참에 썻어내고도 싶었다. 하지만 세상은 노력한 만큼의 대가를 좀처럼 주려 하지 않았다. 오아라는 자신도 모르게 한쪽 입술을 지그시 깨물었다.

걷다 보니 어느새 청담 파라곤 정문 앞이었다. 한적한 청담동 뒤편 주택가에 자리 잡은 이 고급 빌라를 처음 찾았을 때 오아라는 성공한 작가가 되어 청담동에 살게 된다면 바로 이곳이어야 한다고 생각했다. 하지만 그녀는 곧 알게 됐다. 베스트셀러 작가가 되어 장편소설 100만 부를 팔아 치워도 이곳에 들어올 수 없다는 사실을. 로또 1등에 당첨된다 해도 어지간히 대단한 금액이 아니고서는 소유할 수 없는 성지라는 것을. 지금 사는 집을 팔아도 이곳의 월세 보증금조차 낼 수 없다는 현실을.

굳게 닫힌 정문 앞에 서 있는데 육중한 BMW SUV 차량이 뒤에서 경적을 울렸다. 흠칫 놀라며 비켜서는 오아라의 옆을 지나 차가 정문 앞으로 다가서자 자동 감지 센서에 의해 높이 솟은 문이 소리 없이 열렸다. 오아라는 짐짓 민망하여 선글라스를 만지작거리며 어정쩡하게 고개를 돌리고 서 있었는데, 그녀 옆을 지나가던 차가 차분히 멈추더니 짙게 선팅된 운전석 쪽 창문이 스르르 내려갔다. 이윽고 굵은 중저음의 남자 목소리가 들렸다.

"논술 선생님 아니세요?"

오아라는 조심스럽게 고개를 돌려 남자의 얼굴을 살폈다. 선글라스 때문에 어두운 흑백 톤으로 보이긴 했지만 남자의 모습은 낯이 익었다. 두어 번 잠깐씩 스치듯 본 적 있는 학생의 아버지, 김중권이었다. 사실 그가 먼저 논술 선생님이라고 부르지 않았다면 그녀는 그의 정체를 알아채지 못했을 것이다. 어려운 마음에 목례만 하고 황급히 지나치느라 얼굴을 제대로 본 적은 없었기 때문이다. 낯익은 것은 두 가지. 그에게서 풍겨 나오는 겐조 옴므 향기와 한 문장 이상 들어보지 못했으나 인상적으로 남아 있는 낮고도 침착한 목소리였다. 아, 또 하나가 있다. 밑으로만 향해 있던 오아라의 시선. 그 높이로 스쳐 지나던 넓은 어깨. 찰나의 파편처럼 남아 있던 기억의 조각들이 하나의 형상으로 합쳐져 오아라에게 말을 걸어왔다. 생생한 환영처럼.

인사를 하기 위해 선글라스를 벗자 오후의 햇살이 기다렸다는 듯 오아라의 두 눈을 파고들었다. 손바닥으로 해를 가리려는데 심한 현기증이 일었다. 하루 종일 아무것도 먹지 않고 움직이기만 한 탓이었다. 순간 중심을 잃고 휘청이는 오아라를 향해 창문 안에서 긴 팔이 쑥 나와 그녀의 한쪽 팔을 붙잡았다. 갑작스럽게 남자의 손아귀에 잡혀버렸지만 아프다거나 억세기보다는 부드럽고 따뜻한 느낌이었다. 팔과 함께 차 안에 머물러 있던 향기도 따라 나와 오아라의 온몸을 붙들었다. 어지러운 와중에도 이대로 쓰러져 정신을 잃어도 좋을 것 같은 달콤하고 매혹적인 찰나라고 오아라는 생각했다.

"괜찮아요?"

오닉스가 아가일 패턴으로 섬세하게 수놓인 몽블랑 커프스 버튼이 오아라의 시야에 들어왔다. 불현듯 마인더숍 앞에서 봤던 벤틀리의 뒷모습과 디올라마 백을 주문하고 사라지던 여인의 뒷모습이 겹쳐졌다. 몽블랑 커프스 버튼이 마치 마법의 버튼 같아 오아라는 엄지손가락으로 그것을 꾹 눌러보고 싶었다. 다른 세상으로 향하는 다리를 놓아줄 요술 버튼. 소리 없이 두 팔을 벌리고 있는 청담 파라곤의 저 육중한 문처럼.

오아라가 다시 중심을 잡고 서자 김중권은 잡았던 팔을 놓은 후 차 문을 열고 내렸다. 역시 오아라의 눈높이에 어깨가 와 닿을 만큼 큰 키였다. 차에서 내린 그는 이제 몽블랑 커프스 버튼 대신 펜디 타이와 듀퐁 넥타이핀을 그녀의 시선 가득 밀어 넣고 있었다.

"괜찮은 거예요?"

그가 같은 질문을 두 번째 반복하자 오아라는 정신을 가다듬고 말했다. 죄송해요. 왜 죄송하다는 말이 나갔는지 자신도 알 수 없었다. 그의 큰 키와 건장한 몸, 시종일관 침착하고 낮은 중저음의 목소리, 몽블랑 커프스 버튼, 그리고 아직도 온몸을 붙들고 있는 겐조 향기와 펜디 타이에 압도당하고 있는 것 같은 기분 때문일까.

"타세요."

김중권이 오아라의 한쪽 팔을 살며시 붙잡고 조심스럽게 조수석 쪽으로 데리고 갔다. 오아라는 거부할 수 없는 힘에 이끌리듯 그가 문을 열어준 차에 올라탔다. 군더더기 없이 깔끔한 차 내부는 방금 실내 세차라도 한 듯 먼지 하나 없이 깨끗했다.

처음 타본 외제차의 고급 가죽 시트가 한없이 부드럽고 안락하게 오아라의 등을 감쌌다. 좌석 등받이에 몸을 기대자 위태롭게 가득 차 있던 풍선 속 바람이 한숨 터지듯 빠져나가는 소리가 들리는 듯했다. 김중권이 운전석에 올라타 오아라를 잠시 살폈다. 오아라는 숨이 멎는 것 같아 그저 창밖을 바라보고 있을 뿐이었다.

몇 달째 과외를 하러 온 곳이건만 그의 차를 타고 정문을 통과하는 순간 오아라는 지금까지와는 전혀 다른 세상으로 빨려 들어가는 것 같은 아득한 기분에 젖었다. 우람한 보닛 위로 강렬하게 반사되는 햇살도 저 바깥세상의 그것과는 다른 질감과 형태로 빛나고 있었다. 그 빛이 하도 부셔 오아라는 잠시 고개를 돌렸다. 그러자 지금껏 제대로 보지 못했던 김중권의 옆모습이 눈에 들어왔다. 분명히 40대 중반은 넘었을 텐데 매끄럽고 하얀 피부하며 적당한 굴곡으로 꺾인 턱선과 가지런한 콧날이 저 햇살만큼이나 비현실적으로 다가왔다. 오아라는 시선을 들킬까 싶어 얼른 다시 고개를 돌렸다. 다행히 차는 곧 지하주차장으로 진입했다. 햇살이 소멸된 대신 적당한 어둠이 찾아들면서 그녀는 꿈에서 깨어나듯 정신을 차릴 수 있었다.

"그냥 있어요."

주차를 한 김중권이 그렇게 말하고는 반대편으로 와 문을 열고 손을 내밀었다. 오아라는 잠시 망설이다가 그의 손을 잡고 차에서 내렸다. 남자 손 같지 않게 매끄럽고 따뜻했다. 고생이

라고는 모르고 살아온 손이었다. 그의 목소리와 향기, 손의 촉
감, 그리고 태도 하나하나까지 모두 품위 있게 느껴졌다. 카드
키로 문을 연 그가 고객을 모시는 호텔 직원처럼 정중히 오아
라를 엘리베이터까지 안내했다. 그래 봤자 출입문에서 3미터도
안 되는 거리였다.

"일찍 오셨네요. 애는 아직 안 왔을 텐데, 절 못 만나셨으면
밖에서 기다리실 뻔했습니다."

엘리베이터 안에서 김중권이 천천히 바뀌는 층 숫자를 올려
다보며 말했다. 네, 그렇게 됐네요. 오아라는 달리 할 말이 없었
다. 정말 그를 만나지 못했다면 카드도 없고 과외 선생이라고
증명해줄 학생도 없는 상황에서 철통같은 파라곤의 문 안으로
들어갈 수 있는 방법은 없었다.

"어떻게 이 시간에……."

과외를 마치고 집을 나설 때 두어 번 마주친 적은 있었지만
평일 오후 시간에 그를 만나기는 처음이어서 물어본 말이었다.

"아침에 휴대폰을 두고 나갔어요. 저녁 때 중요한 모임이 있
는데 시간이 조금 남아서 잠깐 들렀습니다."

"네……."

그리고 둘은 엘리베이터에서 내릴 때까지 더 이상 아무 말도
하지 않았다.

거실 소파에 앉아 있는 오아라를 위해 김중권은 손수 차를

내왔다. 에스프레소 머신으로 내린 캡슐 커피였다. 오아라는 그윽한 커피 향기보다 섬세한 음각 문양의 디테일이 돋보이는 로열 코펜하겐의 커피 잔에 취하는 기분이었다.

"애 엄마가 있었으면 뭐라도 제대로 대접했을 텐데."

학생의 엄마. 그러니까 김중권의 아내 유인혜는 이곳을 처음 방문했을 때 딱 한 번 만난 것이 전부였다. 배우신 줄 알았어요. 오아라의 첫마디에 도도한 건지 그윽한 건지 헷갈리는 미소를 지어 보였던 그녀는 그로부터 일주일 후 첫째 아들의 조기 유학을 위해 함께 미국으로 떠났다. 그것이 벌써 6개월 전이었건만 김중권은 조석으로 아내의 자상한 손길이 닿는 남편처럼 실오라기 하나 묻은 것 없이 말끔한 모습이었다. 한 명의 상주 가사도우미와 또 한 명의 출퇴근 가사도우미를 두고 살면 아내의 빈자리도 티 안 나게 감쪽같이 메꿀 수 있는 것일까. 오아라는 커피를 한 모금 마시면서 생각했다. 그녀가 방문할 때는 항상 가사도우미가 맞아주었지만 학생의 건강과 입맛을 고려해 우유나 주스만 내왔을 뿐 커피는 이번이 처음이었다. 1500원짜리 동네 커피와는 당연히 비교도 할 수 없는 맛이었다. 분명 에스프레소였건만 오아라의 미각은 커피가 솜사탕보다 더 달콤하다고 느끼고 있었다. 당장 주방으로 가 잔뜩 쌓여 있을 캡슐을 훔치고 싶다는 생각이 들었다.

"인사가 늦었습니다."

김중권이 안주머니에서 입생로랑 명함지갑을 꺼내 명함 한

장을 건넸고 오아라는 어정쩡하게 일어서며 두 손으로 받았다. 일반 명함과는 지질이나 두께가 확연히 달랐다. KY성형외과. 꽤 두툼하게 제작된 명함 한가운데에는 병원 이름이 엠보싱 형태로 돋아 올라와 있었고, 그의 이름 옆 직함은 대표원장이었다. 버스를 타고 한남대교를 건너 신사역 사거리에서 도산대로로 좌회전하기 직전, 넓은 사거리 대각선 맞은편으로 한눈에 들어오는 바로 그 병원. 최근 건물을 증축하면서 10층 전체가 병원으로 바뀐 최대 규모의 기업형 성형외과라는 인터넷 정보가 폭죽 터지듯 오아라의 머릿속에서 빠르게 점멸했다. 밀려드는 중국인 성형 관광객을 위한 특급 호텔 수준의 숙박시설까지 갖추고 있다는 뉴스 보도를 본 기억도 스쳐갔다.

어느 정도 예상은 했지만 어느 이상 상상하진 못했다. 털털거리는 버스 안에서 KY성형외과 빌딩을 까마득히 올려다볼 때마다 고아하게 전시돼 있는 끌로에 악어백이나 샤넬의 트위드 재킷을 감상할 때와 똑같은 기분을 느끼곤 했다. 어차피 닿을 수 없는 세상. 버스가 완전히 꺾여 건물이 사라질 때까지 끝내 시선을 돌릴 수 없게 만드는 그곳.

"안사람도 없는데 애 맡겨만 놓고 너무 무심했던 것 같군요."

겸손한 말투와 나긋한 미소는 성형외과 병원장보다는 갤러리 관장이나 교수 쪽에 더 어울렸다. 오아라는 쉽게 말문이 트이질 않아 멋쩍게 웃으며 고개만 두어 번 끄덕거렸다. 김중권은 커피를 마시기 직전 디캔팅한 와인의 향을 음미하듯 아주 잠깐

씩 눈을 감았다. 이번에는 긴 속눈썹이 카메라 앵글에 줌인된 것처럼 오아라의 시야에 들어왔다. 문득 그의 속눈썹을 쓰다듬고 싶은 충동이 일었다. 그 촉감만이 낯설고 생경한 타이밍에 현실감을 불어넣어 줄 것 같았다.

"애들 가르치시는 일 힘들죠? 보수도 얼마 안 될 텐데."

커피 잔을 내려놓으며 김중권이 물었다. 하는 것에 비하면 보수는 결코 적지 않았다. 보수가 적다고 느꼈다면 이미 다른 집을 찾았을 것이다. 그의 시선에서는 무언가 동정 같기도 하고 연민 같기도 하며 이쪽 세상과 저쪽 세상의 보이지 않는 경계를 스윽 그어버리는 것 같기도 한 복잡다단한 뉘앙스가 전해졌다.

"전 작가예요. 소설을 쓰죠."

오아라는 종려나무 잎 무늬를 모티프로 한 로열 코펜하겐 커피 잔의 블루 팔메트 문양에 시선을 고정시킨 채 최대한 무심한 표정으로 말했다. 대수로운 일은 아니라는 듯, 작가로 살아온 지 오래된 사람처럼 자연스럽게, 과외는 그저 소일거리 삼아 하는 것이라는 행간의 의미가 충분히 전달되도록. 예상한대로, 아니 예상 이상으로 김중권은 두 눈을 크게 뜨며 적잖이 놀라워하는 얼굴이었다.

"아, 그렇군요. 자식의 선생님이 작가님이셨는데 그것도 모르고 있었다니. 저도 이 일을 하고는 있습니다만 책 읽는 걸 아주 좋아한답니다. 한때는 저도 문학청년이었고."

반 톤 정도 높아진 그의 목소리에서 진심 섞인 반가움이 묻어났다. 오아라는 등단하고 시상식 때 이후로 처음 들어보는 '작가님'이라는 호칭이 낯설고도 짜릿했다. 〈문학과 미래〉의 김순옥이 부르는 호칭은 언제나 '오아라 씨'였다. 아직까지는 널 작가로 인정해줄 수 없으며 향후 네가 가는 길을 한참 지켜본 후에 작가라는 호칭을 붙일지 말지를 판단하겠다는 듯 언제나 단호하고도 사무적인 어조로. 한데 김중권이 부르는 호칭에는 불손한 느낌이라고는 조금도 찾아볼 수 없었다. 그래서 오아라는 아주 오랜만에 활짝 웃었다. 너무 과하게 웃으면 작가답지 못하게 보일 것도 같아 곧바로 표정을 다잡긴 했지만.

"책도 내셨나요?"

나이답지 않게 해맑은 미소로 물어보는 김중권을 바라보며 오아라는 이 남자를 실망시키고 싶지 않다는 생각이 들었다.

"지금 장편 집필 중이에요."

김중권이 고개를 크게 끄덕이며 존경스러운 눈빛으로 오아라를 바라봤다. 오아라는 거짓말을 한 것이 아니었다. 그렇게 말하는 순간 정말로 결심을 했기 때문이다. 장편을 써야겠다고. 문장의 시제에 약간의 차이가 있을 뿐이었다. 지금 자신을 향해 있는 김중권의 저 눈빛을 충족시킬 작가 오아라의 장편이 나온다면 얼마나 가슴 벅찰까. 자신을 향한 저런 눈빛으로 세상이 가득 찬다면.

"정말 의미 있는 일을 하시는군요……."

다소 풀이 죽은 김중권의 말에 오아라는 의아해졌다.

"의사 일은 의미가 없다는 반어법처럼 들려요."

김중권이 오아라를 향해 소리 없이 웃었다.

"사람의 얼굴, 외모, 체형을 바꿔주는 것도 의미 있는 일이죠. 하지만 의미의 깊이랄까 농도랄까. 그런 건 본질적인 창작과는 비교할 수가 없죠."

"전 다시 태어난다면 가난한 작가보다 부유한 의사로 태어나겠어요."

"부유한 의사 입장에선 작가의 삶을 자꾸 동경하게 되는데요."

"부유한 의사를 하면서 부유하게 글을 쓰면 되죠. 이젠 글도 돈이 있어야 쓸 수 있는 세상이에요."

지금까지 살아오면서 골백번도 더 했던 생각이다. 창작이니 뭐니 하며 배부른 소리를 늘어놓고 있는 김중권을 그저 교양 있는 척, 점잖은 척 바라보고 있어야 하는 이 순간이 오아라에게는 또 하나의 고역이었다. 그녀 얘기에 김중권은 골똘한 표정이 되어 잠시 침묵했다.

"신은 그렇게 관대하지 않아요. 부유한 의사에게 뛰어난 문학적 재능까지 주는 경우는 그리 많지 않죠."

"문학청년이 의사가 된 이유가 그건가요?"

김중권은 김이 올라오고 있는 커피 잔을 입으로 가져가 음미하듯 천천히 두 모금을 마셨다. 그 모습이 오아라 눈에는 미치도록 우아해 보였다. 저 섬세한 애티튜드야말로 넘치는 부유함이 만들어내는 이미지 혹은 은유 같았다.

"폴 오스터의 『거대한 괴물』이라는 책에서 등장인물 중 피터 아론이 이렇게 말해요. '책이 어떻게 쓰이는지 누구도 말할 수 없다. 심지어는 그 책을 쓰고 있는 사람도 모른다. 책은 무지에서 태어난다.' 작가는 무지에서도 책을 쓸 수 있는 존재죠. 마치 신들린 것처럼. 전 그럴 수 없었어요. 그냥 늘 무지의 상태에만 놓여 있었죠."

갑자기 튀어나온 폴 오스터 얘기에 오아라는 긴장했다. 폴 오스터의 작품은 읽어본 적도 없고 작가에 대한 정보도 별로 없었다. 김중권이 '폴 오스터나 그의 작품에 대한 당신의 생각은 어떤가요?'라고 물어보기라도 하면 어떻게 답해야 할지 고민하고 있는데 그가 자리에서 일어섰다.

"이런, 제가 반가운 마음에 쓸데없는 얘기를 늘어놓았습니다. 다시 나가봐야겠어요."

오아라가 따라 일어서자 김중권은 아이가 올 때까지 편히 쉬라고 말한 뒤 필요한 게 있으면 언제든 도우미 아주머니를 부르라는 당부를 전하고는 휴대폰을 챙겨 현관으로 향했다. 현관까지 그를 배웅하려던 오아라는 자신이 아내라도 된 듯한 바보 같은 착각이 들었다.

"내게 연락 주겠어요?"

은은한 광이 흐르는 앤티크 스타일의 흑갈색 벨루티 구두를 신은 그가 뒤로 돌아서며 오아라에게 물었다. 그대로 물들어버릴 것 같은 그의 다정한 시선 때문에 '네' 하며 즉시 답이 튀어나올 뻔한 걸 오아라는 간신히 한 템포 참았다.

"그럴게요."

오아라의 차분하고도 살보드라운 대답을 들은 김중권은 아이처럼 환하게 웃고는 다정하게 손 인사를 하고 집을 나갔다.

그가 나간 후 오아라는 다시 소파로 가 학생이 오길 기다렸다. 도우미가 와서 과일이라도 드시겠냐고 물었는데, 오아라는 다른 생각에 잠겨 말을 듣지 못했다. 도우미가 고개를 갸우뚱거리며 주방으로 사라지고 거실에는 오아라 혼자 남았다. 그녀는 김중권이 남기고 간 샌들우드의 잔향을 느끼며 이곳을 드나들기 시작한 후로 처음 집 안을 천천히 둘러봤다. 과외 시간이 다 되도록 아이는 나타나지 않고 있었고, 오아라는 오직 환영처럼 나타났다가 사라진 김중권에 대한 생각뿐이었다.

학생은 과외 시간보다 5분 정도 늦게 나타났다. 오아라는 다른 날과 달리 좀 어수선한 정신으로 어영부영 시간을 때우고 집을 나왔다. 해가 진 청담동은 낮보다 신비롭고 아름다웠다. 퇴근 시간에 접어든 도로에는 그새 차들이 많이 늘어나 있었다. 올 때는 편안히 앉아 왔던 버스에도 사람들이 꽉 들어차 안으로 비집고 들어가는 것조차 힘들었다. 간신히 손잡이 하나를 붙든 채 막히는 도산대로를 지나는데 휘황찬란한 불빛으로 가득한 바깥세상이 물속 풍경처럼 몽롱하게 일렁였다.

버스의 움직임에 따라 이리저리 흔들리면서 오아라는 아늑하고 편안하던 김중권의 차 안을 떠올렸다. 불과 5분이나 됐을까. 잠깐 몸을 실었던 차였건만 그사이 등에 와 닿았던, 코에 휘감겼던, 손끝을 스쳐갔던 모든 감각이 명징하게 각인돼 있었다. 그리고 그 감각들은 오아라가 원하면 세상 어디든 데려가줄 것 같은 믿음을 전해주었다.

자신에게 어떤 형태로든 믿음을 줄 수 있는 대상이 부재하는 삶이 얼마나 우울하고 고단한지 스물여덟 인생은 오롯이 가르쳐주었다. 이를테면 아버지의 부재가 그랬고, 가난이 그랬고, 괜찮은 학벌로도 뚫지 못했던 취업난이 그랬고, 그래서 인생 활로로 생각했던 등단의 높은 문턱이 그랬고, 그저 지질하게 자신의 몸만을 탐했던 과거 남자친구들이 그랬다. 필사적으로 믿음의 대상을 찾으면 찾을수록 삶은 열심히 비아냥거리며 오아라를 희망의 경계선 밖으로 밀어내거나 무릎 꿇렸다. 마인더 숍에서 봤던 벤틀리의 뒷모습, 훔치고 싶은 디올 백, 청담 파라곤의 웅장한 정문, 김중권의 BMW 가죽 시트, 겐조 옴므의 향기, 로열 코펜하겐 찻잔. 오아라는 자신에게 진정한 믿음과 희망을 심어주는 대상들을 머릿속으로 나열하다가 속으로 중얼거렸다. 속물…… 한데 속물이 뭐 어때서.

버스는 어느새 신사역 사거리 쪽에 가까워지고 있었다. 오아라는 고개를 살짝 꺾어 창문 밖을 올려다봤다. 빌딩 꼭대기에 걸린 KY성형외과 간판에 환하게 불이 밝혀져 있었다. 강남 한복판을 한눈에 굽어보듯 화려한 빛으로 둘러싸인 채 가장 높은 곳에 매달려 있는 간판은 버스가 한남대교 쪽으로 우회전하면서 곧 시야에서 사라졌다. 저 불빛의 주인이 불과 몇 시간 전에 만난 사람이라는 게 믿기지 않았다. 버스 창밖으로 흘러가는 모든 풍경이 입으로 훅 불면 금세라도 가루가 되어 날아가버릴 것 같았다. 김중권이라는 존재처럼.

오아라는 자신도 모르게 입맛을 다셨다. 한남대교에서 바라본 한강은 낮 동안 떠돌던 삶의 온갖 시름과 그 찌꺼기들을 어두운 수면 아래로 내려보낸 채 고요하고도 적막하게 흐르고 있었다. 올림픽대로와 강변북로에 늘어선 차들의 불빛 행렬은 마치 한강을 수호하는 호위 무사들이 거대한 띠를 이루며 행군하고 있는 모습 같았다. 마인더숍의 연인을 태운 벤틀리도, 김중권의 BMW도 저 대오 속 어딘가에서 유유자적 흐르고 있을까. 자신은 절대 끼어들 수 없는 행렬이라는 생각이 들자 오아라는 마른침을 두어 번 삼켰다. 두드리고 부딪쳐도 섞일 수 없는 낯선 흐름을 응시할 때만큼 외로워지는 순간은 없다. 세상에는 그렇게 끼어들기 힘들거나 끼어들 수 없는 흐름이 너무나 많다. 한낮의 풍경과 달리 밤의 장막을 덮어쓴 한강은 훨씬 기묘한 쓸쓸함을 자아내고 있었다. 처음 본 것도 아닌데 새삼스러운 감상에 젖어드는 자신이 오아라는 좀 우습게 느껴졌다.

버스가 한남동을 지나 버티고개 쪽으로 향했다. 현실의 모든 자극으로부터 무뎌지게 만들었던 몽롱함이 순식간에 바뀌는 차창 밖 풍경과 함께 스르르 빠져나갔다. 마취 기운 떨어지기 무섭게 찾아드는 수술 후 통증처럼 그녀의 몸속으로 뭔가 불편한 심기가 퍼져나갔다. 잊고 있었던 김순옥과의 통화와 엄마 병원비에 대한 걱정과 새로 이사할 집을 구해야 하는 번거로움과 어서 단편을 고쳐야 한다는 부담감이 앞다투어 자신의 문제를 먼저 해결해달라며 성난 황소처럼 달려들었다. 집 팔아서 밀린 병원비 해결하면 그다음은? 급한 불을 끄고 난 후에도 셀 수 없이 많은 잔불이 여기저기 남아 있을 앞날을 생각하니 오아라는 그만 맥이 풀려 버스 바닥에 주저앉고 싶었다.

그때 문자 하나가 도착했다. 김순옥이었다. 어떻게 고칠지 생각해봤나요? 일주일 정도 시간 주면 되겠죠. 이번에도 역시 마지막 문장은 질문이 아니라 서술형으로 끝나고 있으니 묻는 것이 아니었다. 통보였고 명령이었다. 이 여자, 사람을 분노케 하고 모멸스럽게 하는 기술에 능통하다. 이번에도 오아라는 별달리 답을 하지 못했다. 할 수 있는 대답은 이미 '네'라고 정해져 있었다. 그 정해진 답의 그물에 한 치의 오차도 없이 걸려드는 무기력한 피라미는 되고 싶지 않았다. 네가 뭔데, 네가 감히 뭔데 나한테……. 절대 입 밖으로 꺼내 말하거나 전할 수 없을 독백이 나지막이 흘러나와 버스 차창에 부딪혀 형체 없이 흘러내렸다. 일주일의 시간. 단편은 또 어떻게 고쳐야 할까. 거만하고 까다로운 김순옥의 구미를 만족시킬 수 있을까. 두 번째 단편은 세상의 빛을 볼 수 있긴 한 것일까.

오아라는 생각했다. 뭔가 이대로는 안 된다고. 더 이상 이대로는 삶을 지속시킬 수 없다고. 무심코 주머니에 넣었던 오아라의 손에 사각의 빳빳한 종이가 딸려 나왔다. KY성형외과 대표원장 김중권. 오아라는 복화술 하는 사람처럼 명함에 적힌 글자를 소리 없이 따라 읽었다. 그러고는 다시 한 번 생각했다. 이대로는 안 된다고. 삶이 이래서는.

도산대로에서는 정숙히 흘러갔던 버스가 옥수동으로 접어들자 어느새 심하게 덜컹거리기 시작했다.

'오피스걸이에요. 스폰해주실 분'이라는 제목이 노아의 눈에 들어왔다. 사실 제목보다 그의 시선을 잡아끈 것은 '스칼렛'이라는 닉네임이었다. '베이글녀'나 '오빠 나 어때' 같은 닉네임이 아니어서, 자신이 좋아하는 스칼렛 요한슨을 떠올리게 해서, 왠지 그냥 끌리는 닉네임이기도 해서 노아는 글을 클릭했다. 간단한 신체 사이즈 소개와 함께 '금액은 사전 합의'라고 적혀 있었다. 장황하거나 지나치게 과장된 내용이 아니어서 좋았다. 여기에서 '사전'이라는 것은 관계 전이라는 의미일까, 아니면 만남 전이라는 의미일까. 별것 아닌 단어 하나로 의문을 갖게 만드는 태도도 마음에 들었다.

　잠자리 한 번에도 그저 주는 대로 받곤 하는 노아 입장에서는 이런 쿨한 태도에 대한 근원적인 동경 같은 게 자리하고 있었다. 노아가 상대하는 여성들은 단 한 번도 사전 합의라는 것을 하지 않았다. 업장에서 선수로 뛸 때는 기본적으로 정해져 있는 2차 가격이 있었지만 프리랜서로 전업한 후로도 노아는 먼저 금액을 부르지 않았다. 대부분의 고객이 알아서 조건을 제시했고 그 조건이 나쁘지 않았기 때문이기도 했다. 한데 자신과 별반 다르지 않은 것 같은 이 여자는 익명의 잠재 고객들을 향해 당당하게 요구를 하고 있다. 당연하다고 생각해왔던 것에 미세한 균열이 생기는 순간은 무언가를 깨우치거나 무언가에 절망해야 하는 순간이다. 왜 자신은 그렇게 해보려는 노력조차 하지 않았을까.

선수를 거쳐 호스트바 마담으로 일하는 동안 노아는 스스로에게 어떠한 선택권도 부여해서는 안 된다고 생각했다. 그래야 경쟁에서 이길 수 있었고 좀 더 많이 몸을 팔 수 있었으며 부족함 없이 먹고살 수 있었다. 가끔 노아로 하여금 무언가를 선택할 수 있는 기회를 주는 고객도 있었다. 예를 들어 레스토랑에서 메뉴를 고를 때라든가 어느 호텔에 갈지 정할 때, 혹은 함께 쇼핑을 가서 자신에게 어울리는 목걸이가 어떤 것인지를 노아에게 물을 때. 하지만 노아는 그런 사소한 순간도 불편해할 만큼 어느새 결정 장애가 습관처럼 몸에 배었다. 얼굴도 모르는 스칼렛이란 여자 때문에 때 아닌 실존적 자각을 하고 있는 이 상황이 노아는 묘했다. 굳이 왜 이런 쓸데없는 비교를 하고 있는 것인지도 조금 우스웠고. 새삼스러울 것 없는 현재는 이미 습성이 됐고 습관이 됐기에 그다지 괴로울 것도, 힘들 일도 아니었다. 무엇보다 이제는 되돌릴 수 없는 현재니까.

이 바닥 생활 8년 만에 마담 타이틀을 달았을 때 한 고객은 노아에게 이렇게 말했다. 넌 지금까지 만난 선수들하고는 달라. 잡소리 없이 복종하는 네 모습이 얼마나 섹시한지 아니? 그것만으로도 노아는 오랜 선수 생활 동안 자신이 지켜온 철칙 내지는 신념이 부끄럽지 않았다. 다만 스칼렛이라는 존재를 통해 '내가 처음부터 그렇게 알아서 기지 않았다면'이라는 별 의미 없는 가정을 떠올려보게 됐을 뿐이다.

무언가를 되돌리기 위해 처음으로 거슬러 올라간다면 과연 언제여야 할까. 순진하던 열아홉 시절? 아니, 그땐 이미 선수의 길로 접어들었을 때니 의미가 없다. 그렇다면 서울역에서 노숙자들과 함께 지내던 여덟 살 때? 노아가 나이에 비해 어렸을 때부터 조숙했던 것은 사실이지만 그래도 실존적인 고민에 휩싸이기엔 이른 나이다. 자신을 서울역까지 이끌었던 엄마의 손이 대합실 어느 모퉁이에서 스르르 풀려나가는 순간 본능적으로 이별을 직감했을 만큼은 조숙했다. 손을 놓고서는 뒤 한 번 안 돌아본 채 급하게 멀어져가던 엄마의 뒷모습을 이별의 의미로 받아들이지 않았다면 노아는 엄마의 앙상한 손아귀를 다시 붙잡기 위해 사력을 다해 쫓아 달려갔을 것이다. 그러지 않았던 것은 이별을 이별로 받아들였기 때문이다.

엄마와 이별한 대신 노아는 여러 명의 노숙자들을 만났고 그들로부터 '어이, 노예'로 불리며 그곳 모든 노숙자들의 손과 발이 되어 지냈다. 그러니까 선수로서의 자질 혹은 기질은 아마도 그때부터 형성됐다고 보는 것이 맞다. 어렸기에 좀처럼 믿기지 않을 수도 있었을 현실을 노아는 엄연한 현실로 무리 없이 인식했다. 자신이 아무리 발버둥 쳐도 빠져나갈 수 없는 거대한 그물이 세상에 존재한다는 사실도 그맘때쯤 어렴풋이 깨달았다. 그래서 힘들게 벗어나려고 하지 않았다. 무서워 보이던 그물은 갇혀 지내는 시간이 늘어날수록 그럭저럭 지낼 만한 아늑한 울타리로 바뀌었다.

여덟 살이면 이름을 충분히 기억할 나이였음에도 불구하고 사회복지사에 의해 어느 보육원으로 옮겨졌을 때, 노아는 서이호라는 이름 대신 노숙자 아저씨들이 불렀던 대로 '노예'라고 자신을 소개했고 보육원 원장은 인적기록부에 '노아'라고 받아 적었다. 모음 하나 차이에도 불구하고 뭔가 있어 보이는 이름으로 손쉽게 탈바꿈되는 것을 보고 삶은 늘 자신의 희망이나 의지와는 상관없이 이미 정해져 있는 길을 따라 흘러가는 것이라고 어린 노아는 생각했다.

노아는 그 후로 이름을 바꾸려 하지 않았다. 서이호보다 노아가 훨씬 멋져 보였고, 그게 운명이라고 믿었기 때문이다. 그러니 호스트바 마담을 거쳐 프리랜서 선수로 뛰고 있는 지금도, 자신의 선택권이라고는 없이 젊은 언니들이나 사모님들이 시키는 대로 충실한 개처럼 굴며 풍족한 먹이를 받아먹게 된 처지도, 모든 것이 노아에게는 운명 같은 일이었다. 이것이 어떠한 상황에서도 노아가 좀처럼 실존적 회의에 빠지지 않는 좀 더 명확한 이유였다. 반면 스칼렛에게서는 자신의 운명이 이끄는 대로 끌려가지만은 않겠다는 의지가 느껴졌다. 내가 을이고 이 제부터 너의 돈줄로 살아가고자 하지만 마지막 자존감은 지키 겠다는 듯한 자세가 기특했다. 또한 신선한 문화적 충격을 받 았을 때처럼 노아로 하여금 많은 자성을 하게 만들었다.

이제 그렇게 사는 거 그만할 때도 되지 않았어? 홀로 돌아가 던 톱니바퀴에 또 하나의 톱니바퀴가 맞물리듯 오늘 아침 출 근 전 김순옥이 했던 말이 툭 끼어들었다. 거울 앞에 앉아 화 장을 하면서 무심하고 단조로운 어조로 내뱉은 말이지만, 의미 의 무게가 실리면 실릴수록 그녀의 음성은 더욱 무심하고 단조 로워지곤 했다. 꼭 김순옥의 말 때문이 아니더라도 선수 생활 을 그만둘까 하는 생각은 몇 번 해본 적이 있었다. 그렇다고 진 짜 행동에 옮길 만큼 심각한 고민은 아니었다. 굳이 삶의 방향 을 바꾸기에는 현재의 길이 선사하는 안락함이 더 컸다. 모든 변화에 대한 시도는 현재의 부족, 불만 혹은 부재로부터 시작되 는 것이니까. 노아에게는 지금 딱히 부족하거나 불만스럽거나 없는 것이 없었다. 엄마의 부재는 삶의 방향이 바뀌어도 해결될 수 있는 것이 아니었고 불만은 더더욱 아니었다.

노아는 노트북 앞에 앉은 채 머리를 긁적이며 스칼렛이라는 이름을 몇 번 중얼거렸다. 그러고는 미지의 존재를 향해 접선 신호를 보냈다. '내가 스폰해줄게요. 물론 가격은 사전 합의'라 고.

노아는 수면안대를 쓰고 침대에 누웠지만 환한 햇살은 까만 안대의 씨줄과 날줄 그 보이지 않는 틈 사이를 집요하게 파고들었다. 안대 하나로 완벽한 암흑을 만드는 것은 역시 불가능했다. 아무래도 암막 커튼을 사야 할 것 같았다. 노아는 한 손으로 옆자리를 더듬거렸다. 생각해보니 김순옥과 마지막으로 잠자리를 한 게 언제였는지 가물거렸다. 함께 섹스를 하지만 돈은 오가지 않아도 되는 관계. 그래서 긴장하지 않아도 되는 존재.

김순옥이 처음 업장을 찾았을 때 노아는 이런 곳을 출입할 여자가 아니라는 것을 쉽게 알 수 있었다. 작정하고 호스트바를 찾는 여자는 사랑하는 남자 앞에 설 때보다 더 예쁘고 아름답게 치장을 하고 온다. 선수들은 그런 여자들에게 돈 한 푼 들지 않는 립 서비스를 정신없이 쏟아붓고 그 대가로 술과 돈 혹은 그에 준하는 무엇인가를 받는다. 선수들의 반응이 뜨거울수록 이곳을 다시 찾는 여자들의 메이크업은 더욱 짙어지고 옷은 과감해진다. '사랑해요' 대신 '당신의 가슴이 날 미치게 해'와 같은 멘트를 들을 수 있는 유일한 곳이라는 걸 알게 되는 순간 여자는 또 한 명의 '호갱'이 된다.

모든 선수들을 물리치고 술 한잔하고 가겠다는 김순옥 옆에 노아가 앉게 된 것도 운명이라면 운명일까. 마담이 된 후로 가급적 술은 입에 안 대던 노아가 그날따라 술이 좀 고팠고, 신경써 꾸몄다고 하기에는 많이 섭섭한 그녀의 수수한 외모가 술상대라도 해주고 싶은 자비를 느끼게 했다. 오래 묵은 외상값 때문에 사인지 회수하러 찾아간 사모님이 그새 이혼당하고 도박으로 빚까지 진 채 추레한 아줌마로 몰락해 있는 모습을 보게 된 순간의 느낌과 비슷했다. 외상값을 포기한 채 돌아서다가 지갑에서 10만 원짜리 수표 한 장 꺼내 쥐여 주는 심정과 비슷한.

"미학적인 아름다움은 없네요. 모두."

노아가 마담이라고 인사한 후 잔뜩 동정 어린 시선으로 빈 잔에 술을 따르는데 김순옥이 알 수 없는 말을 했다. 그렇게 말한 후 독한 양주를 한 번에 털어 넣었다. '모두'라고 지칭한 것이 방에 들여보냈던 일곱 명의 선수들을 말한다는 건 알 수 있었다. 일곱 명 모두 마음에 들지 않는다는 의미로 해석한 노아는 김순옥의 눈이 의외로 높은 모양이라고 생각하며 속으로 살짝 코웃음을 쳤다.

"선택받고 싶은 심정은 이해하는데 권상우니 김수현이니 하는 가짜 이름은 상품으로서의 존재감을 형상화하기엔 너무 정형화돼 있어요. 좀 더 창조적이거나 희소가치가 있는 네이밍이어야지."

노아가 김순옥에게 끌렸던 순간을 꼽으라면 그때가 될 것이다. 지금껏 만나왔던 여자들과는 전혀 다른 문법으로 말하던 그녀 이야기는 마치 해독할 수 없어 더 신비롭게 들리는 외계 언어 같았다. 비아냥거리는 듯했지만 누구보다 진심을 담은 말이라는 걸 노아도 알 수 있었다. 하지만 이후로 김순옥은 말없이 술만 마셨다.

짝사랑하는 남자로부터 '넌 여자 치고는 별 매력이 없어'라는 말을 듣고 충동적으로 그곳을 찾았다는 얘기는 김순옥과 동거를 시작한 지 한 달쯤 됐을 때 들을 수 있었다. 좀 코미디 같기도 한 스토리를 그녀는 특유의 무표정한 얼굴로 들려주었고, 진지한 이야기를 할수록 표정은 한없이 무심해진다는 걸 그때 알았다. 자초지종은 묻지 않았다. 김순옥은 얘기하고 싶은 것은 반드시 얘기했고 얘기하기 싫은 것은 밤새 매달려도 얘기 안 하는 사람이었으니까.

그녀를 사랑하고 있는 것인지에 대해서도 노아는 자문하지 않았다. 자신을 사랑하느냐고 김순옥에게 물어본 적도 없다. 대신 자신에게는 스폰 관계의 여자들이 세 명 있다는 것과 선수 생활 8년째라는 사실만을 전했을 뿐이다. 그 얘기를 듣고 김순옥은 흔쾌히 동거를 결심했다. 왜 동거를 하기로 했냐고 물었던 적은 있었다.

"당신은 지금까지 만나본 어떤 남자보다 잘생겼으니까. 그리고 당신이 내게 선택권을 줬으니까."

노아로서는 얼핏 그럴싸한 이유처럼 들리기는 했지만 그 의미를 정확히 이해하기는 힘들었다. 8년 동안 일했던 호스트바 마담을 그만두고 프리랜서 선수로 전향할 거라고 의기양양하게 말했을 때 김순옥은 축하해주기는커녕 딱한 표정으로 이제 그렇게 사는 거 그만둘 때도 되지 않았느냐고 말했다. 이유를 물어보지는 않았다. 다만 노아는 자신의 직업을 그녀가 부끄러워하고 있다고 여겼다. 정작 김순옥이 몸 파는 남자가 좀 더 쉬워 보여서 그를 선택했다는 것은 알지 못했다. 김순옥이 말한 '그렇게 사는 것'은 선수로 사는 걸 비꼬았다기보다는 사람을 다루는 노아의 태도나 방식이 전략적이지 못함을 지적한 말이었다. 김순옥은 말의 진의를 설명해주고 싶었지만 생각한 대로 표현을 한다면 그는 또다시 머리 아프다고 하며 이불 속으로 기어 들어갈 게 빤했다. 만나는 여자들에게 받은 명품 옷이나 시계, 구두 등을 아무 생각 없이 눈앞에 들이밀며 자랑할 때면 그런 김순옥의 걱정과 연민은 더 깊어졌다.

"너랑 나랑 다른 별에서 살다 온 거 같아. 네 얘기는 내가 사는 세상의 말이 아닌 거 같다고. 이해하기가 힘들어. 처음엔 그렇게 말하는 게 진짜 간지 있어 보였는데."

노아가 김순옥이 말하는 방식과 태도에 대해 여러 번 불만이나 아쉬움, 또는 야릇한 질투심 같은 걸 드러낼 때마다 그녀는 더 이상 떠들지 않고 입을 다물었다. 그것이 동거남에게 베풀 수 있는 최선의 배려이자 자신의 자존감을 즐기는 방법이었다. 결국 둘 사이에 속내를 짐작해볼 만큼의 긴밀한 대화의 시간은 별로 없었던 셈이다.

아침 일찍 퇴근해 들어오는 노아에게 그녀는 늘 머리를 말리거나 화장을 하거나 옷을 갈아입으면서 별 감정 없이, 아니 없는 것처럼 한마디씩 던지고는 했다. 오늘도 수고했어. 씻고 자.

노아는 보란 듯이 옷만 훌렁훌렁 벗어던진 채 씻지도 않고 이불 속으로 들어갈 때도 많았지만 김순옥은 같은 말을 반복하진 않았다. 가끔씩 노아는 이불을 들추고 애 어르는 엄마처럼 '씻고 자야지' 하며 다정하게 타일러주는 그녀의 모습을 보고 싶었지만 절대 이불이 들춰지는 일은 없었다. 김순옥이 출근 준비를 마치고 집을 나서면 그제야 노아는 스르르 일어나서는 욕실로 향했다.

이것이 둘 사이의 일상적 풍경이 된 후 약속이라도 한 듯 섹스를 하고 싶은 욕망과 해야 한다는 의무감을 모두 잊어버렸다. 가끔 '그러고 보니……' 하며 뒤늦게 생각이 날 때도 있었으나 섹스의 유무가 관계 유지에 별다른 영향을 미치지 않는다는 것이 노아에게는 전에 없는 안락을 안겨주었다. 때문에 그런 생각은 또 금세 잊혀졌다. 아니, 일부러 망각한 것인지도 모르겠다. 세 명의 고객을 상대하다 보면 섹스는 온전히 일이 되었고, 어쩔 땐 원치 않아도 하루에 두세 번 봉사를 해야 할 때도 있기 때문에 이러한 망각이 노아에게만큼은 묘한 힐링의 메커니즘으로 작용했다. 그래서 몸과 마음이 조금씩 힘들어질 때마다 어떤 일이 있어도 헤어지지 않겠다고 새삼 마음속 자신과 손가락을 걸었다. 섹스를 하지 않고도, 돈으로 얽히지 않고도 남자와 여자의 관계로 같은 공간에 머물 수 있는 그녀와.

그런 다짐이 흔들리는 순간도 물론 있었다. 김순옥이 가끔 술에 잔뜩 취해 들어오는 날이 있는데, 대부분은 짝사랑하는 윤석향이라는 남자에게 어떠한 이유로 상처를 받거나 뭔가 뜻대로 되지 않았거나 아무것도 할 수 없다는 현실에 새삼스럽게 낙담하는 날이었다.

"오늘 오아라라는 여자한테 내 억하심정을 풀었어. 솔직히 그녀의 작품은 나쁘지 않았어. 아니, 새롭고 신선했어. 하지만 난 그에게 작품을 보여주기 싫었어. 원고가 왔는데 너무 엉망이어서 돌려보냈다고 둘러댔지. 플롯도 엉성하고 메시지도 엉성하고 문장도 엉성하고 모든 게 엉성하다는 이유로. 그랬더니 그가 뭐라는 줄 알아? 그건 나 혼자 판단할 일이 아니래. 그러면서 그러는 거야. 문학적 엉성함을 판단할 줄 아는 안목이 있긴 한가?"

얼마 전에는 잔뜩 붉어진 얼굴로 일하러 나가야 하는 노아를 붙잡고 알아들을 수 없는 말들을 쏟아낸 적도 있었다. 좀처럼 평정심을 잃지 않는 김순옥이었건만 윤석향과 관련된 일에 있어서만큼은 예외였다. 말을 들어보면 그녀가 짝사랑하는 윤석향이라는 남자는 같은 사무실에 근무하는, 직급은 훨씬 높은 사람인 듯했다. 문학평론가이니 편집주간이니 그런 말들을 했던 것도 같은데 별 관심이 없던 노아는 그냥 흘려들었다. 제대로 된 사랑을 한 번도 한 적이 없는 노아였지만 그 심정만큼은 이해할 수 있었다. 안쓰러운 마음에 가만히 안아주었던 그의 품에서 잠시 마음을 가라앉히는가 싶더니 김순옥은 노아의 두 팔을 풀며 말했다.

"미안해. 플롯이니 문장이니 어차피 알아듣지도 못할 말들을 떠들고 있다니."

그러고는 화장도 안 지운 채 침대 위로 쓰러졌다. 미안하다는 사과를 받았음에도 불구하고 노아의 기분은 묘하게 상했다. 틀린 말은 아니었다. 기분 나쁘라고 한 말이 아니라는 것도 알았다. 한데 불쑥 헤어지고 싶은 충동이 일었다. 물론 잠깐이었지만. 말은 언제나 그 안에 실린 진실의 길이보다 조금씩 길거나 조금씩 모자라게 전해진다.

노동의 대가로 세 명의 고객에게서 비주기적으로 받는 돈, 혹은 그에 상응하는 현물만으로도 노아는 충분히 삶의 질을 풍요롭게 유지할 수 있었다. 김순옥은 노아가 가져다주는 돈, 혹은 현물들을 받지 않았다. 대신 공과금이나 관리비, 생활비 등을 자신의 돈으로 먼저 낸 후 정확히 이등분해 매달 노아에게 영수증과 함께 청구를 했다.

노아의 고객은 실상 네 명이었지만 김순옥에게는 세 명이라고 말했다. 노아는 셋과 넷의 차이가 크다고 생각했다. 한데 얼마 전 청담동 마인더숍을 다녀온 후 방배동 중소기업 사장 딸인 서지희가 헤어지자고 통보를 해왔다. 이제 실제로 셋이 된 셈이니 거짓말한 데 대한 일말의 죄책감은 느끼지 않아도 됐다.

서지희는 키가 좀 짜리몽땅하긴 했지만 나름대로 예쁘고 귀여운 구석이 있었다. 그녀는 노아에게 절대로 현금을 주지 않았다. 긴 밤을 보내면 명품 시계나 옷을, 짧은 밤을 보내면 백화점 상품권이나 현금처럼 쓸 수 있는 멤버십 카드를 주었다. 그날도 함께 더블유 호텔에서 밤을 보낸 후 마인더숍으로 가 긴 밤에 대한 대가로 생 로랑의 사이크 록 컬렉션 모터사이클 레더 재킷과 블랙 면 개버딘 소재의 치노 팬츠, 알렉산더 맥퀸의 블랙 몽크 스트랩 부츠와 태그호이어 시계를 선물로 받았다.

노아는 쇼핑백 여러 개 만드는 게 싫어 새로 산 아이템들을 모두 착장한 후 입고 온 옷들이며 신발은 직원들에게 버려달라고 했다. 노아가 제품을 둘러보는 동안 서지희 역시 악어가죽으로 만든 모아나의 가방과 펜던트에 옐로 다이아몬드가 하트 모양으로 파베 세팅된 부첼라티의 목걸이를 골랐다. 가짓수로는 그녀의 것이 적었지만 총액으로 따지면 노아에게 사준 것보다 몇 곱절은 더했다. 사실 노아는 매장에 들어올 때부터 뱀포드의 롤렉스 커스텀 시계에 눈이 더 갔다. 롤렉스를 재해석해 희소가치를 극대화시킨 그 시계 하나면 거의 반년 치 노동의 대가는 충분히 되고도 남았다. 당신에게 봉사한 나를 위한 선물. 서지희가 자신의 쇼핑백을 들어 보이며 노아에게 말했을 때는 좀 얄밉기도 했다. 하룻밤에 두 번이나 봉사한 사람은 여기 있는데.

그녀가 사준 아이템들 중에서 다시 되팔아 돈을 만들 만한 건 시계밖에 없었다. 노아는 늘 그녀에게 현물을 받을 때마다 혹시 모를 교환이나 반품에 대비한다는 핑계로 태그를 떼지 않았고 품질보증서나 AS 보증서도 꼼꼼히 챙겼다. 작은 꼬리표를 달고 있느냐 아니냐에 따라 팔 때의 시세 또한 천지 차이였다. 태그가 있을 경우에는 인터넷 중고장터에 새 제품으로 올려 괜찮은 가격에 얼마든지 직거래가 가능했다. 가끔 갈아입은 새 옷의 깃 밖으로 태그가 삐져나오거나 하면 서지희는 보기 흉하다고 툴툴거렸다. 그래도 그것만은 양보할 수 없었다. 작은 종잇조각이 상품의 가치를 담보해줄 가장 확실한 채권이니까.

김순옥이 지적한 문제들도 이런 것과 관련이 있었다. 이를테면 현물로만 대가를 치르는 고객에게 왜 당당하게 돈으로 줄 것을 요구하지 못하는가 하는 것. 왜 자기 주도적으로 관계를 이끌지 못하는가 하는 것. 충분히 대가에 상응하는 노동을 하고 있음에도 불구하고 왜 공짜로 얻어먹는 자처럼 스스로 종속적인 관계를 미리 규정짓느냐는 것. 물론 이런 얘기를 노아에게 한 적은 한 번도 없었다. 어차피 알아듣지 못할 거라고, 아니 이상하게 알아들어서 괜히 마음만 상할 수도 있다는 판단 때문이었다. 충고라는 것은 개선될 수 있는 가능성을 전제로 했을 때 의미가 있는 것이니까.

마인더숍을 나가니 서지희가 두 번째 이혼 후 위자료를 챙기자마자 새로 뽑았다는 하얀색 벤틀리가 대기하고 있었다. 위자료라고 해봤자 벤틀리 한 대 살 가격으로는 턱없이 모자랄 것이 빤했고 나머지 돈이 어디에서 나왔을지도 빤했다. 결혼하고도 아버지 명의의 카드를 들고 다니며 마음껏 써댈 수 있는 그녀의 처지가 노아는 부럽긴 했다. 가끔 비싼 물건을 긁고 나면 아버지에게 전화가 오기도 했다. 그러면 서지희는 하나 있는 딸내미 구박하기냐며 남편한테나 낼 법한 콧소리를 섞어가며 엄살과 앙탈 사이를 오갔다.

성인이 될 때까지 아버지 존재 자체를 상상해본 적도 없었던 노아는 그녀를 통해 비로소 깨달았다. 아버지의 역할이 어떤 것인지에 대해. 아버지가 왜 있어야 하는지에 대해. 아버지라는 존재가 있다면 어떤 이로움이 있는지에 대해. 그중에서도 가장 훌륭한 아버지는 부유하면서도 자식에게 너그러운 아버지라는 것에 대해. 자수성가해 꽤 규모 있는 중소기업 대표가 된 서지희의 아버지는 곧 여당 공천을 받아 국회의원에 출마할 것이라고 했다. 서지희는 아버지가 국회의원이 되면 이제 이혼도 마음대로 못 할 거라고 투덜거렸다. 처음과 달리 두 번째 이혼할 때 아버지가 적극 반대했던 이유도 곧 다가올 선거 때문이었다는 걸 나중에야 알게 됐다는 것을 보면 서지희에게 속 깊은 얘기까지는 안 하는, 하지만 충분히 자상하고 인자한 아버지인 모양이라고 노아는 미루어 짐작했다.

차를 빼 온 주차요원은 운전석에서 내려 90도로 인사를 한후 경호원처럼 옆에서 대기했다. 노아는 익숙하게 조수석 쪽 문을 열고 서지희를 먼저 태웠다. 노아가 차를 출발시키려는데 서지희가 룸미러를 들여다보며 말했다.

"저기 어떤 여자가 계속 우릴 쳐다보네. 우리가 부러운가 봐.

행복한 연인처럼 보이겠지?"

노아는 룸미러로 뒤쪽을 살폈다. 한 여자가 멀찌감치 떨어져 이쪽을 쳐다보고 있었는데 표정을 살피기엔 좀 거리가 있었다.

"뭐, 차가 멋져서 그런가 보지."

"칫. 저런 여자가 벤틀리를 알아보기나 하겠어."

기어를 바꾸고 액셀러레이터를 밟으려다 말고 노아가 서지희를 쳐다봤다. '저런 여자'라는 표현이 그 순간 왜 목에 턱 걸렸을까. 왜 생판 처음 보는 여자에 대한 비아냥거림에 뒤통수가 쩌릿했을까. 그저 이쪽을 보고 있다는 이유 하나로 서지희는 '저런'이라는 어휘 안에 한 여자의 정체성과 최소한의 존엄성을 송두리째 가둬버렸다. 평생 유복하게 자란 사람들에게만 내려진 특별한 능력일까. 돈 많고 자상한 아버지를 둔 딸들에게만 허락된 특권일까. 묻고 싶었다. 저런 여자는 어떤 여자를 말하는 거지? 서서히 출발한 차가 마인더숍 골목을 벗어날 때까지 여인은 룸미러 속에서 떠나지 않았다. 노아는 도로에 접어든 후에야 한마디 했다.

"모르는 사람에 대해 함부로 말하는 거 아니야."

그러니까. 다음 날 대뜸 서지희가 이별을 통보해온 문제의 발언이 바로 이것이었다. 서지희는 문자를 통해 이별의 이유를 이렇게 밝혔다.

'네가 내게 명령조로 말한 건 처음이었어. 견딜 수가 없어.'

문자를 받고 노아는 한참 동안 생각했다. 자신이 무엇을 명령했다는 건지 기억이 나질 않아서였다. 정확한 상황 파악이 안 된 노아는 어떻게 문자를 보내야 할지 망설였다. 그렇게 우물쭈물하는 사이 다시 문자가 왔다.

'답도 없는 너, 우리 관계가 이 정도였니? 실망이야. 내가 네게 어떻게 했는데.'

'저런'이 그러했던 것처럼 그녀가 말한 '이 정도'는 어떤 정도를 말하는 것인지 또한 알 수가 없었다. 왜 이렇게 어렵고 애매모호한 표현을 쓰는 것일까. 그렇게 또 어영부영하는 사이 마지막 문자가 도착했다.

'헤어져.'

지금까지 온 문자 중에 확실히 이해하고 알아들을 수 있는 유일한 말이어서 노아는 그제야 답을 보냈다.

'그래.'

인터넷 중고 사이트에 올릴 시계 사진을 찍다가 문자를 받았던 노아는 그녀와의 마지막 소통을 끝낸 후 서둘러 작업을 마무리했다. 가격을 좀 더 낮출까 고민이 되기도 했지만 일단 기다려보기로 했다. 올린 지 채 10분도 되지 않아 사고 싶다는 문자가 동시다발적으로 도착했다. 그 순간 이별을 통보받은 노아는 세상 더없는 행복을 느끼고 있었다.

같이 살 맞대고 사는 사이에서도 행복은 좀처럼 전염되질 않는다. 행복이란 걸 느껴본 지가 언제였는지 김순옥은 가물가물했다. 잘생기고 몸 좋고 밤일 잘하는 노아와 처음 동거를 시작했을 당시에는 행복했던 것도 같다. 성적 충만감이 가져오는 일시적 희열은 말 그대로 일시적일 뿐이었다. 금세 달아올랐던 행복의 불꽃은 금세 식어버렸다. 노아에게 헤어지자고 말할까 고민도 해봤지만 딱히 헤어져야 할 이유도 없었다. 행복하지 않다는 것이지, 불행한 건 아니었으니까. 무엇보다 윤석향 때문에 마음이 상해 들어온 날은 옆에 누구라도 있어야 했다. 이왕이면 그것이 노아였으면 하는 바람에는 아직도 변함이 없다.

동거를 시작한 이후 어느 정도 시간이 흐르자 노아에 대한 측은지심이 밀려들었다. 정작 본인은 자신을 한 번도 가엾게 여긴 적이 없다는 것이 김순옥의 마음을 더 안타깝게 했다. 몸을 팔아 먹고사는 선수도 엄연한 직업이다. 몸을 파는 행위 또한 정당한 노동이다. 그러한 김순옥의 사고가 노아의 삶을 더 연민 어린 시선으로 바라보게 만들었다. 노아에게는 노동과 직업에 대한 주체적 인식이 부재한다고 보았기 때문이다.

그렇다면 자신이 살아가는 방식은 주체적인가. 그러한 자문을 할 때마다 김순옥은 예스라고 스스로에게 답했다. 비록 윤석향의 일거수일투족, 한 마디 한 마디에 일희일비하긴 하지만 자존심을 지킬 만큼 최소한의 감정적 저항은 하고 있다고 믿기 때문이다. 예를 들어 오아라의 작품을 자기 선에서 돌려보내는 것, 수정된 작품을 받고도 또다시 그에게 보여주지 않고 돌려보내는 것. 그래서 좋은 작품을 볼 수 있는 기회와 기쁨을 자신의 의지대로 박탈해버리는 것. 가끔은 사소하고 소심한 복수라는 생각이 들기도 했지만 이성이 아닌 감정이 시키는 일은 대부분 하찮고 모호한 것들이다. 윤석향이 지나가면서 '아직도 작품 안 들어왔나?'라고 물었을 때 잠시나마 짜릿했던 것만으로도 그녀에게는 충분히 만족스러운 복수였다. '작가들 다루는 스킬도 좀 키워야 하지 않겠어? 편집자로서 제대로 크려면'이라는 냉소적인 말이 그 짜릿함을 곧바로 짓뭉개버렸지만.

작품에 대해 깐깐하게 굴면 굴수록 편집자로서 칭찬받을 줄 알았던 예상도 보기 좋게 빗나갔다. 어떤 방법으로든 윤석향을 자극하고 싶고 그래서 조금이라도 관심을 끌어보고자 하는 일들이 경미한 자극조차 되지 못한다는 것 때문에 김순옥은 종종 더 우울해지곤 했다. 그러한 애증 관계에 놓여 있음에도 불구하고 늘 차갑고 거만한 윤석향의 화법을 자신이 닮아가고 있다는 것을 김순옥도 느끼고 있었다. 당연했다. 문학 편집자로서의 롤 모델이자 흠모의 대상이 그였으니. 그를 닮고 싶고, 배우고 싶고, 갖고 싶고, 훔치고 싶었다. 윤석향의 모든 것 중에서 닮을 수 있는 것, 배울 수 있는 것, 가질 수 있거나 훔칠 수 있는 것이 무엇이 있을까 포스트잇에 적어가며 고심하기도 했다. 그리고 그것을 실천하기 위해 윤석향의 책장에 꽂혀 있는 문학 이론서와 인문학 서적들을 구입해 열과 성을 다해 읽었으며, 통화 목소리를 녹음해 연기 연습하는 배우처럼 흉내 내보기도 했다.

오아라는 3일 만에 수정 원고를 보내왔고 고쳐 온 작품은 더 좋았다. 작심하고 뜯어고친 듯 비문은 거의 눈에 띄지 않았으며 상황과 심리에 대한 묘사는 더 섬세해졌다. 솔직히 등단작보다 못하지 않았다. 어쨌든 다시 한 번 돌려보내기로 마음먹은 이상 적당한 이유를 만들어야 했다. 마침 윤석향의 우아하고 아름다운 아내가 강남 6성급 호텔 일식 레스토랑에서 손수 도시락을 사들고 편집부 사무실을 찾아오는 통에 김순옥은 우울과 짜증에 휩싸여 며칠을 그냥 흘려보냈다. 윤석향의 아내가 입고 드는 모든 것들은 죄 명품이거나 명품처럼 보이는 것들이었다. 가끔 윤석향이 던지는 말 속에 그러한 추측을 가능케 하는 단서들이 들어 있었다.

"옷도 그 사람의 얼굴이고 지성이야. 명품은 못 걸치고 다닐지언정 품위는 있게 입어야지."

윤석향이 마음 놓고 그런 말을 떠들 수 있도록 그의 아내는 최선을 다해 부끄럽지 않을 만큼 좋은 옷을 입고 다녔다. 생긴 것 또한 입성을 받쳐줄 만큼 어지간히 타고난 데다 강남의 여러 클리닉을 돌며 후천적인 노력에도 온갖 공을 들인다는 소문은 어제오늘 일이 아니었다. 실제로 김순옥은 일주일 만에 나타난 그녀의 얼굴에서 콧날의 각도가 미세하게 올라가 있는 것을 알아챈 적도 있었다. 때문에 일주일 만에 얼굴을 보게 돼도 '안녕하세요' 대신 '아름다우세요'나 '미모가 여전하세요'가 직원들의 인사였고, 모든 것은 진심에서 우러나온 말일 거라고 그녀는 믿었다. 그 진심 어린 칭송의 대열에서 김순옥은 늘 자진 낙오했다. 선뜻 입이 떨어지질 않아서였고, 굳이 자신까지 나서 거들고 싶지 않아서였으며, 행여라도 잘못 입을 놀렸다가는 '필러 시술 받으셨네요?' 하고 말실수를 하게 될 것 같아서였다. 그 때문에 윤석향이 유독 자신만 미워하는 것이 아닐까 하는 생각도 들었다. 품위 있는 미소를 뿌리며 편집부 사무실을 한 바퀴 돌고 나가면 김순옥은 죄 지은 사람처럼 옷매무새를 고치거나 자신의 얼굴을 괜히 어루만지곤 했다. 그러고 나면 그녀와 윤석향의 거리는 조금 더 멀어져 있었다. 그의 아내와 자신의 옷 가격 차이만큼.

우아한 아내의 방문 때문에 오아라의 원고를 잊고 있던 김순옥은 그로부터 4일이나 지난 후 회사 화장실에서 볼일을 보다가 퍼뜩 원고 생각이 나 뒤늦게 짧은 메일을 보냈다. 아무래도 처음과 달리 직접 전화를 걸기는 저어됐다. 메일을 보내고 몇 시간 후 오아라에게서 문자가 왔다.

'더 이상 수정은 없습니다. 작품 싣지 않겠어요.'

김순옥은 어안이 벙벙해져 한동안 문자를 내려다보고만 있었다. 〈문학과 미래〉에 근무한 지 몇 년 동안 처음 겪는 일이기도 했거니와 전혀 예상치 못한 일이었다. 그녀의 머릿속에서는 이런저런 욕이 꼬리를 물고 지나갔다. 아, 쌍……. 자신도 모르게 입 밖으로 튀어나온 거친 표현을 누군가 듣기라도 했을까 놀란 김순옥은 내뱉은 말을 다시 배 속으로 집어넣으려는 듯

침을 꿀꺽 삼켰다. 가까스로 진정을 한 뒤 오아라에게 전화를 걸었다.

"지금 뭐하자는 거죠? 원고 청탁이 장난인가요?"

잠시 저쪽에서는 아무 말이 없었다.

"첫 번째도 전 납득할 수 없었어요. 이해는 못했지만 수긍은 하려고 애쓰면서 열심히 고쳤죠. 두 번째는 더욱 납득할 수가 없네요. 이해도 수긍도 불가능한 상황에서 작품을 어떻게 더 고칠 수가 있죠?"

예상보다 세게 나오는 오아라의 반응에 김순옥의 맥박은 빨라지고 심장 박동은 거세졌다.

"지방 일간지 출신에게 이런 기회를 주었으면 백 번이라도 고쳐야 하는 거예요. 작가의 눈과 편집자의 눈이 다르다는 걸 알아야죠."

한동안 침묵이 이어지더니 갑자기 전화가 뚝 끊겼다. '여보세요'를 몇 번 외치던 김순옥은 신경질적으로 수화기를 내려놨다. 오아라가 전화를 먼저 끊었다는 사실이 분해서 견딜 수가 없었다. 윤석향에게 보고를 해야 하는 일도 난감했다. 하는 수 없이 이유는 모르겠으나 급작스럽게 작가로부터 청탁을 거절한다는 메시지가 도착했다고 전했다. 안경 너머로 김순옥을 향해 뾰로통한 시선을 던지던 윤석향은 아무 말 없이 혀를 차더니 고개를 돌리며 나가라는 손짓을 했다. 차라리 욕을 듣는 게 낫다. 차라리 따귀 한 대 맞는 게 낫다. 차라리 일장 연설을 듣는 게 낫다. 아무런 문장도 되지 못하는 혀 차는 소리가 자신에 대한 반응의 전부라는 사실이 김순옥은 더 견딜 수 없었다. 일로도, 사랑으로도 자신을 받아주지 않는 윤석향을 죽여버리고 싶은 충동이 일었다.

김순옥은 그날 저녁 출근하려던 노아를 붙들어 눕히고 아주 오랜만에 긴 섹스를 했다. 눈물이 흐를라 치면 몸짓은 더 격렬해졌고 입에서 욕지거리가 나올 것 같으면 거칠게 키스를 했다. 노아 앞에서만큼은 지질하고 무식한 모습을 보이고 싶지 않았기에 온 힘을 다해 섹스를 했다. 노아는 출근하기도 전에 진을 다 빼버리면 안 된다고 생각하면서도 윤석향인지 뭔지 하는 남자 때문에 또 상처를 받은 모양이라고 넘겨짚어 그녀가 하자는 대로 받아주었다. 일을 끝내고 다시 주섬주섬 옷을 입고 나가려던 노아는 인터넷에 올렸던 시계를 거의 정가에 팔아 치웠다고 해맑게 웃으며 자랑했다. 김순옥은 아무 말도 하지 않았다. 다만 돌아서 나가는 노아의 등 뒤에 대고 몇 번, 혀를 찼을 뿐이다. 문을 열고 나가면서 노아는 처음으로 그녀와 섹스한 걸 후회했다.

"흰지느러미암초상어는 말이야, 100만 분의 1볼트의 미세한 전기 자극까지 감지해. 암초 사이에 숨은 작은 물고기가 겁에 질려 떨고 있을 때 불안한 심장이 내보내는 전기 신호를 감지해서 어떻게든 찾아내 잡아먹지. 그러니까, 어떻게든 해결하라고."

윤석향은 하루가 지나 김순옥에게 새롭지만 새롭지 않은 미션을 하달했다. 어느 때보다 차갑고 냉정한 어조로. 김순옥의 고민은 깊어졌다. 아직 마감까지는 한참이나 남아 있어서 다른 작가에게 다시 원고 청탁을 하면 될 일이었다. 한데 윤석향이 굳이 신참 작가의 글을 끝까지 받아내라는 지시를 하는 것은 다분히 감정적인 처사라는 걸 김순옥도 모르지 않았다. 이쯤 되면 그에게 정나미가 떨어지고도 남았어야 하는데, 좀처럼 애증의 골에서 헤어나지 못하고 있는 자신에게 되레 오만정이 떨어졌다. 거창하게 휜지느러미암초상어 이야기까지 떠들어대는 그의 지적 수준을 부러워하고 있는 자신에게.

처음 윤석향이 오아라의 작품을 싣자고 했을 때 김순옥은 이해할 수 없었다. 역사도 짧고 수준도 떨어지는 지방 일간지 출신에게 〈문학과 미래〉의 지면을 준다는 것은 파격 이상이었다. 그런 생각을 피력했을 때 윤석향은 김순옥을 철부지 막내딸 보듯 안쓰러운 눈으로 바라봤다. 작품은 제대로 읽어보고 얘기하는 거야? 윤석향의 말에 김순옥은 자신도 꼼꼼히 읽어봤으며 새롭긴 하나 문제작은 아닌 것 같다고 또박또박 준비한 대로 대답했다. 그러니 자네가 기획하는 단행본들이 죄다 그 모양, 그 수준인 거야. 그의 말에 하마터면 김순옥은 대체 왜 그렇게 절 미워하시는 거냐고 소리를 지를 뻔했다. 듣도 보도 못한 작가의 작품이 뭐가 그렇게 대단하냐고. 누군 명품 얘기 못 써서 안 쓰냐고. 명품에 문외한인 당신 눈이니까 에르메스나 고야드가 새로워 보이는 거라고.

그러면서도 흰머리 때문에 전체적으로 회색빛에 가까워진 윤석향의 빛나는 머릿결과 금테 안경 뒤에서 그윽하게 반짝이는 눈빛과 아이처럼 맑은 피부와 만지고 싶은 다홍빛 입술 때문에 그를 계속 바라볼 수가 없었다. 정작 그 순간 김순옥이 그에게 따져 묻고 싶은 말은 다른 것이었다. 당신이 날 이렇게 대하는데도 대체 난 왜 당신을 사랑하는 거죠? 당신이라면 그 답을 알 거 같아요. 당신은 똑똑하고 명석하잖아요. 그리 물어보면 당신은 이렇게 답하겠죠. 몰랐어? 그게 바로 사랑의 권력이라는 거야.

그녀는 편집회의가 끝날 때까지 더 이상 아무 말도 하지 못했고, 속에서 화산처럼 솟구치는 억울함과 서러움은 그저 고스란히 애증의 그림자에 덧대어졌을 뿐이다. 선택의 여지는 없었다. 김순옥은 다시 오아라에게 연락을 해야 했고 어떻게든 설득해야 했으며 수단과 방법을 가리지 않고 작품을 받아내야 했다. 누가 들으면 초판에 몇 만 부 팔아 치우는 중견 베스트셀러 작가 이야기인 줄 알 것이다.

김순옥은 심호흡을 하고 오아라에게 다시 메일을 썼다. 원하지 않는데도 자꾸 내용이 길어져서 쓰다 멈추고, 쓰다 멈추기를 몇 번. 김순옥은 어쩐지 비굴한 어조로 흐르는 것 같은 내용이 마음에 안 들어 또다시 멈추기를 반복했다. 비굴하지 않게 편집자로서의 자존심과 권위는 지키면서 작가의 마음을 달

래고 어를 수 있는 내용을 만들어내자니 새삼스럽게 어휘력이
나 표현력의 한계를 느꼈다. 윤석향이라면 힘들이지 않고 물에
물감 풀어지듯 말들을 술술 풀어냈을 텐데. 김순옥은 옆에 인
터넷 사전을 작은 창으로 띄워 놓고 뭔가 더 적확하면서 유효적
절한 단어나 예문이 없을까 계속 검색을 하며 메일을 써 내려
갔다.

어느 때보다 힘겨운 하루를 보낸 그날 김순옥은 집에 돌아
와 녹초가 되어 씻지도 않고 드러누웠다. 노아는 여느 때처럼
왁스를 발라 아이돌처럼 머리를 세팅하고 말끔하게 차려입은
후 나갈 준비를 하고 있었다. 잘 풀렸으면 연예인이 됐어도 부
족하지 않을 비주얼이었다. 저런 남자와 동거 중이라는 사실이
우울했던 마음에 조금 위안이 됐다.

"넌 왜 단 한 번도 먼저 잠자리를 원하지 않지?"

나가려는 노아의 등 뒤에 대고 물었다. 노아가 돌아보더니
누워 있는 김순옥의 얼굴을 빤히 바라봤다. 윤석향보다 젊고
윤석향보다 아름답고 윤석향보다 탄탄하고 윤석향보다 싱그러
운데 왜 난 저 남자가 아닌 윤석향을 좋아하는 것일까. 보면 볼
수록 떠나지 않는 근본적인 의문. 뭐라고 대답해야 할지 몰라
머뭇거리고 있는 노아의 모습이 아이처럼 풋풋하고 귀엽다.

"네가 하고 싶을 때 해. 그게 편해."

8년이나 마담 생활을 했다는 그는 엊그제 호스트바에 취직
한 초짜 선수처럼 굴기도 한다. 그와 살면서 알았다. 소위 선수

들이 모두 그렇게 다 발랑 까진 애들은 아니라는 걸. 오히려 세상 물정 모르는 순진한 아이들이 더 많다는 걸. 보통 사람보다 돈에 대한 집착도 덜하다는 걸. 그들이 집착하는 건 주로 돈이 아니라 다른 것들이란 걸. 던져 주는 먹잇감을 환장한 듯 연기하며 주워 먹어야 살아남을 수 있다는 본능만이 깨어 있는 가련한 존재들이라는 걸.

"흰지느러미암초상어는 100만분의 1볼트의 미세한 전기 자극까지 감지한대. 암초 사이에 숨은 작은 물고기가 겁에 질려 떨고 있을 때 불안한 심장이 내보내는 전기 신호를 감지해서 어떻게든 찾아내 잡아먹지."

김순옥은 이 얘기가 지금 상황에 안 맞는다는 것을 알고 있었다. 한데 언젠가 한번은 꼭 써먹고 싶었고 그럴 만한 대상은 역시 노아밖에 없었다. 무슨 말인지 이해하지 못하고 있는 노아의 표정을 확인한 것만으로도 만족스러웠다.

"됐어. 가봐."

노아는 엄마에게 붙잡혀 꾸중을 듣다가 풀려난 아이처럼 서둘러 문을 열고 나갔다. 꼭 연락 달라는 메일을 오아라는 읽었을까. 노아가 나간 후 정적과 함께 다시금 걱정거리가 찾아왔다. 전화를 해볼까, 아니면 문자를 보내볼까. 아니다. 일단 오늘은 기다려보자. 그 정도 메일을 보냈으면 답은 올 것이다.

김순옥은 오지 않는 잠을 억지로 청했지만 감은 눈 속 어둠의 세상에선 알 수 없는 기하학적 문양들이 네온사인처럼 여기저기 점멸했다. 김순옥은 생각했다. 의식을 지배하고 있는 상념들이 기호화되어 나타나는 모양이라고. 덧붙여 생각했다. 방금 전 자신의 생각이 윤석향과 많이 비슷했던 것 같다고.

새로 이사한 오피스텔은 실평수가 아홉 평이라는데 체감 크기는 더 작은 듯했다. 이사하면서 몇 년간 불어난 군살림 상당수를 버려야 했다. 진작 버려야 했는데 버리지 못한 것들이 대부분이었다. 쓸데없는 것들은 좀 버리라고 툭하면 엄마를 타박했던 오아라도 막상 자신의 손으로 버리려니 언젠가는 쓰게 될 것 같고, 없으면 손해일 것 같은 기분에 망설이는 시간이 더 길었다. 이대로는 도저히 안 될 것 같아 버려야 할까 말아야 할까 고민되는 것들은 무조건 버리는 쪽으로 기준을 정했고, 그 덕분에 이 작은 오피스텔에 무사히 들어올 수 있었다. 어쨌든 곰팡이 하나 없이 깨끗한 공간이니 환경적으로는 더 쾌적해진 셈이라고 스스로를 위안했다.

빌트인 옷장 문 안쪽에 붙어 있는 전신 거울은 마음에 들었다. 이사 온 후 오아라는 전신 거울을 자주 들여다봤다. 그 전에는 화장대로 쓰는 3단 서랍장 위에 놓아둔 작은 탁상용 거울이 전부였다. 그나마도 화장을 하거나 지울 때 말고는 거의 들여다보는 일이 없었다. 이사 오고 나서 보게 된 전신 거울 속에는 마르고 초췌한 여인이 서 있었다. 동네 아울렛 매장에서 산 니트와 트레이닝 바지는 하도 빨아서 색이 바래 있었다. 중저가 브랜드 화장품 한두 개로 스킨케어를 대신했던 피부는 1미터쯤 떨어져 보는데도 푸석하고 건조해 보였다. 그제야 알았다. 지금까지 전신 거울을 일부러 놓지 않고 있었다는 걸. 〈문학과 미래〉로부터 원고료를 받으면 괜찮은 안티에이징 에센스와 수분 크림이라도 좀 사려고 했는데.

사실 오아라는, 누군지는 정확히 꼽을 수 없는데, 여배우를 닮았다. 보다 보면 '아, 그 여배우' 하며 닮은꼴을 찾아낼 수 있을 것도 같은데 머릿속으로는 딱히 떠오르지 않는 어느 여배우를. 나이에 비해 조금은 들어 보이기도 하지만 방금 실연당해 가슴이 척척해진 사람처럼 안아주고 싶은 우수가 묻어나는 얼굴이었다. 약간 마른 몸매에 말을 안 하고 있을 때마다 살짝 벌어지곤 하는 입술은 많은 남자로 하여금 청안시하게 만드는 묘한 매력을 만들어냈다. 이런 이미지 때문에 대학교 때는 과 남자 선후배와의 있지도 않은 온갖 염문과 추문이 양산됐고, 그 소문들을 실제로 만들고 싶어 하는 남자들의 끈덕진 구애도 끊이질 않았다.

이런 연유로 오아라는 일찍부터 자신이 갖고 있는 매력에 대해 정확히 알고 있었다. 문제는 지금까지 다가온 대부분의 남자들이 그녀 기준에서 볼 때 웃기지도 않는 수준이었다는 것이다. 얼굴도 제법 예쁘고 소설도 꽤 쓰는 문창과 여학생으로 같은 여자들에게는 질투와 시기를 불러일으키고 남학생들에게는 정신적, 육체적 욕망의 대상이 됐던 그 시절이 오히려 행복했다. 졸업 후 잠깐 동안 다녔던 회사에서는 남자들에게도 오아라의 매력이 잘 통하지 않았다. 일 못하고 예쁜 여자, 일도 못하고 얼굴도 안 예쁜 여자는 일도 잘하고 얼굴까지 예쁜 여자들과 도저히 경쟁할 수가 없다는 것을 깨닫기까지 몇 개월 걸리지 않았다. 곧장 사표를 내고 기나긴 습작과 투고의 길로 접어들었던 오아라는 지난 몇 년간 자신이 지닌 매력을 까마득히 잊고 지냈다. 현실이 그렇게 만들었다.

문단을 두드리는 일은 예쁘든 말든 외모와는 전혀 상관없는 일이어서 좋았지만 조금쯤 상관이 있다면 더 좋을 것 같기도 했다. 지금도 오아라는 그런 꿈을 꾼다. 등단을 하고 열심히 작품을 써서 미모와 필력을 겸비한 베스트셀러 작가가 되는, 청담 파라곤에 살며 가로수길과 한남동과 경리단길이 라이프스타일의 중심이 되는, 장편이 영화화되어 원작자로서 더 유명해지는, 그래서 방송도 타고 연예인에 버금가는 셀러브리티가 되는, 그토록 좋아하는 명품들을 마음껏 소비하며 '패션피플로도 화제를 몰고 다니는 소설가 오아라'라는 제목으로 잡지의 피처 섹션에 인터뷰 기사도 실리는……. 실상 이런 판타지가 몇 년에 걸친 투고 생활을 견디게 한 힘이기도 했다. 어렵사리 등단했건만 판타지 중 어느 것 하나도 현실이 될 조짐은 보이지 않았다. 되레 글에 대한 면박함과 가난한 현실에 대한 뼈저린 자각만이 자존감을 더 궁핍하게 만들고 있을 뿐이었다.

스스로가 모멸스러워져 가던 상황에서 나타난 존재가 김중권이었다. 그를 처음 만나고 돌아오던 날 오아라는 손에 쥐고 있던 명함에서 여릿한 빛 같은 것을 보았다. 그것은 피터팬을 이끄는 팅커벨의 빛 같기도 했고, 어두운 밤바다에 드리운 등대 불빛 같기도 했다. 심지어 작은 종잇조각에서 온기가 느껴지는 듯해 오아라는 자신도 모르게 명함을 더 꼭 감싸 쥐었다. 구겨지지 않게 조심하면서.

오아라는 일부러 시일을 끌다가 일주일 만에 김중권에게 전화를 했고 본격적인 장편 작업에 들어가야 해 더 이상 과외를 할 수 없다고 말했다. 아쉽군요. 그럼 저녁식사 같이 할까요? 예상된 답을 끌어낸 후 그녀는 자신이 내뱉은 말이 그냥 내뱉은 것이 아님을 스스로에게 재차 확인시켰다. 어제 김순옥의 메일을 받고 나서 결심을 굳혔다. 3일 동안 밤을 새다시피 하며 고쳐 보냈던 단편에 대해 김순옥은 4일이나 지나 짧은 메일 한 통을 보내왔다.

'보내준 원고 잘 받았습니다. 감정과 묘사의 과잉, 사건의 개연성 부재, 인물의 심리 변화에 대한 설득력 부족 등 디테일한 수정이 필요하겠어요. 좀 더 고민을 해주세요.'

전화를 걸어 직접 얘기를 전했던 처음과 달리 덜렁 몇 줄의 메일만 보내온 두 번째 처사가 더 기분 나빴지만 이상하게도 오아라는 그리 크게 화가 나지는 않았다. 지난번 김순옥의 반응을 한 번 겪고 나서 어느 정도 마음의 준비를 하고 보냈기 때문이다. 치열하게 고민하라던 첫 번째 지적과 달리 그나마 구체적으로 써 보내긴 했지만 역시 이해도, 수긍도 하기 힘든 것은 마찬가지였다. 애써 이해하려고도 수긍하려고도 하지 않았다. 대신 결심했다. 장편 공모에 도전해보자고. 〈문학과 미래〉의 지면을 포기하는 것은 쉽지 않은 결정이지만 이토록 문턱이 높아 넘어설 수 없다면 미련 없이 돌아서는 수밖에.

'더 이상 수정은 없습니다. 작품 싣지 않겠어요.'

별 고민 없이 김순옥에게 문자를 보냈다. 생각을 바꾸니 탄산수 한 잔에 시원한 트림이 나는 것처럼 막혔던 속이 좀 트이는 기분이었다. 잠시 뒤 김순옥에게서 전화가 왔다. 그녀는 전화를 받자마자 원고 청탁이 장난이냐며 흥분한 목소리로 떠들었다. 이왕 전화가 걸려왔고, 이왕 따져 물으니 오아라도 하고 싶진 않으나 해야 할 말을 전했다. 위압적으로 바뀐 김순옥의 태도와 말투는 더욱 오아라의 자존심을 긁었다. 지방 일간지 신춘문예 출신 주제에 백 번이라도 고쳐 써야 하는 거 아니냐는 식으로 말하는 순간에는 휴대폰을 던져버리고 싶었다. 그러기 직전에 엄마 병원에서 수신 중 통화가 들어왔다. 오아라는 엄마에게 또 무슨 일이 생긴 줄 알고 황급히 김순옥과의 통화를 강제 종료하고 전화를 받았다. 다행히 별일은 아니었다. 밀린 병원비와 기저귀값 독촉 전화였다. 이걸 다행이라고 생각하고 있는 자신이 측은하게 여겨지는 순간 장편 공모에 대한 결심이 확고해졌다. 전신 거울에 비친 자신의 모습을 다시 한 번 보고 나서 그 결심에 존재론적 당위성도 얹었다. 김순옥과의 통화는 이미 기억 속에서 사라진 후였다.

워낙 급하게 내놓은 탓에 집은 거의 헐값에 넘어갔다. 오피스텔 보증금 천만 원을 빼고 나머지 집 판 돈은 엄마의 중환자실 병원비 때문에 받았던 제2금융권 대출금과 빚의 속도로 불어난 이자와 밀려 있던 요양병원 입원비에 기저귀값, 그리고 그동안 한 번도 챙겨주지 못했던 간병인 용돈으로 덧없이 빠져나갔다. 남은 돈으로는 어차피 변변한 전셋집 하나도 구할 수 없어 똑같은 항목들로 나가게 될 앞으로의 지출을 위해 은행에 묶어두었다. 수천만 원이라는 돈이 신기루처럼 일순간에 사라지는 것을 보고 나서 오아라는 자신의 삶이 확실히 밑 빠진 독이구나 생각했다. 돈을 벌어들이는 것보다 구멍 난 독의 바닥을 때우는 게 더 시급한 일이었다.

지금까지 살면서 단 한 번도 운명이라는 것에 대해 진지하게 사색해본 적은 없었다. 운명을 운명이라 명명하는 순간 이상하게 낯간지러워지는 기분이 들고는 했다. 운명이 아닌 것도 운명이라 여기면 정말 운명이 될지도 모른다는 두려움도 한몫했다. 난생처음 며칠 동안 수천만 원을 써댄 오아라는 또다시 빈 독이 돼버렸다. 늘 비어 있었던 독은 아주 잠깐 차올랐다가 허무하게 원상 복귀됐다. 절대 채워질 수 없는 빈 독의 운명. 오아라는 뭔가 섬뜩한 기분이 들어 운명이라는 말을 생각 속에서 지워보려고 했지만 쉽지 않았다.

빚잔치 하고 가까스로 원점을 만들었지만 앞으로가 문제였다. 매달 백만 원 가까운 병원비는 꼬박꼬박 들어가야 할 것이고 엄마는 또 언제 중환자실 신세를 지게 될지 모르며 기저귀 값이 폭등할 수도 있다. 장편을 쓴다는 것이 결국 기약 없는 시간과의 싸움인데 싸움을 버틸 총알도 방패도 없는 상황에 한숨 돌리기가 무섭게 시름이 찾아왔다. 최소한 장편을 쓸 동안만이라도 버틸 수 있는 무언가가 필요했다.

심란한 기분에 젖은 채 김중권을 만나러 가는데 비까지 추적추적 내렸다. 오아라는 물기를 머금은 버스 차창에 '운명'이라고 작게 적었다가 누가 볼까 금세 지워버렸다. 차창에 그려졌던 운명은 순식간에 질척한 물기가 되어 흘러내렸다. 오아라는 동호대교로 넘어가기 전 장충동에서 내렸다. 김중권이 왜 장충동 태극당 앞에서 보자고 했는지 좀 의아했다. 당연히 강남의 어느 고급 레스토랑으로 오라고 할 줄 알았다. 우산을 받쳐 쓰고 태극당 쪽으로 가니 김중권이 먼저 나와 있었다. 다가오는 오아라를 반갑게 맞는 김중권은 베이지색 면바지에 감색 재킷을 입고 있는 폼이 스마트 캐주얼 룩도 잘 어울렸다. 텍스처가 살아 있는 고급 스웨이드 원단과 '핏'을 완벽하게 구현한 최고 디자이 너의 솜씨는 구질구질한 빗속에서도 왜 좋은 옷을 입어야 하는지를 강력하게 어필하고 있었다.

"걸을까요?"

그 근사한 차는 어디에 있는 걸까. 태극당 앞에서 자신을 픽업해 어디론가 가는 것인 줄 알았건만 바짓단을 적시며 또다시 빗길을 걸어야 한다는 사실에 오아라는 짜증이 올라왔다. 아직도 몸이 기억하고 있는 부드럽고 안락한 가죽 시트에 올라 조용한 클래식 선율을 즐기는 동안 믿음직스러운 BMW가 다리를 건너 강남으로 자신을 데려다줄 줄 알았다. 자신의 운명이 살고 있는 서식지에서 가능한 먼 곳으로.

김중권은 오아라보다 반 발짝 정도 앞서 걸었다. 그가 오아라를 데리고 간 곳은 꽃향기라는 한정식 집이었다. 가정집을 개조한 아담한 식당이었는데, 방으로 돼 있어서 신발을 벗고 들어가야 하는 것도 영 불편했다. 김중권이 이곳 단골인 듯 한복을 입은 한 중년 여자가 반갑게 맞았다. 작은 방으로 안내돼 자리에 앉은 후 김중권이 오아라에게 묻지도 않고 삼계탕을 주문했다.

"여기 삼계탕 아주 잘해요. 글 쓰시느라 고생하시는데 건강 챙겨야죠."

유명 오너 셰프가 있는 고급 레스토랑과 와규 스테이크, 시금치두유파스타에 와인 정도를 상상했던 오아라에게는 모든 게 예상 밖이었지만 티를 내지 않기 위해 애썼다. 그래도 KY성형외과 원장과 장충동 작은 식당에 마주 앉아 삼계탕을 먹어야 하는 이 상황이 낯설고 어색한 것은 어쩔 수 없었다. 축축이 젖은 바짓단 때문에 허벅지 아래쪽으로 습기가 올라오는 것 같아 찝찝한 기분까지 드니 삼계탕이고 뭐고 그냥 돌아가고 싶은 마음도 들었다. 마음이 불편하니 자리가 불편했고 이 집의 오래된 전통 메뉴라는 삼계탕 맛도 깔깔했다.

"여기 왠지 작가님과 어울리는 분위기 아닙니까? 운치도 있고."

그 말이 오아라를 더욱 짜증나게 만들었다. 비 오는 날 축축한 골방 같은 곳에 앉아 삼계탕이나 뜯는 게 작가다운 모습이라니. 대체 무슨 근거로 그런 판단을 한 것인지 따져 묻고 싶었다. 이런 일차원적이고 빈곤한 상상력 때문에 당신은 작가가 될 수 없었던 거라고 말해주고도 싶었다. 개인의 취향을 그렇게 일반화시키는 것이 얼마나 위험하고도 무례한 일인지 아느냐고. 감성적 교감과 소통의 중요성을 무시하기 때문에 당신은 의사밖에 될 수 없는 거라고. 방 안에는 약재 향이 옅게 밴 들척지근한 삼계탕 육수 냄새와 창문으로 들어오는 습한 비 냄새만이 가득했다. 그 냄새가 역하게 느껴져서인지 김중권의 말 때문인지 오아라는 잠시 숨 쉬기가 거북했다.

"작가들도 트렌디하고 고급스러운 테이스트를 향유할 줄 알아요."

오아라는 불편한 심기를 드러내지 않기 위해 미소를 띤 채 적당히 부드러운 어조로 말했다. 그런가요? 하하. 김중권은 오아라가 말한 행간의 의미를 전혀 읽어내지 못한 채 삼계탕 국물을 후루룩 마셔댔다. 억지로 밀어 넣었는데도 오아라의 삼계탕은 반 이상 남았다. 왜 그렇게 많이 남겼냐는 김중권 말에 오아라는 '맛있게 먹었어요'라는 인사치레로 더 이상의 질문을 차단했다.

식사를 마친 후 두 사람은 태극당으로 가 3천 원짜리 커피와 모나카를 앞에 놓고 마주 앉았다. 식당도 그렇고 복고적인 분위기의 빵집까지 과거를 배경으로 한 어느 드라마의 세트장을 방문한 기분이었다. 막 연애를 시작한 풋내기 연인들에게야 한 번쯤 들러봐도 좋을 데이트 코스가 되겠지만 유명 성형외과 원장과 소설가의 만남의 장소로 삼기엔 여러모로 사람을 불편하게 만드는 공간이었다. 그런 오아라 마음을 전혀 모르는 김중권은 자신의 선택이 후한 점수를 땄을 거라고 믿는 눈치였다. 빗줄기는 여전히 가늘어지지도 굵어지지도 않은 채 꾸준히 내렸다. 한동안 말이 없던 김중권이 뜸을 들이다가 입을 열었다.

"오 작가님은 운명을 믿나요?"

오아라는 그의 입에서 나온 낯익은 단어에 기분이 야릇해졌다. 표면에 당분을 입힌 당의정처럼 뭔가 달콤하고 로맨틱한 기운에 쌓여 있는 것 같은 느낌. 같은 어휘도 누구의 입에서 나오느냐에 따라 이렇게 어감이 달라질 수 있었다. 그가 묻는 운명은 어떤 운명을 말하는 것일까. 자신이 떠올리곤 하던 운명과는 본질적으로 다를 것이 분명할 텐데. 오아라는 쉽사리 답할 수가 없었다. 뭔가 작가답게. 형이상학적이면서도 문학적으로 포장된 답을 들려주고 싶었지만 딱히 떠오르는 것이 없었다.

"휘청거리던 오 작가님의 팔을 붙들던 그 순간에 찰나처럼 스쳐 지나는 운명의 끝을 붙드는 느낌이 들었습니다. 그리고 며칠 동안 잠을 잘 수 없었죠."

좀 식상한 표현이긴 했지만 오아라는 안에 담긴 진심이 샘물처럼 훤히 들여다보이는 문맥의 맛을 싸구려 커피 향과 함께 천천히 음미해보려고 애썼다.

"기뻐서 잠을 잘 수 없었고 고통스러워서 잠을 잘 수가 없었습니다. 오 작가님을 생각하면 기쁘고 제 처지를 생각하면 고통스럽고."

자신의 처지라는 것은 가정이 있는 사람임을 의미하는 것이겠지. 한 번의 만남에 이 정도로 감정의 골을 드러내는 걸 보면 이 사람도 어지간히 감성적인 캐릭터인 것만은 분명했다. 오아라로서는 호재였다. 더 감성적이길 바랐다. 감성적이면서 일차원적인 사람에게서는 무언가를 얻어내기가 좀 더 수월하니까.

"'이 컵으로 커피를 마시는 모든 사람이 건강하게 해주세요'라고 기도를 올린 후 누군가가 그 컵으로 커피를 마시면 노화 방지 물질이 증가하고 커피의 맛이 달라진다는 거 아세요? 미국 스탠퍼드 대학의 양자 물리학자 윌리엄 틸러 박사가 실제로 실험한 내용이에요. 정신이 현상을 지배할 수 있다고 믿어요, 전."

오아라의 이야기에 떨리던 김중권의 눈동자가 최면에 걸린 것처럼 멈췄다. 그의 시선 건너편에서 오아라가 붉은 입술을 살짝 벌린 채 지혜로우면서도 백치 같은 미소를 머금고 사랑스럽게 바라보고 있었다. 김중권은 자신도 모르게 오아라의 손을 잡았다. 정확히 무슨 말을 한 것인지 이해는 하지 못했지만 자신이 이해하기 힘든 이야기를 고즈넉한 웃음과 함께 들려줄 수 있는 여자. 그런 존재가 앞에 있다는 것만으로도 가슴이 벅찼다. 저건 작가만이 지닐 수 있는 오라였고 지금까지 만나본 적 없는 에너지였다. 어쩌면 자신의 무의식이 꿈에서나 그려보았던 그림이었다. 오아라 또한 김중권의 손으로부터 굳이 벗어나려 하지 않았다. 기꺼이, 행복하게, 나를 가두라. 그리고 나의 것이 되어라. 나를 너의 것으로 만들라. 더 격렬히, 아낌없이. 오아라는 주술사처럼 속으로 주문을 외웠다.

"비싼 커피도 아닌데 맛이 괜찮네요."

오아라의 말 속에 담긴 진짜 의미를 읽었을까. 순진하게 웃으며 고개를 끄덕이는 걸 보면 아니다. 아프리카에서 사장이 원두를 직접 공수해 온다는 가로수길 어느 카페에서 에티오피아 커피에 당근 케이크를 먹거나 아보카도를 곁들인 눈다랑어 타르타르와 밀크티를 앞에 두고 있었다면 얼마나 좋았을까요. 다음번엔 말이에요. 좀 더 근사하고 고급스러운 곳으로 가요. 그래야 제가 당신을, 당신만큼 좋아하게 될 수 있으니까. 오아라는 무언의 전언이 꼭 전달되기를 바라며 뭉근한 미소로 그를 바라봐주었다. 그러면서 비 오는 거리를 가끔씩 내다봤다. 머리카락 몇 올이 흘러내린, 턱선이 좀 더 갸름하다고 생각되는 왼쪽 얼굴을 주로 보여주며.

카페에서 나온 두 사람은 비가 내리는 장충동 밤길을 걸었다. 김중권이 우산을 같이 쓰자고 하여 오아라는 그의 우산 아래로 들어갔다. 일부러 차 안 갖고 왔어요. 이렇게 같이 걷고 싶어서. 첫 데이트에 나온 순진한 대학생처럼 말하는 김중권을 보며 오아라는 어쩌면 이 남자가 자신의 뜻대로 움직여주지 않을 수도 있겠다는 생각이 들었다.

김중권은 단 한 번도 아내와 꽃향기에서 삼계탕을 먹어본 적이 없었다. 아내와는 한 번도 빗길에 한 우산을 받쳐 들고 걸어본 적도 없었고, 더군다나 차를 놓고 길거리에서 만나는 일은 꿈도 꾸지 못했다. 처음부터 그런 평범한 낭만이 끼어들 수 없는 관계였다. 가난한 집안의 서울대 의대생이었던 그를 대하는 아내 쪽 집안 태도는 매우 정중했지만 사무적이었고 베푸는 만큼 조건이 달렸다. 비즈니스처럼 시작된 부부의 연이라고 해서 사랑이나 애정이 전혀 없었던 것은 아니다. 살면서 애정을 키웠고 살면서 사랑을 만들었다. 다만 그 깊이와 밀도는 스스로도 확신할 수 없었다. 군이 확신까지 필요 없는 일상이었다. 사랑과 애정을 확인해가면서 살기에는 다행히도, 불행히도 서로의 삶이 적잖이 분주했다.

분주하게 살다 보니 얼마간의 사랑과 애정으로도 아이를 낳고 가정을 꾸려갈 수 있었다. 크게 부족한 것이 없는 삶이었기에 사랑과 애정의 부족함을 굳이 체크하며 살 이유도 없었다. 물질적으로 부족하고 결여돼 있을수록 사랑으로 더 채우려고 안간힘을 쓰는 법이니까. 얼마 되지도 않는, 사소하며 부족한 것들에 무뎌진 채 살아갈 수 있다는 것은 이런 형태의 결합이 가져오는 가장 큰 미덕이었다. 다만 타의와 상황에 의해 포기하고 건너뛰어야 했던 것들에 대한 아쉬움이 감상적인 미련이 되어 미열처럼 간헐적으로 찾아올 뿐이었다. 한데 그간 꼭꼭 닫아두었던 미련의 꽃봉오리가 오아라라는 여자를 만나 뒤늦게 개화를 시작한 것이다. 그러니까 오아라와 우산을 함께 받쳐 쓴 채 이렇게 비 내리는 장충동 길을 걷는 별것 아닌 행위가 불투명하며 모호한 애정으로 살아온 김중권과 아내의 관계에 전에 없던 파장을 만들어내기에 충분한 돌팔매질이 될 수도 있다는 말이다. 어쨌든 여기까지는 오아라가 바라던 바였다. 한번 흔들려야 계속 흔들 수 있으니까.

빗줄기가 거세져 더 이상 걷기를 포기한 김중권은 오아라를 집까지 바래다주기 위해 택시를 잡았다. 택시를 타고 가면서 오아라는 최근에 이사를 했다는 사실을 알렸다. 집에 세간살이도 변변히 없어 많이 초라할 것이며 이사하고 보니 필요한 것이 한둘이 아니라고. 김중권은 별것 아닌 일상의 이야기도 고즈넉하게 들려주고 있는 오아라의 음성이 빠져나갈 수 없게 발목을 잡아끄는 늪처럼 느껴졌다. 허우적댈수록 숨을 조여오는 황홀함. 이야기의 본질은 증발되고 그것을 둘러싼 무드에 빠져들게 만드는 묘한 힘. 명품 옷과 명품 백을 걸치고 자신의 병원을 찾는 무수한 여인들에게서는 느껴본 적 없는 그 기분이 생경하고 신비로웠다.

오아라는 예뻤다. 지금까지 자신의 손끝에서 환골탈태했던 여인들과 비교했을 때 비율이나 입체적인 구조에서는 다소 떨어질지 몰라도 그들의 예쁨과는 근원적으로 다른 무언가가 깃들어 있었다. 자연적인 것이 아니고서는 절대 흉내 낼 수 없는 무언가. 눈매며 콧날이며 턱선 할 것 없이 미세하게 틀어진 균형과 황금비율에서 살짝 벗어난 구조만이 선사할 수 있는, 말 그대로 인간적인 아름다움. 예를 들어 필러를 넣어 매끈하고 높다랗게 다듬은 콧날보다 아래로 내려오면서 미묘하게 튀어 오른 오아라의 콧날이 더 만지고 싶게 만드는 매력이 있었다. 완벽함에 조금 못 미치는 것이야말로 가장 완벽한 완벽이라는 김중권의 주관을 명확히 입증해주는 얼굴이었다. 그런 그녀가 작가라니. 함께 택시를 타고 가면서도 김중권은 내내 꿈꾸는 것처럼 몽환적인 느낌에 사로잡혀 있었다.

오피스텔 앞에 도착한 오아라는 "비밀번호를 1004로 해놨어요. 유치하죠"라며 비밀의 열쇠를 흘렸다. 잘 주웠을까. 살짝 걱정이 된 오아라는 옆으로 비켜서서 김중권에게 잘 보이도록 하여 비밀번호를 눌렀지만 김중권은 그녀를 배려한 듯 고개를 살짝 옆으로 돌렸다. 집 안은 오아라의 말대로 썰렁했다. 버릴지 말지 고민되는 모든 것들을 버리는 과정에서 고민을 좀 더 신중하게 했어야 할 것들까지 버린 감도 없지 않았다. 이를테면 10년이 넘었지만 그래도 쓸 수는 있었던 세탁기와 배불뚝이 브라운관 TV 같은 것. 오피스텔이라 당연히 갖춰져 있을 거라 생각하고 제대로 확인하지 않은 탓도 있었다. 기본 가전이 빌트인되어 있지 않은 오피스텔도 있다는 걸 알았을 때 부동산 업자는 "그러니까 이 가격이에요"라고 뭐라 반박할 수 없는 말을 했다.

TV는 없이 살면 되고 빨래는 당분간 손으로 하면 된다고 생각했는데 막상 겪고 보니 누워 지내다가 서서 지내야 하는 꼴이 된 것 같아 여간 신경 쓰이는 게 아니었다. 김중권에게 당장 시급히 필요하지만 저간의 사정으로 사들일 수 없었던 아이템 품목을 최근 몇 달간 그녀가 겪어야 했던 맘고생, 몸 고생 스토리와 적절히 섞어 들려주었다. 뭔가를 바라고 하는 얘기처럼 들리지 않도록 아이템보다는 스토리텔링에 무게 중심을 두어서, 최대한 일목요연하게, 원하는 바에 대한 이해가 쉽도록.

"엄마 병원비며 뭐며 빚 다 갚고 간신히 오피스텔 이사하고 보니 제게 남아 있는 게 이 정도뿐이더군요. 가난하고 궁핍한 작가. 제가 가장 우려하고 경계했던 현실을 마주하고 보니 어쩜 이렇게 정형화된 틀 안에서 한 치도 벗어나지 못한 삶이 있을까 싶기도 하고."

2인용 소파에 나란히 앉아 얘기를 가만히 듣고 있던 김중권이 오아라를 살며시 안았다. 안거나 손을 잡거나 둘 중 하나의 액션을 취할 거라고 예상했던 오아라는 김중권의 품에 안긴 채 낮고 여린 한숨을 내쉬었다.

"그래도 정신은 궁금하지 않아요. 난 작가니까."

김중권이 팔을 스르르 풀더니 오아라의 얼굴을 지그시 바라보다가 입을 맞췄다. 오아라는 눈에 물기를 살짝 올리며 그의 시선을 피하지 않고 마주 봤다.

"신춘문예 당선작 읽었어요. 당신은 육체도 정신도 아주 특별한 사람입니다. 작가로 살아간다는 것 자체가 특별하죠. 당신의 상황은 결코 최악이 아니에요."

마지막 말에서 오아라는 김이 빠졌다. 자신은 최악이라고 인식시키기 위해 애를 쓰고 있는데 당사자는 최악으로 받아들이지 않고 있으니. 당신에게 무엇이 필요할지, 어떻게 도움을 줄 수 있을지 나도 고민해볼게요. 다행히 다음 문장에 오아라는 조금 안도했다. 고민의 답이 돈이 될지 세탁기가 될지 TV가 될지 알 수는 없지만 어쨌든 오늘 이 자리와 자신의 눈물 연기가 헛고생으로 끝나지는 않을 것 같은 일말의 기대는 생겼다.

김중권이 돌아가고 나서 오아라는 자신이 보여주었던 행동과 건넸던 말이 모두 연기였는지에 대해 곰곰이 생각해봤다. 모든 게 연기는 아니었다. 한데 무엇이 연기였고 무엇이 진실이었는지, 무엇이 사심이었고 무엇이 진심이었는지 스스로 걸러낼 수는 없었다. 굳이 그런 구분을 해야 할 필요 또한 못 느꼈다.

진실과 거짓이 무조건 다른 방향을 가리키는 것은 아니니까. 오아라는 스스로에게 말했다. 이건 그저 계획의 시작이고 일부일 뿐이잖아. 내가 살아가기 위한, 버티기 위한 플랜. 혹 뭔가 찔려서, 죄책감 같은 게 들어서 그러는 거야? 오, 제발. 그건 운명에 대해 생각하는 것만큼이나 간지럽고 열없는 일이야.

생각의 닻을 거둬들인 오아라는 여전히 비가 내리고 있는 창밖으로 시선을 던졌다. 이곳으로 와서 좋은 점은 하나 있었다. 높다란 허공으로 창이 나 있다는 것. 가끔 자신의 생각이 싫어질 때 창밖으로 생각의 도주를 할 수 있다는 것. 생각의 도주는 허공에서도 추락하지는 않는다는 것. 그렇게 정처 없이 허공을 떠도는 생각들만 내리는 비에 하염없이 젖어드는 밤이었다.

오아라는 닉네임을 무엇으로 할지 고민하다가 인터넷 창에 '스칼렛'이라고 적었다. 다행히 중복되지 않는 사용 가능한 닉네임이었다. 그러고는 어떻게 글을 올릴까 한참을 궁리했다. 지저분하게 늘어지는 글은 싫었다. 장황해질수록 구차해지니까. 의미는 명쾌하면서 사족 없는 간결한 글이 좋을 듯싶었다. '오피스걸이에요. 스폰해주실 분'이라는 제목을 달고 신체 사이즈만 적어 넣었다. 잠시 골똘하던 오아라는 그 아래에 '금액은 사전 합의'라고 적고 완료 버튼을 눌렀다.

김중권이 플랜 A라고 한다면 플랜 A가 제대로 먹히지 않을 때를 대비한 플랜 B가 필요했다. 정확히는 예술인 복지재단에 복지 프로그램을 신청하는 것이 플랜 B였으니 오아라가 스칼렛이 되는 것은 플랜 C에 해당하는 셈이었다. 결과적으로 이중에서 플랜 B가 가장 현실 가능성이 없는 아이디어였다. 예술인이 안정적이고 지속적으로 예술 활동을 수행할 수 있도록 지원한다는 예술인 복지 프로그램은 창작 준비금 지원이나 생활 안정 지원 등을 목적으로 하고 있었지만 오아라의 경우 해당 사항이 없었다. 지원을 받기 위해서는 예술 활동 증명이란 걸 해야 하는데, 신춘문예 등단 정도로는 명함도 내밀 수가 없었다. '문예지 등에 4회 이상 작품을 발표하고 자신의 이름으로 된 단편집이나 장편을 한 편 이상 출간한 자'로 자격 요건이 한정돼 있었다.

오아라는 뭔가 억울하고 갑갑한 기분이 들었다. 예술 활동의 질과 지속 가능성이 오로지 양에 의해 좌우된다는 것이 거슬렸다. 예술 활동으로 증명할 수 있는 것이 달랑 등단작 하나인 자신과 같은 사람은 아예 시작조차 하지 말라는 의미인 것 같아서 불쾌감마저 들었다. 이왕이면 플랜 A로 삼았으면 했던 계획이 가장 먼저 물 건너가고 난 후 오아라는 새삼스럽게 장편에 대한 오기가 생겼다. 기필코 장편을 내서 복지 프로그램 지원 자격을 얻고야 말리라는. 더럽고 치사한 그 돈을 반드시 받아내겠다는. 플랜 A와 플랜 C는 플랜 B를 이루기 위한 불가피한 선택이라고도 할 수 있었다. 물론 가장 큰 이유는 당장 먹고살 일과 엄마 병원비를 해결하기 위해서였지만.

글을 올리고 난 후 본격적으로 장편에 대한 시놉시스를 만

들려고 마음먹었다가 며칠간 들여다보지 않았던 메일을 확인했다. 의미 없는 무수한 메일 한가운데에서 눈에 확 띄는 이름이 하나 있었다. 김순옥.

'작가님께서 뭔가 오해가 있는 듯하여 다시 메일을 씁니다. 한 작가의 작품은 저희에게도 소중한 옥고입니다. 제가 전한 작품에 대한 피드백은 제 개인적인 견해가 아닌, 편집부 전체의 생각과 의견을 취합한 것임을 알려드립니다. 또한 긴밀한 커뮤니케이션을 통해 수정의 정도와 수위, 범위 등은 조율이 얼마든지 가능하다고 생각합니다. 청탁 거절에 대하여 진지한 재고 부탁드립니다.'

다소 사무적이긴 했지만 같은 사람이 맞나 싶을 정도로 완전히 바뀌어 있는 어조가 낯설어 오아라는 처음부터 끝까지 소리를 내 메일을 다시 읽어 내려갔다. 갑자기 태도가 돌변한 이유는 무엇일까. 원고 수정을 거부한 것을 치기 어린 투정쯤으로 여긴 것일까. 그때 김중권으로부터 문자가 오는 바람에 김순옥은 또 한 번 오아라의 관심 밖으로 밀려났다.

'지금까지는 무언가를 굳이 바꿔야 할 필요가 없는 삶이었습니다. 하지만 이제 조금씩 달라질 것 같군요. 오 작가님으로 인해.'

무슨 의미일까. 오아라는 물끄러미 휴대폰을 내려다보다가 골치가 아파오는 것 같아 해석하기를 포기했다. '최신형 세탁기와 50인치 풀에이치디 TV를 보내줄게요'라든가 '같이 백화점 가서 필요한 거 고릅시다'라는 문자를 기다리고 있던 오아라를 참으로 기운 빠지게 만드는 내용이었다. 이제 고작 첫 번째 만남이 있었을 뿐이다. 조급한 기대는 조급한 태도를 낳는 법, 천천히 뜸을 잘 들이는 만큼 윤기 흐르는 차진 밥이 완성될 것이다.

생각보다 장편에 대한 구상은 쉽진 않았다. 사소한 발상도 작품의 뿌리가 될 수 있는 단편과는 접근법부터 달라야 했다. 수년 동안 무수한 습작용 단편들을 써댔지만 막상 장편을 쓰려니 오아라는 소재를 잡는 것에서부터 애를 먹었다. 무엇보다 집중력을 잃지 않고 길게 끌고 갈 수 있는, 촘촘하지만 큰 서사가 필요했다. 몇 가지 이야기를 적어보고 플롯과 캐릭터를 만들어보면서 그 안에 담고 싶은 메시지들을 떠올려봤다. 그러다가 아니다 싶으면 인터넷 서핑을 하거나 오래전에 읽었던 책들을 뒤적거리거나 다큐멘터리 프로그램을 찾아보기도 했다. 보면 볼수록 세상에는 소설로 쓸 만한 이야깃거리가 넘쳐났지만 내 이야기가 돼줄 만한 것은 좀처럼 눈에 들어오지 않았다.

대학 때 은사의 말이 다시 한 번 떠올랐다. 자신이 가장 자신 있게 쓸 수 있는 이야기를 쓰라는. 이미 오아라는 등단작을 통해 어느 정도 자신의 이야기가 투영된 소설을 썼다. 아니, 자신의 이야기라기보다는 자신의 판타지에 가깝긴 했다. 하지만 그것은 단편이었기에 먹힐 수 있었던 거라고 생각했다. 잘 시작해놓고 끝을 맺지 못해 현실이랄 수도, 환상이랄 수도 없는 애매한 결론을 도출해낸 것이 마음에 들지 않았건만 그것이 '자기 연민을 넘어선 성찰'로 평가받을 줄 몰랐다. 그렇게 해석해 준 심사위원의 너그러운 혜량이 고마울 따름이었다.

신춘문예 당선도 운이라고 본다면 절망스럽기만 하던 오아라의 인생에 모처럼 눈부신 은혜로움이 찾아들었던 순간이었다. 한데 신은 왜 은혜로움을 두 번 연달아 주시진 않을까. 〈문학과 미래〉에 탈 없이 작품만 실렸어도 평생 신에게 감사하며 살았을 텐데. 그렇게만 됐다면 정말 신의 존재를 믿었을 텐데. 가련한 초짜 작가의 삶을 손가락 하나로 이리 튕겼다 저리 튕겼다 하는 존재가 신이라면, 엿이나 먹일 일이다.

신에 대한 경멸을 느끼며 열심히 인터넷 뉴스 화면을 스크롤하던 오아라의 시선이 '오랜 세월이 걸린 사필귀정'이라는 제목에서 멈췄다. 한참이나 지난 기사여서 눈여겨보지 않았다면 그냥 지나쳤을 뉴스였다. 읽어보니 한 스님의 일생에 관한 짧막한 내용을 담고 있었다. 부모님이 누군가에 의해 살해당한 후 복수심을 이기고자 어린 나이에 출가를 하게 된 초암이란 스님의 이야기였는데, 일본까지 건너가 수학을 한 그가 고국으로 돌아와 오랜 수행을 이어간 끝에 한국 불교 종단의 큰스님이 되었다는 열다섯 줄 정도의 짧막한 기사였다.

어느 날 우연히 발견된 남성 변사체에 대한 경찰 조사 과정에서 그가 오래전 한 부부를 살해했던 살인범이라는 게 밝혀졌고, 피해자가 바로 초암 스님의 부모님이었다는 사실이 알려지면서 기사화된 것이었다. 기사 속에는 남자가 왜, 어떻게 살해를 한 것인지에 대한 정보는 없었다. 다만 알고 보니 부부와 왕래가 잦았던 동네 사람이었다는 언급만 짤막하게 나올 뿐이었다. 당시 기자는 그런 성장 배경에도 불구하고 오랜 수행과 정진으로 복수심을 극복한 초암 스님이 한국 불교 중흥에 이바지한 큰 인물이 되었다는 개인의 역사에 초점을 맞추고 있었다. 오아라는 그 이야기를 되풀이해 읽었다. 잘만 하면 풀리지 않던 장편소설의 실타래가 여기에서부터 풀리게 될지 모르겠다는 생각이 들었다. 다른 관련 기사가 또 있는지 한참을 검색해봤지만 더 이상 나오는 것은 없었다.

잠시 의자에 기대 피곤한 눈을 감고 있던 오아라는 뒤늦게 사이트에 올린 글이 떠올라 인터넷에 접속했다. 스칼렛을 찾는 쪽지가 여덟 통 와 있었다. 하나하나 열어본 오아라는 금액 사전 협의가 가능하다고 적힌 A, B, C 세 사람 중 일단 A와 B 두 사람에게 자신의 메신저 아이디를 남겼다.

전혀 상관없는 타인의 삶이 자의 혹은 타의에 의해 내 삶과 이어지는 일은 늘 예기치 못한 이유로, 의외의 순간에 일어난다.

세상에는 참으로 다양한 사람이 존재한다. 그중에서도 남자들의 다양함, 정확히 말해 남자들의 성적 취향의 다양함은 겪으면 겪을수록 새롭고 놀라웠으며 상식을 깨는 것들이 많았다. 차례대로 만나본 A와 B는 오아라가 원하는 금액에 사전 합의를 해주었다. 대신 각자 원하는 조건을 내걸었다. 조건의 내용은 서로 달랐지만 자신들이 말한 모든 조건에 반드시 따라주어야 한다는 것이 마지막 공통된 조건이었다.

　조건의 핵심은 자신만의 성적 취향을 만족시키기 위한 것들이 대부분이었고, 쉽게 들어줄 만한 것들과 그렇지 못한 것들이 함께 포함돼 있었다. 그 돈을 내고 스폰을 해주겠다는 남자들에게 너그러운 배려와 양보를 바랐던 것은 아니지만 독한 마음을 먹었던 오아라로서도 막상 부딪혀본 오피스걸로서의 첫발은 몸을 아프게 하거나 마음에 충격을 주거나 속을 역겹게 만드는 일들의 연속이었다. A는 대기업 간부였고 B는 대학 교수였다. 관계를 갖기 전 결제는 꼬박꼬박 칼같이 이루어졌고 그들의 돈은 도저히 떼울 수 없을 것 같았던 밑 빠진 독을 서서히 메워주는, 거짓말 같은 효과가 있긴 했다.

낮엔 글을 쓰거나 구상을 하고 밤에는 스칼렛이 되어 고객을 상대하는 일상이 이대로 계속되었다가는 자아 분열을 일으킬지도 모르겠다는 두려움이 일기도 했다. 그럴 때마다 오아라는 멘탈이 꺾이면 육신이 꺾이고, 일상이 꺾이고, 삶이 꺾인다고 스스로를 채찍질하며 매순간 정신을 다잡아가면서 A와 B를 상대했다. 그럼에도 불구하고 매번 몸과 마음 둘 중 하나는 꺾이기 십상이었다. 때론 육신이 지랄 맞게 반응했고 뇌 속 어딘가에 시퍼런 균열이 가는 소리가 들릴 때도 있었다. 그래도 참고 견뎠다. 스칼렛이 열심히 돈을 벌어야 오아라가 밥을 먹고 글을 쓸 수 있으니까.

김중권은 오아라를 만날 때마다 진실한 자신의 마음과 미래에 대한 장밋빛 포부를 전하는 데 힘을 쏟았다. 틈틈이 써놓은 것이라면서 작가님이 봐주면 영광스럽겠다는 말과 함께 몇 편의 단편소설을 들고 오기도 했는데, 오아라는 읽지 않았다. '나의 인생'이나 '아름다운 나날들'과 같은 제목에서부터 구역질이 올라왔기 때문이다. 오아라 자신도 그런 제목을 단 소설을 썼던 시절이 있었다. 그리고 그 시절로부터 벗어나기까지 꽤 오랜 시간과 수련이 필요했다. 그 기나긴 과정을 집약해 함축적인 가르침의 언어로 전달해줄 자신이 없었다. 성가시기도 했다. 가르

쳐준다고 나아지리란 보장도 없었다. 작품을 제대로 보지도 않고 오아라는 그저 지레짐작으로 그렇게 넘겨버렸다.

집들이 선물로 백화점상품권도 아니고 문화상품권 열 장을 건넨 그는 지금까지의 부부 생활에 대한 회한과 남은 삶에 대한 변화의 열망과 그것을 실천에 옮기기 위한 용기의 중요성에 대해 교회 목사님처럼 긴 이야기를 늘어놓았다. 그가 이제부터 용기 있게 바꿔나갈 것이라고 한 것은 두 가지였다. 하나는 현실을 되돌리는 것, 또 하나는 잃어버린 꿈을 되찾는 것. 전자의 실행 방침은 이혼이고 후자의 실행 방침은 오아라와 함께 자신이 원하는 방향대로 미래를 바꾸는 것이었다.

처음으로 함께 잠도 잤다. 김중권은 지금껏 느껴보지 못한 희열을 느꼈고, 오아라는 그저 그랬다. A와 B가 침대에서 자신을 힘들게 했다면 김중권은 자신을 무료하게 했다. 무엇이 달랐을까. A와 B는 자신이 원하는 만큼의 대가를 지불했지만 김중권은, 그는, 오아라가 원하는 무언가를, 전혀 내놓지 않았다. 오아라로서는 너무 밑지는 장사였고, A나 B와의 관계를 비교해보면 손해라는 생각을 지울 수 없었다. 문화상품권 열 장을 내고 김중권은 오아라와 두 번 잠자리를 가졌다. 작가니까 무엇보다도 책이 더 필요할 거 같아서요. 문화상품권과 함께 건넨 김중권의 말은 마치 향기가 거세된 꽃 같았다. 그리고 그는 향기 있는 꽃을 찾지 못하는 무능한 벌과 같았다. 선물 하나 하는 데도 이렇게 상상력이 빈곤하니 소설의 제목도 다 그렇지. 모든 것을 갖추었다고 여겼던 남자에게서 하나둘 발견되는 빈틈은 다른 사람의 것보다 훨씬 더 크게 다가왔다.

함께 밥을 먹거나 차를 마실 때도 김중권이 돈을 내긴 했지만 그것은 자신에 대한 대가가 아니라 시간과 공간, 밥과 차에 대한 대가일 뿐이라고 오아라는 생각했다. 비록 A와 B는 오아라를 번번이 시험에 들게 했지만 주기적으로 세탁기 한 대 값이나 TV 한 대에 상응하는 값을 지불했다. 그것은 어떤 상황에서도 기꺼이 응해야 마땅한 합리적이며 응당한 거래였다. 그렇기에 오아라는 군소리 없이 그들이 요구하는 모든 짓을 다했다.

김중권은 A와 B가 돈으로 치르는 대가를 언어나 손, 혀나 몸으로 대신한다는 것이 차이였다. 만약 김중권이 A와 B처럼 합당하거나 충분하다고 생각되는 대가를 주었다면 A와 B를 만날 필요도 없었을 것이다. 그와의 섹스가 무료할 일도 없었을 테고. 말하지 않았는가. 김중권이 플랜 A였다고. 그가 스스로 플랜 A를 불안하게 만들지 않았다면 오아라가 스칼렛이 될 일 역시 없었을지 모른다. 여기까지 생각이 미치자 오아라는 어쩌면 김중권이 A나 B보다 더 역겨운 존재가 아닐까 싶었다. 적어도 A와 B는 오아라의 성적 노동에 대한 가치를 합당한 수준의 물질로 증명해주는 고객이니까.

그렇다 해도 김중권을 쉽게 포기할 생각은 없었다. 늦게 끓는 냄비일 수도 있다. 아직 관계에 대한 확신이 부족한 것일 수도 있고. 성급한 판단으로 남은 인생을 책임져줄지 모를 존재를 풍선처럼 놓아버리는 우를 범하고 싶지는 않았다. 무엇보다 그가 이혼을 생각하고 있다는 것은 또 하나의 가능성이 열려 있다는 얘기다. 청담 파라곤의 안주인이 된다면 오아라가 꿈꾸던 모든 것이 한 방에 해결된다. 로또 1등에 당첨돼도 이루기 힘들었던 그 판타지가. 그것만으로도 쉽게 놓을 카드는 아니었다. 다만 혹시 모를 사태에 대비하기 위해 글 작업에 집중해야 할 것 같다는 핑계로 밤 시간대에는 김중권이 오지 못하도록 했다.

코스프레 페티시가 있는 A 때문에 그가 직접 준비해온 간호사 복장을 한 채 세 시간 가까이 시달린 오아라가 녹초가 되어 쓰러져 있을 때 김중권으로부터 전화가 걸려왔다. 내일이 보기로 한 날인데 연락이 없어서 먼저 전화를 했다는 그에게 오아라는 충동적으로 청담동 마인더숍 앞에서 만나자고 했다. 마인더숍요? 김중권은 한 번 더 되묻고는 전화를 끊었다.

어제는 B가 채찍을 가져와 맞아달라고 부탁했다. 분명히 강요는 아니었지만 그 눈빛은 애절하고 목소리는 간곡했다. 아프지 않게 때리겠다고 했으나 아프라고 하는 행위가 아프지 않으면 행위의 이유와 목적이 없어지는 것이었으니 오아라는 각오하고 몸을 내주었다. 처음이라 아주 약하게 했어요. 모든 게 끝나고 B는 오아라의 등을 어루만지며 말했다. 그녀의 몸 이곳저곳에 고스란히 남은 채찍 자국은 오늘 만난 A를 잠시 화나게 만들었다. A는 너무나 진지한 표정으로 하나의 주인만을 섬기면 안 되겠느냐고 물었다. 그럼 돈을 세 배로 주셔야 해요. 오아라의 대답에 잠시 고민하던 A는 더 이상 말이 없었다. 오아라는 오늘 일을 통해 두 사람을 만나는 주기를 적절히 조절해야 할 필요성이 있겠다고 생각했다.

번갈아 찾아오는 A와 B로 인해 심신의 한계가 느껴질수록 오아라는 지미추 구두와 고야드 가방과 아닉구딸 향수 같은 것들이 그리워졌다. 또 한 번 마인더숍이나 백화점 명품관을 방문할 주기가 되기도 했다. 그간의 고생으로 돈이 조금 모였으니 자신을 위한 선물 하나쯤 해주고도 싶었지만 그곳에서 만만하게 고를 수 있는 아이템은 없었다. 김중권을 마인더숍에서 보자고 한 것은 그 때문이었다.

"이런 것도 좋아하는 줄은 몰랐어요. 그저 소설의 소재로나 쓰는 줄 알았지."

마인더숍에서 만난 김중권이 상품을 둘러보는 오아라를 바라보며 말했을 때 오아라는 스스로 생각하기에도 단순치 않은 자신의 정체성을 어떤 말로 설명해야 할지 어려웠다. 굳이 설명해야 할 이유도 없었다.

"이런 것을 좋아한다기보다는 이런 곳을 좋아한다고 해야겠네요."

오아라는 생 로랑의 스틸레토 힐을 유심히 들여다보며 말했다. 지난번 마인더숍에서 마주쳤던 벤틀리의 연인이 떠올랐다. 양손에 쇼핑백을 들고 김중권과 함께 문 앞에 대기하고 있는

BMW에 올라 유유히 사라져가는 자신의 뒷모습을 상상해봤다. 하지만 상상의 시선은 여전히 그때 그곳, 떠나가던 벤틀리를 바라보던 그 자리에 머물러 있다는 것을 깨닫고는 상상하기를 멈추었다.

"230년이 넘는 역사를 지닌 쇼메는 나폴레옹 시대부터 프랑스 왕실 전용 보석상으로 지정돼 현재까지 그 명성을 이어오고 있죠. 첫 번째 뮤즈였던 왕비 조세핀을 비롯해 보나파르트 왕가와의 인연을 토대로 성장한 하이 주얼리 브랜드지만 그 역사 속에는 세계 최초로 스틸에 다이아몬드를 세팅하는 혁신적인 크리에이티브가 있었어요. 에르메스는 1837년 말 안장과 마구용품을 제작하는 작은 공방으로 시작을 했는데, 사륜마차, 마부, 마구 제품 등은 이후 에르메스의 아이덴티티를 이루는 중요한 모티프가 됐죠. 작은 마구상으로부터 전 세계 여자들의 로망이 시작됐다는 게 참 신비롭지 않나요? 결국 문학의 역사도 이와 다르지 않아요."

오아라가 들려주는 얘기에 김중권은 또 한 번 신비로움을 느끼고 있었다. 쇼메 반지를 끼고 에르메스 백을 든 채 양악 수술이나 다이아몬드 트임을 해달라며 찾아오는 많은 여성 고객이나 아내로부터는 단 한 번도 들어본 적 없는 레퍼토리였다. 김중권은 오아라의 얼굴을 민망할 정도로 한참 동안 쳐다봤다. 주체할 수 없는 애정을 담은 채.

"그렇게 바라보지 말아요. 그래 봤자 제겐 모두 그림의 떡이니까. 소유할 수 없으니 보는 것만으로도 즐길 수 있는 요령을 찾은 거죠."

이 말이 그의 마음을 조금이라도 움직일 수 있을까. 영민하다면, 아니 눈치만 살짝 있어도 의도를 읽어낼 수 있을 텐데. 잠깐만요. 오아라가 눈치를 살피는 사이 김중권이 잠시 양해를 구하고 자리를 떠났다. 먹힌 건가. 그가 아래층으로 내려간 후 오아라는 혼자 디올 부스로 갔다. 여전히 예술 작품처럼 전시돼 있는 디올라마 백. 도도한 자태를 잃지 않은 채 은은한 조명을 받고 있는 모습이 마치 생명이 깃든 존재 같았다. 오트쿠튀르 드레스의 자수처럼 패치워크나 꽃문양, 배지, 퀼팅 등을 사용한 디올 핸드메이드 기술의 노하우가 집약된 제품. 디올라마 백의 시그니처인 독특한 표식의 배지 잠금 장식과 체인은 크리에이티브 디렉터 라프시몬스가 창조해낸 디올 코드였다. 이 작지만 큰 디테일에 전 세계 여성들은 저마다 디올 우먼이 되기 위해 경쟁적으로 디올의 이미지를 사들이고 있다. 그 경쟁에서 도태 혹은 열외된다는 건 여자로서 꽤 불행한 일이다. 더군다나 스칼렛이 되고 나서도 아직 엄두를 낼 수 없는 현실이 오아라에게는 더욱 불행처럼 다가왔다.

이 백 하나를 사려면 A와 B를 몇 번이나 상대해야 하는지 계산을 하고 나자 불행에 대한 상념이 다시 자신을 조롱하듯 찾아왔다. 무리를 해서 12개월이나 24개월 할부로 구입할 수도 있겠지만 이런 곳에서 '12개월 할부로 부탁해요'라고 말하는 고객을 직원이 어떤 생각으로 바라볼지 상상하는 것만으로도 몸 서리가 쳐졌다. 계산하는 동안 잠깐만 견디면 디올 백이 손 안에 들어올 수도 있는데.

안녕하세요. 또 오셨네요. 어느새 오아라 곁으로 다가온 점원이 아는 척을 했다. 능력도 안 되면서 디올에 집착하는 여자처럼 보이면 안 된다. 화이트 컬러에 쿠튀르 스티칭 일루미네이션이 가미된 스튜디오 라인 제품은 안 보이네요? 나른하며 무심한 어조를 유지하며 마침 눈에 안 띄는 제품을 골라 물었다. 아, 그 제품만 다 나갔어요. 다행히 예상대로였다. 그렇군요. 가장 디올적인 제품인 것 같아서 한번 자세히 보려고 왔는데…… 오아라는 직원이 다른 제품을 권하지 못하도록 쐐기를 박았다. 이로써 아무 명품이나 집어 드는 여자가 아니라는 메시지는 충분히 전달됐을 것이다. 하지만 직원은 오아라의 입성만 보고도 알아챘을 것이다. 그녀가 혼신을 다해 상류층 코스프레를 하고 있다는 것을.

오아라는 자신을 따라오는 것 같은 직원의 시선을 피해 서둘러 아래층으로 내려갔다. 계단을 내려가니 계산대 앞에서 김중권이 작은 쇼핑백을 들고 기다리고 있었다. 순간 오아라는 가슴이 철렁했다. 어느 브랜드인지 알 수는 없었지만 크기로는 딱 주얼리 박스였다. 예상 외로 작전이 먹힌 건가 싶어 표정을 다잡으며 다가갔다. 나가요. 김중권이 밖으로 먼저 나가자고 했다. 주차요원이 미리 대기시켜놓은 차에 올라탄 후 그가 쇼핑백을 건넸다. 구찌였다. 목걸이가 아니면 시계일까. 흥분된 마음을 들키지 않으려고 오아라는 일부러 손으로 입을 가렸다. 놀라지 말아요. 별거 아니에요. 김중권이 오히려 머쓱해했다.

오아라는 떨리는 손으로 검은색 벨벳으로 감싼 박스를 열었다. 도기로 된 작은 열쇠고리가 나왔다. 별거 아닌 것을 건네면서 별거 아니라고 말하는 어법이 참 역설적으로 느껴졌다. 가슴 밑바닥에서 차오르던 뜨거운 무언가가 순식간에 썰물처럼 빠져나갔다. 맥이 풀리고 어이가 없어 장난인가 싶기도 했다. 차라리 안 주느니만 못한 선물. 도기로 만든 열쇠고리라도 구찌는 구찌라고 너그럽게 이해하고 넘어가야 할까. 명품 하이 주얼리 브랜드의 쇼핑백을 손에 들고 벤틀리에 올라타던 그때 그 여자의 기분은 어땠을까. 새삼 궁금증이 일었다. 같은 곳에서 나왔다고 같은 기분으로 되돌아갈 수는 없다는 사실이야말로 서글픈 깨달음이었다.

"명품, 많이 사지 않으세요?"

마음을 가라앉힌 오아라는 운전을 하고 있는 김중권에게 물었다. 비아냥거림으로 들리지 않게 짧은 문장임에도 한 템포 끊어 말했다.

"아내를 위해 샤넬 백이나 티파니 반지 같은 걸 사보긴 했죠. 그런 걸 사는 아내를 따라오기도 했었고."

"그래요, 그렇군요."

"오 작가님께는 그런 명품보다는 좀 더 뜻깊고 특별한 것들을 해주고 싶어요."

오아라는 헛웃음이 터져 나올 뻔한 걸 간신히 참았다. 명품보다 좀 더 뜻깊고 특별한 것들 중 하나가 문화상품권과 열쇠고리였나. 작가니까? 오아라는 뭔가 뿌듯한 표정으로 핸들을 잡고 있는 김중권을 보며 이러한 것이 대중들이 작가를 바라보는 보편적 시각일지 의문이 들었다. 만약 그렇다면 그건 대단히 심각하고도 위험한 일반화의 오류 아닌가. 왜 작가에게는 명품이 특별한 존재가 될 수 없는 것인가. 디올, 샤넬, 까르띠에, 에르메스에 열광하는 여자와 소설을 쓰는 여자가 동일 인물일 수도 있다는 생각을 왜 못하는 것일까. 가난한 소설가가 명품을 사랑하는 것이 그토록 이상한 일일까.

"다른 사람들에게 가치 있고 좋은 건 작가에게도 마찬가지예요. 오히려 사람들이 느끼는 특별함의 의미를 더 확장시키고 재해석하는 게 작가의 임무죠."

에둘러 말한들 그가 알아들을 것 같진 않았다. 김중권은 되레 눈치 없이 화제를 자신의 소설로 돌렸다. 읽어본 소감이 어땠냐고. 100점짜리 시험지를 보여주며 칭찬을 기다리는 들뜬 표정의 어린아이처럼.

"글쎄요, 어떻게 말을 해야 할지. 좀 쉬운 문학이론서나 인문학 관련 서적을 일단 많이 읽어보시는 게……."

"역시 전 사람 얼굴에 칼 대는 일이나 해야 하는 거군요."

실망한 듯 풀 죽은 목소리를 듣고 있자니 읽지도 않은 소설에 대해 좀 안일한 대답을 해주었나 싶었지만 지금 기분을 생각하면 그마저도 배려였다. 또한 불필요하게 에너지를 낭비하고 싶지 않았다. 고작 열쇠고리 하나 받고.

"그래도 괴테는 희망만 있으면 행복의 싹이 그곳에서 움튼다고 했답니다. 희망은 놓지 않아야겠죠?"

"니체는 희망이 모든 악 중에서도 가장 나쁜 것이라고 했어요. 인간의 고통을 연장시키기 때문이라고."

오아라는 정말 희망 어린 표정으로 말하는 김중권을 향해 웃는 얼굴로 확인 사살을 했다. 김중권은 이런 말을 해줄 수 있는 유일한 존재라며 존경의 마음을 담아 오아라의 손을 꼭 부여잡았다. 그나마 다행이었다. 그가 둔하지만 착한 남자여서. 내일은 취재 때문에 지방에 며칠 다녀와야 한다는 오아라의 말에 김중권은 손을 더 꼭 잡으며 슬픈 표정까지 지어 보였다. 최소한 며칠은 그로부터 해방이었다.

김중권과 달리 A와 B에게는 취재 핑계를 댈 수가 없어 오아라는 엄마 병간호 때문에 지방에 좀 다녀와야 한다고 했다. B는 대학 동창이 유명 대학병원 의사이니 도움이 필요하면 말하라고 했다. 잠시 고마웠다. 대신 병원 비상계단이나 지하주차장에서 관계를 가져보고 싶다고 덧붙였다. 거짓말이어서 다행이었다. A는 지방 어디냐고 꼬치꼬치 캐물었다. 얼떨결에 마산이라고 둘러댔더니 데려다주겠다고 했다. 모텔은 자신이 잡겠다는 말에 오아라는 그만 소리를 질러버리고 말았다. A는 곧 미안하다고 사과했다. 대신 내려가서 다른 남자 만나면 안 된다는 얘기에는 자신도 모르게 손이 올라갈 뻔했다.

이런저런 스트레스까지 겹쳐 소설은 구상 단계에서부터 잘 풀리지 않았다. 범각사를 찾아가기로 결심하기까지 오아라의 노트북에는 쓰다 만 시놉시스가 여러 개 쌓였다. 막 썼을 때는 제법 그럴싸해 보였던 내용도 하루 지나면 쓰레기가 됐다. 시간이 몹쓸 마술을 부리는 것 같았다. 의욕적으로 생산해낸 아이디어들이 하루나 이틀만 지나면 허접하고 허무맹랑한 배설의 찌꺼기가 되는 걸 보면서 장편은 아무나 쓰는 게 아닌지도 모르겠다는 절망과 두려움이 불쑥불쑥 엄습했다.

A와 B 때문에 밤마다 시달리는 스칼렛은 낮이 되면 맥을 못 추거나 내내 쓰러져 자기 일쑤였는데, 그 역시 작업을 제대로 진척시키지 못하는 이유 중 하나였다. 부지런히 자료 조사를 하고 취재를 다니고 글 쓰는 데 도움이 될 만한 책도 열심히 찾아 읽어야 하건만 몸도 마음도 따라주질 않았다. A와 B 중에 한 사람을 끊을까 고민을 하기도 했다. 그렇다면 어느 쪽을 자르는 것이 유리할까. 오십보백보, 도긴개긴이었다. 고민을 하던 오아라가 연락을 하지 않고 있던 C를 뒤늦게 떠올린 건 그 때문이었다. 한 번에 세 명은 무리일 것 같아 답장을 보내지 않았던 C가 문득 생각이 났고 어떤 사람일지 호기심이 생겼다. 스칼렛이 A와 B보다 조금이라도 수월하게 상대할 수 있다면. 그래서

오아라의 에너지 소모를 좀 더 줄여줄 수 있다면. 범각사로 출발하기 전 C에게 쪽지를 보냈다. 원하는 금액만 적어 보냈던 A와 B 때하고는 달리 요구 사항들을 자세히 적어달라고 먼저 요청했다. 너무 늦게 연락을 해서 답이 올까 싶긴 했지만 안 와도 어쩔 수 없는 일이었다.

수년 전 실렸던 짤막한 기사 하나만 보고 무작정 범각사로 취재를 하겠다고 나선 길. 그나마 절이 서울 우이동 소재여서 다행이었다. 절을 찾은 것은 난생처음이었다. 교회나 성당도 가 본 적 없으니 종교적 공간을 방문한 것 자체가 오아라 개인의 역사를 통틀어 최초였다. 종교나 신을 찾을 수도 있었을 만큼 상당한 고난의 역사였음에도 불구하고 한 번도 그런 유혹이나 충동을 느끼지 않았다는 사실에 오아라 자신도 새삼 이상한 생각이 들었다.

버스에서 내려 언덕길을 잠깐 오르던 오아라는 사천왕문을 발견하고는 걸음을 멈췄다. 대문 안쪽에 자리하고 있는 거대한 네 명의 천왕상은 절의 입구를 지키는 수호신 같았지만 오아라는 어딘지 좀 오싹한 느낌이었다. 사람들은 사천왕문을 지나며 하나같이 합장을 했다. 그것은 아무나 함부로 들어갈 수 없는 비밀의 문을 통과하기 위한 일종의 의식 같았다. 오아라는 걸음을 빨리해 얼른 문을 통과했다. 좀 더 걸어 들어가니 꺾인 길 안쪽으로 절의 전경이 보이기 시작했다. 입구에서는 볼 수 없었던 절의 모습은 얼핏 봐도 상당히 큰 규모였다. 어디로 가서 누구에게 물어봐야 할지 난감해 서성이고 있던 오아라는 공양미와 초 등을 파는 작은 매점 같은 곳으로 갔다.

"초암 스님을 뵈러 왔는데 어디로 가야 하죠?"

오아라의 얘기에 매점에서 물건을 파는 남자가 물끄러미 바라봤다. 잘못 찾아온 것일까. 범각사라는 절이 다른 곳에 또 있는 것은 아닐까. 저쪽으로 가보세요. 남자가 가리킨 곳은 식당 옆에 마련돼 있는 종무소였다. 안으로 들어가니 은행 창구처럼 꾸며놓은 곳에 여자 여러 명이 앉아 있었고, 사람들은 그들과 상담을 하거나 무언가를 접수하고 있었다. 초파일 연등 공양하러 오셨나요? 그중 한 여자가 오아라에게 웃으며 물었다. 석가탄신일은 아직 한참 남았는데 연등을 접수하러 온 사람들이 이렇게 많다는 사실이 오아라는 놀라웠다.

"아니요. 초암 스님을 좀 뵈러 왔는데요."

그러자 여자 역시 매점 남자와 비슷한 눈빛으로 그녀를 바라봤다. 좀처럼 그 뜻을 해석할 수 없는 눈빛이었다. 누군가가 알 수 없는 시선으로 바라볼 때면 선뜻 다음 말을 잇기가 힘들어진다. 나의 행동과 언어가 상대방에게 어떻게 해석되고 있는지를 전혀 파악할 수 없을 때의 막막함. 역시 잘못 찾아온 것일까.

"보살님, 저 여자분이……."

그녀는 옆에 앉아 있던, 좀 더 나이 들어 보이는 중년의 여자에게 오아라를 가리키며 작은 목소리로 말을 전했다. 50대는 돼 보이는데 피부는 백옥같이 고운 인상이었다. 여자는 자리에서 일어나 오아라에게 다가와 합장을 했다. 오아라도 얼떨결에 함께 합장을 했는데, 간단해 보이는 행위였건만 처음 해보는 그녀에게는 운명이라는 단어를 떠올릴 때만큼이나 낯간지럽고 쑥스러웠다.

중년의 여자는 사무실을 나가 오아라를 어딘가로 안내했다. 여자를 따라 도착한 곳은 명부전(冥府殿)이라고 쓰인 큰 법당이었다. 앞에는 많은 신도들이 모여 합장을 한 채 하나같이 열린 문 안쪽을 바라보고 서 있었다. 안에서 무언가 진행되고 있는 듯했지만 사람들 머리에 가려 제대로 볼 수는 없었다.

"지금 후불탱화 점안식 봉행 중이시라 여기에서 좀 기다리셔야 합니다."

중년의 여자는 그곳까지만 안내를 하고 돌아갔다. 어림잡아도 50명은 넘어 보이는 여신도들이 둘러싸고 있어 고개를 빼고 봐도 문 안쪽은 잘 보이지 않았다. 많은 수에도 불구하고 무리는 침묵을 유지하고 있었다. 명부전 안쪽에서만 간간히 목탁 두드리는 소리와 법문을 외는 것 같은 스님들 목소리만 들려왔다. 중요한 행사인 것 같았으나 모든 것이 소리 없이 흐르는 물처럼 고요하며 차분하게 진행되고 있었다. 신도들은 아무도 오아라를 쳐다보거나 말을 걸지 않았다. 그 순간 오직 저 법당 안에서 벌어지는 일 외에는 눈에 보이지도, 귀에 들리지도 않는 듯했다. 무관심보다는 무심에 가까운 적막만이 무리 주변으로 보이지 않는 방어벽을 치고 있는 느낌이었다. 어지간한 믿음이 아니고서는 절대 뚫을 수 없을 것 같은 견고함으로 무장한.

전혀 상관없는, 속할 수도 없는, 속하고 싶지도 않은 무리로부터 한 발짝 떨어져서 그 무리를 바라보는 기분은 참으로 묘했다. 깊은 계곡 속에 묻힌 산사에서 만난 풍경은 세상의 흐름과 완벽히 단절돼 있었고 이 공간, 이 시간만의 고유하며 유일한 질서에 의해 움직이고 있었다. 마인더숍에서는, 청담 파라곤에서는, 김중권의 차 안에서는, 자신의 오피스텔에서는 절대 만날 수 없는 이상하고도 기이한 기운. 이것을 글로 풀어야 한다면 어떻게 형용을 해야 할까. 인간의 묘사를 허락하지 않는 풍경이라는 생각이 들었다. 15분 정도 시간이 흐른 후 안에서 여러 명의 스님들이 밖으로 나와 도열했다. 그중 한 스님이 신도들을 향해 마이크를 잡고 입을 열었다.

"많은 사람들을 부처님 정법으로 인도하고 복덕과 희망, 안심을 줄 것입니다. 범각사를 찾아 기도하는 불자들 누구나 차별 없이 복덕과 지혜가 구족하시길 발원합니다."

5분 정도 이야기를 했지만 오아라가 알아듣고 기억할 수 있는 말은 극히 일부였다. 자신이 들은 문장과 단어가 맞는지조차 알 수 없을 정도로 온통 생소한 표현이었다. 도열해 있는 스님 중에서 초암 스님이 누구인지 알아내는 것도 문제였다. 중년의 여자는 행사가 끝날 때까지 기다려줄 수 없었던 것일까. 무리 중 누군가에게 다시 묻는 것이 내키질 않았다. 스님의 말이 끝나자 무리는 흩어지기 시작했고 오아라는 갈 곳 잃은 사람처럼 잠시 우왕좌왕했다. 그때 마이크를 잡았던 스님이 오아라에게 다가왔다.

"큰스님을 찾으신다고요?"

합장을 하며 묻는 스님에게 오아라도 급히 합장을 했다. 뭐든지 처음이 어렵다. 두 번째는 조금, 덜 민망했다.

"초암 스님이세요?"

"전 부주지로 있는 혜광이라 합니다. 한데 큰스님은 어쩐 일로……"

인자하게 웃고 있는 혜광 스님을 바라보며 오아라는 초암 스님을 만나지 못하게 될 수도 있으리라는 까닭 없는 예감이 들었다. 그의 어조에서 아직 채 가시지 않고 있는 어떤 아련함의 그늘 같은 것을 읽었기 때문이다. 그래서 오아라는 그만 합장을 푸는 것도 잊고 있었다.

요사채의 혜광 스님 방으로 따라 들어간 오아라는 정갈하게 정돈된 방을 두리번거리며 자리에 앉았다. 혜광 스님은 오아라를 위해 연잎차를 내주었다. 취재를 위해 절을 찾아오면서도 이런 만남은 미처 상상하지 못했다. 이렇게 낯선 스님과 마주 앉아 연잎차를 마시게 될 줄은.

"인연이 하필 명부전에서 시작됐습니다. 명부전이 뭐하는 곳인 줄은 아시나요?"

혜광 스님의 목소리는 마이크로 들었을 때보다 잔잔하고 묵직하며 따뜻했다. 낯선 이의 경계를 누그러뜨리는 온기는 원래부터 타고난 것일까, 많은 설법과 수행을 통해 다듬어진 것일까. 싸움닭 같은 성격도 며칠만 저 목소리를 듣고 있으면 절로 성격 개조가 될 것만 같았다.

혜광 스님은 명부전이 저승의 유명계(幽冥界)를 상징하는 사찰 당우이며 지장보살과 10대 시왕을 모신 곳이라고 설명해주었다. 좀 전에 그 지장보살과 10대 시왕의 후불탱화 봉안식이 있었다고. 불자는 아니시죠? 혜광 스님은 오아라의 표정에서 자신의 설명을 어려워하고 있음을 눈치채고는 너털웃음을 흘리며 물었다. 오아라에게는 후불탱화도 봉안식도 그 뜻을 어떻게 물어야 하는지조차 난감할 만큼 낯설고 어려운 단어였다.

"사는 게 지옥이라면 지장보살께 공덕 많이 드리세요. 지옥불에 떨어져 고통받고 있는 중생들을 구원하기 위해 끝까지 지옥에 남아 계신 보살이시니."

혜광 스님의 갑작스러운 말에 찻잔을 든 그녀의 손이 허공에서 멈췄다. 마치 오래전부터 가까이 지내온 벗이 건네는 친근한 위로처럼 혜광 스님의 말이 까마득한 거리감을 지우고 가슴속으로 온전히 건너온 듯한 느낌이 들어서였다. 사는 게 지옥이었던가. 그럴 만큼 끔찍하게 고통스러웠던가. 알 수 없었다. 내 삶이 지옥인지 아닌지를 판단하는 것 자체가 또 하나의 공포였다. 다만 이미 지옥에서 고통받고 있는 중생에게도 구원의 기회가 있다는 것에, 그 기회를 주기 위해 지옥에 머무는 존재가 있다는 사실에 오아라는 이상한 안도감을 느꼈다.

혜광 스님은 불상을 모신 상단 뒤에 지장보살과 지옥을 지키는 열 명의 왕을 묘사한 탱화를 거는 의식을 행했다는 말로 후불탱화 봉안식에 대한 설명을 대신했다. 자음과 모음을 처음 배우는 아이처럼 오아라는 잔뜩 궁금한 것투성이였지만 어떤 질의의 문장도 만들어내지 못했다. 그저 들리는 그대로를 튕겨내거나 흡수하거나 둘 중 하나의 반응만 가능할 뿐. 오아라는 튕겨내고 싶지 않았다. 흡수하고 싶었다. 작가니까. 글을 다루는 사람이니까. 세상의 모든 이야기를 흡수해야 하는 처지니까. 하지만 그것은 생각의 경계 바깥에서 한없이 겉돌기만 했다. 생각의 안으로 들어올 수 있는 것은 오직 먹고사는 일과 관련된 것들뿐이었다. 지금까지는.

오아라는 연잎차를 두어 모금 마신 후 잔을 내려놓으며 자신이 어떤 사람인지, 왜 이곳에 왔는지를 전했다. 짧은 기사 하나로부터 이어진 발걸음이라는 것도. 혜광 스님은 잠시 말없이 고개를 몇 번 끄덕였다. 그러고는 조용히 답했다.

"큰스님은 이미 몇 해 전 열반에 드셨습니다⋯⋯."

기사가 나온 그 해, 그러니까 살인범이 변사체로 발견된 같은 해 겨울이었다고 했다. 초암 스님을 만나지 못할 수도 있으리라는 오아라의 예감이 맞았다. 혜광 스님 말대로라면 살인범이 죽고 나서 몇 달 후 초암 스님 역시 세상을 떠났다는 얘기였다.

혜광 스님으로부터 전해들을 수 있는 내용은 기사에 압축돼 있던 초암 스님의 일생과 크게 다르지 않았다. 어려웠던 가정 형편 때문에 농업고등학교를 다니던 학창 시절 초암 스님은 어느 살인범에 의해 하루아침에 부모를 모두 잃게 된다. 세상에 대한 원망과 복수심에 불타 괴로워하던 끝에 입산출가를 결심하고 합천 해인사의 주지 스님을 찾았으나 학생의 신분이라는 이유로 허락을 받지 못한다. 그래도 포기 못하고 얼마 후 백양산 한림사를 찾았으나 세상에 대한 원망과 분노만으로 가득한 그를 그곳 주지 스님 역시 받아주지 않는다. 무엇이든 작정하면 물불을 안 가리던 성품 때문에 줄곧 고심하던 초암 스님은 결국 배를 타고 일본으로 건너가 송운사라는 절에서 행자 수업을 하게 된다. 일본도 부처님 법을 받드는 마음과 수행의 도는 다르지 않다는 생각에서였다. 그렇게 1년 여의 시간 동안 인욕의 행자 기간을 거쳐 한국으로 돌아온 후 문천사라는 절의 큰스님을 찾아 비로소 득도를 하고 오랜 세월 불교의 과학화와 현대화를 위해 힘쓰며 오늘날의 초암 스님이 되기에 이른다.

　대략적인 스토리를 들은 오아라는 이것이 소설이 될 수 있을지 아닌지에 대한 판단이 서질 않았다. 보다 디테일한 정보와 서사가 있어야 할 것 같았지만 혜광 스님은 이미 자신이 전해줄 수 있는 것은 모두 전했다는 표정을 짓고 있었다. 오아라의 마음을 읽기라도 한 듯 얘기 끝에 혜광 스님이 물었다. 꼭 큰스님의 이야기를 글의 재료로 삼아야겠느냐고. 살인범에게도 큰스님에게도 뼈아픈 업보인 그 이야기를 굳이 세상 천지에 알려야 하겠냐고. 평범한 누군가가 물었다면 한심하다는 표정으로 '그건 그냥, 소설이니까요'라고 답했을 것이다. 한 사람의 굴곡진 인생사를 만인에게 알리고자 쓰는 것이 소설이 아니라고. 소설은 그냥 나를 위해서 쓰는 것이라고. 나를 위해 살이 되고 피가 돼줄 이야기가 필요한 것뿐이라고.

왠지 모르게 말문이 트이질 않으니 이야기를 들으며 연기처럼 드문드문 피어오르던 질문도 던질 수가 없었다. 그 질문들을 던지면 이것이 소설의 꼴이 될지 아닐지에 대한 판단도 가능해질 것 같은데. 그때 혜광 스님이 불쑥 이런 얘기를 건넸다.

"글도 욕망일 것입니다. 안 그런가요?"

오아라는 갑자기 이런 말을 꺼낸 이유가 무엇인지 알 수 없었다. 욕망이 시키는 행위일 뿐이니 글에 대한 욕심을 버리라는 것일까. 아니면 글쓰기라는 행위 자체의 무의미함을 경계하는 것일까. 다시 묻고 싶었으나 현답을 먼저 듣고 뒤늦은 우문을 던지는 꼴이 될까 겁이 났다. 글도 욕망일 것이다. 욕망이니까 인물이 있고 욕망이니까 사건이 있고 욕망이니까 메시지가 있을 것이다. 따지고 보면 하늘 아래 욕망 아닌 것이 어디 있을까. 하지만 혜광 스님의 입에 담기는 순간 욕망이라는 단어는 가장 불온하고 불순한 의미로 탈바꿈했다. 아니, 이상한 자격지심 때문에 오아라만 그렇게 받아들이고 있는 것인지도 몰랐다. 욕망이 없었다면 문학사의 위대한 문호와 명작들은 나오지도 않았을 거라고요. 그렇게, 항변하고 싶었다.

"참 고된 싸움입니다그려……"

뒤에 이어진 혜광 스님 말에 오아라의 가슴속에는 탁한 모래 바람이 차올랐다. 그리고 더는 아무 말도 할 수 없었다.

오아라는 사천왕문을 빠져나오면서 이 이야기는 절대 소설로 쓸 수 없을 것이라는 결론을 내렸다. 스님이 주인공인 소설을 쓰기에는 자신이 이 종교에 대해, 그 존재에 대해 가늠하고 상상할 수 있는 것이 너무 없었다. 학습과 취재를 통해 이해하고 채우는 데에도 한계가 있다. 고된 싸움이라던 혜광 스님의 말이 연신 환청처럼 들려왔다. 사천왕문 어디에선가 흘러나오는 소리 같기도 했다. 걸어 내려가다 말고 오아라는 발걸음을 멈춘 채 뒤를 돌아봤다. 방금 지나온 사천왕문이 기묘한 기운을 머금은 채 세상의 어떠한 욕망도 이곳을 통과시키지 않겠다는 듯 굳건히 서 있었다. 그 굳건함은 아마도 영원히 변하지 않을 것 같았다.

사천왕문을 향해 불쑥 합장을 하고 싶은 충동이 일었지만 오아라는 그러지 못했다. 마치 가위에 눌린 것처럼 마음은 간절한데 몸으로는 행할 수 없었다. 이런 정도도 어려워하는 내가 어떻게 한국 불교계의 큰 횃불이 됐다는 초암 스님의 이야기를 글에 담을 수 있을까. 골백번 생각해도 안 될 일이었다. 기운이 빠진 오아라는 그대로 발길을 돌렸다. 지금까지 그래 왔던 것처럼 앞으로도 자신의 인생에 종교나 신이 끼어들 여백은 없을 거라는 생각만이 달갑지 않은 그림자가 되어 동행처럼 따라붙었다.

산길을 다 내려와 버스 정류장에 다다랐을 때쯤 전화가 걸려왔다. 김순옥이었다. 까마득하게 잊어버리고 있었다. 다시 기억할 이유도 없었다. 다 끝난 일이었으니. 한데 왜 그녀는 또 전화를 걸어온 것일까. 받아야 하나 말아야 하나 고민이 됐다. 그냥못 이기는 척 다시 하겠다고 할까. 장편도 계획처럼 진행되지못하고 있는 마당에.

오아라는 작은 희망을 안고 찾아온 곳에서 더 큰 번민만 안고 돌아가게 된 자신이 처량하게 느껴졌다. 적어도 며칠 후부터는 본격적으로 장편 작업에 들어갈 수 있으리라 생각했건만 뜻대로 풀리지 않는 상황에 거북한 체증이 밀려왔다.

김순옥은 좀처럼 전화를 끊을 생각이 없는 것 같았다. 마침버스가 오는 바람에 오아라는 휴대폰을 가방에 집어넣고 버스에 올라탔다. 집으로 오는 동안에도 김순옥으로부터 전화가 세통이나 더 걸려왔다. 덜컹거리는 버스 때문인지 속이 메스껍고어지러워 가방 속에서 연신 울려대는 휴대폰 진동을 끝내 무시했다. 싸움닭 같은 김순옥의 목소리는 더더욱 듣고 싶지 않았다. 지장보살에 대한 혜광 스님 이야기가 떠올랐다. 나도 지옥의 불구덩이에 떨어지면 중생을 구원하기 위해 그곳을 지키고있다는 보살님을 만날 수 있을까. 그래서 다시 한 번 구원의 기회를 얻을 수 있을까.

그날 집으로 놀아가는 길은 유난히 멀고도 외로웠다.

김순옥의 인내심은 한계에 다다르고 있었다. 수차례 메일을 보내고 전화까지 해도 그녀는 묵묵부답이었다. 자존감으로 똘똘 뭉친 별나고 깐깐한 작가들을 한두 명 상대한 것은 아니었지만 이제 갓 등단한 작가가 마치 문단 중견처럼 굴고 있는 꼴이 더 거슬렸다. 윤석향은 매일 한 번씩 오아라 청탁 건에 대해 묻고는 별 진전이 없음을 확인할 때마다 혀를 차고 지나갔다. 지금이라도 다른 작가를 섭외하는 게 어떻겠냐는 김순옥 말에는 별 대꾸를 하지 않았다.

　입사 후 지금까지 한 번도 칭찬이란 걸 해준 적 없는 그가 야속하기도 했지만 골몰히 책을 읽고 있거나 말없이 차를 마시고 있을 때면 김순옥의 시선은 좀처럼 그에게서 벗어나질 못했다. 말이 없을 때, 자신과 소통하지 않을 때 그에게 가장 끌린다는 사실을 안 이후로 그녀는 가급적 윤석향에게 말을 걸지 않았다. 자신에게 아무 행위도 가하지 않을 때의 윤석향은 전혀 다른 남자였다. 품위 있고 중후하며 지적이고 다정한 존재였다. 처음에는 실제와 이미지의 간극 사이에서 가끔 혼란스럽기도 했다. 소통이 시작되는 순간 매력도 멈춘다는 사실은 김순옥을 우울하게 했다. 자신의 마음을 전하려면, 그의 마음을 얻으려면 소통을 하지 않고는 불가능한데.

회식 자리에서 윤석향은 종종 만취하곤 했다. 알코올의 힘은 유일하게 그의 말과 행동에 돋아나 있는 가시의 순을 다소나마 눅잣혔다. 가끔은 붉게 물든 얼굴로 평상시와는 확연히 다른, 그러나 정확히 어떤 의미인지 모를 눈빛으로 김순옥을 바라볼 때도 있었다. 그 눈빛이 자꾸만 보고 싶어 회식 때마다 어떻게든 윤석향의 옆자리를 차지하려고 애썼다. 술에 취하면 김순옥이 슬쩍 그의 허벅지에 손을 올려도 몰랐다. 반팔 소매 아래로 드러나는 팔뚝에 자신의 팔을 갖다 대도 이상하게 생각하지 않았다. 심지어 그가 김순옥의 어깨에 손을 올린 적도 있었다. 어깨에 그의 손이 와 닿는 찰나가 노아와 섹스를 하는 한 시간보다 더 흥분됐다. 그러니 알코올은 김순옥이 그토록 원하는 육체적 소통을 가능케 하는 유일한 매개체였다.

집에서 혼자 홀짝홀짝 술을 마시게 된 이유도 그 때문이었다. 윤석향의 허벅지와 팔뚝 살이 그리워질 때마다 김순옥은 소주 한 병씩을 비우고 잠자리에 들었다. 잠깐 눈을 뜨고 옆을 보면 가끔 노아의 허벅지와 팔뚝이 붙어 있었다. 그럴 때면 김순옥은 잠에 취한 노아를 부득불 깨워 섹스를 했다. 알코올이

지배하는 동안 김순옥의 몽롱한 육체와 정신은 노아의 몸을 윤석향으로 착각했다. 그러다 정신을 차리면 후회도 들고 미안하기도 했다. 그래서 노아와 헤어질까 고민도 했지만 짧은 고민으로 끝냈다. 술에 취해 들어왔는데 옆에 노아라도 누워 있지 않다면 정말 미쳐버릴지 몰라서였다.

어제 회식 자리에서 김순옥에게 사뭇 다정한 모습을 보여주었던 윤석향은 오늘 아침 출근해서 회의실로 그녀를 불렀다. 다른 날보다도 많은 술을 마셨던 탓에 윤석향이 입을 열 때마다 옅은 술 냄새가 느껴졌지만 그것이 오히려 인간적이어서 조금 안도가 됐다.

"대체 오아라가 아직까지 버티는 이유가 뭐지? 생각할수록 이해가 안 되는군."

작심한 듯 입을 여는 윤석향 때문에 김순옥은 다시 긴장했다. 자신도 이해가 되지 않는 상황을 그에게 이해시킬 방법이 없었다. 모두 당신 때문이에요. 당신이 날 이렇게 대하지만 않았으면 나도 오아라도 다 편했을 거예요. 김순옥은 피곤해 보이는 윤석향을 제대로 바라보지도 못한 채 부질없는 상상의 소리만 내고 있었다.

"기본적으로 너의 접근법에 문제가 있다고 생각해. 보편적이지 않은 감성을 지닌 작가를 다루는 방법이 보편적이어선 안 되지. 이건 무슨 공사 수주 계약서에 도장 받아내는 일이 아니란 말이야."

당신도 상당히 보편적이진 않아요. 당신의 접근법에는 더욱 심각한 문제가 있죠. 아니, 접근법이니 방법론이니 하는 것들 이전에 당신의 사고와 인식 자체가 보편적이지 않잖아요. 그래서 지금 나대로의 방식으로 당신을 다루고 있는 거라고요…….

차마 말로는 전할 수 없는 상상의 소리가 그녀 내면의 벽 이곳저곳에 부딪히며 메아리쳤다. 윤석향은 지금까지 담아두었던 김순옥에 대한 불만을 쏟아내기 위해 지난 실수까지 들춰가며 질책했다. 질책 끝에 또다시 김순옥의 차림새에 대한 지적도 이어졌다. 청바지와 니트에 카디건이면 매우 보편적이고도 상식적인 편집부 직원의 입성이라고 할 수 있건만. 심지어 이번에는 그의 입에서 '화장이라도 좀 신경 써서 하고 다니든가'라는 소리까지 나왔다. 역시 추임새처럼 혀를 차며. 20분 동안 공들여 메이크업을 하고 출근한 김순옥은 두 주먹을 불끈 쥐고 모멸의 순간이 어서 지나가기만을 기다렸다. 명품 옷을 걸치고 완벽한 메이크업을 한 윤석향의 아내가 김순옥의 머릿속에서 여배우처럼 손을 흔들며 지나갔다. 불쑥 그 환영을 두 손으로 갈기갈기 찢어버리고 싶은 충동을 느꼈다.

이후로도 윤석향의 신경질적인 잔소리는 김순옥도 기억 못하는 과거의 실수까지 들춰가며 한동안 계속됐다. 자잘한 실수까지 다 기억하고 있는 윤석향이 고맙고도 원망스러웠다. 그래도 나의 일거수일투족을 두 눈으로 담고는 있었구나. 적어도 무관심은 아니었구나. 하지만 결론은 '너는 구제불능의 아이'였다.

"제게 잘했다고, 잘하라고 한 번만 용기를 주실 순 없나요? 아님 따뜻한 말 한 마디라도."

가만히 듣고 있던 김순옥이 그렁그렁한 눈으로 말했다. 말을 멈춘 윤석향은 무표정한 얼굴로 김순옥을 빤히 바라봤다. 무언가 작정하고 말을 던지기 직전 얼굴에 나타나는 저 무표정이 김순옥은 늘 가장 두렵다. 이미 많은 말을 담고 있어서 정작 그 뒤에 이어지는 본론에 집중하기 힘들게 만드는 표정.

"세상에서 가장 무서운 것 중 하나가 뭔지 알아? 능력 없는 인간에게 용기를 주는 거야."

윤석향은 그 말을 남기고 회의실을 나갔다. 그가 나가자 눈가에 달려 있던 눈물이 김순옥의 뺨을 타고 흘러내렸다. 분명 어제 회식 자리에서도 윤석향은 다정하게 김순옥을 바라봐주었고, 술을 따라주었고, 허벅지를 만지게 해주었고, 팔뚝이 닿는 걸 허락했다. 알코올의 치명적인 효과는 알코올의 분해와 동시에 완벽히 사라지고 말았다. 24시간 그에게 알코올을 주입시킬 수 있는 방법은 없을까.

다른 편집부 식구들이 자신을 두고 자주 수군거린다는 걸 김순옥도 알고 있었다. 상관없었다. 점심때마다 늘 혼자 밥을 먹어야 한다는 것 말고는 그로 인해 크게 불편한 건 없었으니까. 오히려 그들이 떠들어대는 소리가 윤석향의 귀에 흘러들어가길 바랐지만 그런 일은 일어나지 않았다. 듣고도 모른 척하는 건 아닐까 싶기도 했다. 조금 전 회의실로 불렀을 때 뭔가

야릇한 기대감을 느꼈던 이유도 그 때문이었지만 늘 그렇듯 이번에도 그에게서는 미묘한 태도 변화조차 없었다.

회의실에서 나온 김순옥은 휴대폰을 들고 회사 옥상으로 올라갔다. 영 내키지 않았지만 심호흡을 몇 번 하고 오아라에게 전화를 걸었다. 두 번, 세 번. 계속해서 전화를 받지 않자 극도의 짜증이 몰려왔다. 따가운 태양이 내리쬐는 옥상 난간에 기대어 분을 삭여보려고 했지만 좀처럼 진정이 되질 않았다. 네깟 게 뭔데 전화까지 씹는 거지. 어느 것 하나 뜻대로 되는 게 없었다. 김순옥은 휴대폰을 난간 밖으로 던져버리고 싶었다. 차마 그럴 수가 없었던 그녀는 대신 있는 힘껏 소리를 질렀다. 비명에 가까운 악다구니는 허공으로 뻗어나가다 한낮의 햇살을 뚫지 못하고 그대로 사그라들었다. 김순옥은 참 재수 없는 햇살이라고 생각했다. 누구처럼.

김순옥이 술에 취해 집에 들어갔을 때 노아는 컴퓨터 화면에 정신이 팔려 있었다. 퇴근길 포장마차에서 혼자 마셔댄 술 때문에 그녀는 옷을 벗으면서도 계속 휘청거렸다. 노아는 씻는 것도 잊은 채 침대에 쓰러지는 김순옥을 잠시 쳐다보더니 다시 컴퓨터 화면으로 시선을 돌렸다. 김순옥은 드러누워 거친 숨을 몰아쉬고 있다가 게슴츠레한 눈으로 앉아 있는 노아의 뒷모습을 바라봤다. 그러더니 갑자기 벌떡 일어나 침대에서 내려와서는 노아에게 비틀거리며 다가가 목덜미에 입술을 비벼댔다. 노아가 억지로 떠밀자 손으로 그의 허벅지와 사타구니를 꼬집듯이 잡아 비틀었다. 노아가 '억' 소리를 내며 김순옥을 밀어내려 하자 이번에는 갑자기 그의 팔뚝을 물었다. 당황한 노아가 김순옥의 머리채를 잡았다. 몸으로부터 떼어내기 위해서는 그 방법밖에 없었다. 머리채를 잡힌 김순옥은 아, 아, 하면서 노아에 의해 다시 침대 쪽으로 끌려갔다.

"나 지금 중요한 거 하고 있거든."

노아는 김순옥이 오늘따라 왜 이럴까 이상하기도 했지만 방금 전 확인한 쪽지 때문에 마음이 급했다. 자신의 연락에 아무런 대꾸도 없던 스칼렛으로부터 한참 만에 답장이 와 있었기 때문이다. 강제로 침대에 눕혀진 김순옥은 다행히 곧 정신을 잃었다. 스칼렛이 보낸 답장에는 자신에게 어떤 걸 원하는지 요구사항을 자세히 적어달라고 돼 있었다. 노아는 딱히 요구할 사항이 없었고 생각해본 것도 없었다. 무엇을 요구해야 하는지, 어떻게 답장을 보내야 하는지에 대해 고민하느라 김순옥이 들어오는 줄도 몰랐다. 처음 느꼈던 대로 역시 스칼렛은 주체적이며 비굴하지 않았다. 스폰을 받겠다는 입장이면서도 자기주장이 확실했다. 그래서 더 만나고 싶었다. 연락이 없는 며칠 동안 자신이 좀 더 정성스럽게 쪽지를 적어 보내야 했던 것은 아닐까 후회하기도 했다. 얼굴도 모르는 어떤 여자에게 끌리기는 처음이었지만 그런 낯선 감정이 싫지 않았다. 여자한테 끌린 것 자체가 처음이었으니까. 숱하게 살을 부비며 지내온 다른 여자들에게는 전혀 느껴보지 못했던 감정이었다. 당연히 김순옥에게도.

노아는 무언가 스칼렛의 마음에 꼭 드는 정답을 적어 보내고 싶었지만 마땅한 답이 떠오르질 않아 답답했다. 보육원을 나온 열아홉 살의 노아가 호스트바 선수가 되어 처음 데뷔했을 때, 어떻게 자기소개를 해야 할지 몰라 고민하던 때와 비슷한 느낌이었다. 돈을 벌려면 어떻게든 손님에게 초이스를 받아야 했다. 다른 선수들이 화려한 멘트를 구사하며 자신을 어필하는 동안 맨 끝에서 초초하게 기다리던 노아는 허리를 숙여 인사하며 한마디 했을 뿐이었다. 노아입니다, 잘하겠습니다! 웃통을 벗고 근육 자랑을 하는 선수들, 진정한 '낮져밤이'라며 으르렁 소리와 함께 호랑이인지 사자인지 모를 우스꽝스러운 흉내를 내는 선수들 사이에서 노아는 잠시 이질감을 느끼기도 했다. 한데 가장 먼저 초이스 받은 것은 노아였다. 이후로도 노아의 인사말은 늘 '잘 하겠습니다'였고 이러한 인사법은 거의 초이스에서 실패하는 법이 없었다. 때문에 다른 선수들은 늘 그를 운 좋은 놈이라고 했다. 다소 운이 따랐던 것도 사실이긴 했으나 그는 '잘하겠다'는 약속에 항상 거짓 없이 충실했고 그것이 지금까지 오랜 시간 많은 단골을 유지할 수 있었던 이유였다. 고객이 원하는 것이라면 무엇이든 싫은 내색 없이 다 했다. 심지어 목에 개 줄을 묶고 발가벗은 채 바닥을 엉금엉금 길 때 조차 최선을 다하고자 하는 열의와 진정성이 고스란히 느껴져 한 번 감동한 고객은 단골이 되지 않을 수가 없었다.

노아는 이번에도 쪽지 창에 '잘하겠습니다'라고 적었다. 뭔가 주객이 전도된 것 같긴 했지만 자신에게 행운을 가져다준 부적과도 같은 말이라고 생각하니 썩 나쁘지 않았다. 잠시 뜸을 들이던 노아는 '잘하겠습니다' 아래에 전화번호를 함께 적은 후 보내기 버튼을 클릭했다. 손님들의 초이스를 기다릴 때처럼 기분이 약간 설렜다. 내용이 너무 성의 없어 보이는 건 아닐까 걱정되기도 했지만 쪽지는 이미 떠났다. 스칼렛을 향해.

자리에서 일어난 노아는 잠이 든 김순옥을 물끄러미 내려다봤다. 오늘은 또 윤석향이란 남자가 어떻게 했기에 술에 진탕 취해 들어왔을까. 그녀를 보면 사랑이라는 것도 그저 헛된 욕망에 불과해 보였다. 차라리 스폰이 군더더기 없고 편하다. 마담 일을 그만둔 후 세 명의 고정 고객을 잡아 안정적인 생활을 유지하고 있는 지금은 업장에 나갈 일이 없었다. 세 명을 상대하는 것만으로도 충분히 피곤하고 바쁘니까. 한데 노아는 일이 없어도 가급적 김순옥이 퇴근하는 즈음에 맞춰 집을 나서 일하던 업장에 가 시간을 보내거나 한다. 요즘엔 오히려 낮에 불려 나가는 일이 빈번하다 보니 24시간 꼬박 집을 비울 때도 많았다. 낮 동안 시달리다가 피곤한 몸을 이끌고 집에 들어왔다가도 김순옥이 날카로운 상태이거나 술에 취해 있는 것을 확인하면 약속이 있는 척 다시 집을 나선다. 피하는 것보다는 피해주기 위해서였다.

서울역에서 노숙자들과 함께 노예로 지낼 때부터 보육원을 나올 때까지 노아의 몸에 확실히 밴 것 하나가 눈치였다. 그가 고객에게 가장 '잘하는 것'도 상대의 기분이나 성격에 따라 눈치껏 구는 것이었다. 그것이 무딘 짐승처럼 구는 여타 선수들과 다른 점이었다. 그 때문에 종종 함께 일하는 선수들로부터 배알도 없는 인간으로 오해받기도 했지만 노아는 개의치 않았다. 아무리 밑바닥 인생이라도 기본적인 자존심을 지키라고 충고하는 선배 선수도 있었다. 김순옥 역시 비슷한 시선으로 노아를 바라볼 때가 있었지만 그는 뭔가를 이해시키려 하거나 변명하려고 하지 않았다. 한 번쯤 허심탄회하게 말하고 싶기도 했지만 무엇을 어떻게 전해야 할지 말문이 트이질 않았다. 함부로 논쟁이나 토론을 벌이기에는 그녀의 말 상대가 전혀 되지 못한다는 것을 노아 역시 일찌감치 깨달았다. 대신 노아는 지금까지의 선수 생활이 충분히 성공적이었음을 실적이 말해주고 있다며 자위하곤 했다. 그래서 더 스칼렛이 궁금했다. 자신과는 그 시작부터 달라 보이는 그녀가.

김순옥이 찾아간 오아라 집에는 오아라가 없었다. 그녀가 당선된 지방 일간지 편집부 기자가 알려준 주소에는 다른 사람이 살고 있었다. 김순옥은 살짝 짜증을 느끼면서도 뭔가 암담한 기분이 들었다. 어제 마신 술 때문에 머리까지 지끈거렸다. 주말인데 집에서 쉬기를 포기하고 나온 길이었다. 골목을 돌아 나오다가 눈에 보이는 부동산이 있어 들어갔다. 주소를 보여주며 혹시 이 집이 골목 안쪽 붉은 돌담집이 맞느냐고 확인차 물어봤다. 여기 살던 처녀 찾아요? 이사 갔는데. 오피스텔로. 여자는 묻지도 않은 말에 뜻밖의 정보를 들려주었다. 어수룩해 보이는 부동산 여자는 박카스 한 박스에 넘어가서 저렴한 복비에 집도 팔아주고 새로 들어갈 오피스텔까지 구해주었다며 너스레를 떨더니 뒤늦게 누구냐고 물었다. 아, 친자매처럼 지낸 고향 언니인데 예전에 알려준 주소만 갖고 연락도 없이 찾아왔더니 글쎄……. 허술한 거짓말에 부동산 여자는 알아서 오피스텔 위치와 호수를 적어주었다.

오피스텔은 붉은 돌담집에서 멀지 않은 대로변에 있었다. 김순옥은 오피스텔 출입문 앞에서 잠시 머뭇거리다가 휴대폰을 꺼내 오아라에게 전화를 걸어봤다. 역시 받지 않았다. 마침 택배기사가 들어가는 참에 김순옥도 안으로 따라 들어갔다. 엘리베이터를 타고 7층에서 내린 김순옥이 7011호 쪽으로 천천히 걸어가는데 저만치에서 문이 열렸다. 7011호였다. 안에서 여자와 중년 남자가 함께 나왔다. 문이 잠기는 신호음을 들으며 남자가 여자에게 말했다.

"비밀번호 바꾸라니까요. 1004라니. 작가답지 않아요."

희미하게 웃는 여자의 모습은 어딘지 피곤해 보였다. 김순옥은 직감적으로 그녀가 오아라라는 것을 알았다. 두 사람은 김순옥이 있는 쪽으로 천천히 걸어왔다. 순간 심장이 거칠게 뛰었다. 어차피 저 여자는 내 얼굴을 모른다. 김순옥은 같은 오피스텔에 사는 사람처럼 침착하고 자연스럽게 그들을 향해 걸어갔다. 두 사람은 김순옥이 다가오자 양 갈래로 갈라져 스쳐 지나갔다. 누구에게서 나는 것인지 모를 향수 냄새가 그 뒤를 따랐다. 두 사람 모두에게서 같은 향수 냄새가 나는 것 같았다. 다행히 김순옥이 복도 끝까지 걸어가기 전에 두 사람은 곧장 7층에 멈춰서 있던 엘리베이터를 타고 내려갔다.

두 사람이 사라진 것을 확인한 김순옥은 천천히 7011호 쪽으로 다가갔다. 심호흡을 몇 번 한 후 문을 향해 손을 뻗었다. 머릿속으로 숫자 1004를 계속 되뇌었지만 떨리는 손은 도어락 앞에 멈춰선 채로 좀처럼 움직이질 않았다. 지금 내가 무슨 짓을 하려는 거지. 김순옥은 막 꿈에서 깨어난 사람처럼 흠칫 놀라서는 손을 거둬들이고 문으로부터 한 발짝 물러섰다. 반 보 물러난 오른쪽 발아래에 딱딱한 무언가가 밟혔다. 손으로 주워 보니 구찌 로고가 박힌 작은 열쇠고리였다. 도기로 된 제품인데 용케 밟히고도 깨지지 않았다. 오아라가 나올 때 뭔가 떨어지는 소리가 희미하게 들렸던 것도 같다. 김순옥은 잠시 고민하더니 그대로 놔두고 가기도 뭣하여 열쇠고리를 외투 주머니에 넣었다. 힘없이 몸을 돌려 엘리베이터 쪽으로 가던 김순옥은 다시 되돌아와 가방에서 포스트잇과 펜을 꺼냈다.

'직접 만나서 얘기할까 하고 들렀어요. 작가시니까, 생각이 있으실 테니까, 누구보다 대화의 필요성을 잘 아실 거라 생각해요. 연락 기다리겠어요. 김순옥.'

노란색 포스트잇을 오아라의 시선이 잘 닿을 만한 높이에 꼭 꼭 눌러 붙인 김순옥은 짜증과 분노를 억누르며 이렇게까지 하고 있는 자신이 딱하게 느껴져 짧은 한숨을 한 번 내쉬고는 이내 뒤돌아섰다.

오피스텔에 다녀온 후 내내 기분이 안 좋았던 김순옥은 노아를 밖으로 불러냈다. 대부분의 사모님들은 주말이면 가정과 가족에 충실해야 했으므로 노아의 주말은 여느 직장인처럼 한가로운 휴일일 때가 많았다. 고객과 함께 해외 골프 여행을 가거나 욕정을 못 이긴 사모님이 반쯤 미쳐서 예정에도 없이 호텔로 부를 때를 제외하고는. 다른 선수들이 가정이 있는 고객을 '꼰대'라고 부르는 것과 달리 노아는 고객이 있든 없든 어느 자리에서나 그들을 여사님이라고 지칭했다. 관계가 무르익어 여사님들께서 손수 자신의 이름을 불러달라고 청하면 순순히 그렇게 했다. 관계가 더욱 무르익어 '자기야'나 '허니', '여보'와 같은 호칭을 원하게 되면 또 별말 없이 그리 따랐다. 무엇으로 부르든 노아에게는 '사모님'이나 '여사님'과 같은 의미일 뿐이었다. 굳이 의미를 찾자면 호칭에 따라서 건너오는 대가의 크기가 달라진다는 점이었다.

김순옥은 사람 없는 데서까지 을처럼 굴 이유는 없지 않느냐고 물었다. 노아는 그 질문을 받고 별달리 답을 할 수가 없었다. 을처럼 구는 게 아니라 그냥 마음이 시키는 일이라고 하면 똑똑하고 말 잘하는 김순옥이 어떻게 트집을 잡을지 알 수 없어서였다. 생각해보니 그러네. 그렇게 말을 하고도 노아의 호칭법은 바뀌지 않았고 변하지 않는 노아를 확인할 때마다 김순옥은 윤석향이 그러하듯 혀를 차고는 했다.

김순옥이 그런 행동을 해도 노아는 기분이 나쁘거나 불쾌하지 않았다. 어렸을 적 엄마도 자신을 향해 자주 혀를 차고는 했다. 서울역 노숙자 아저씨들도 그랬고 보육원 원장도 그랬다. 그래서 혀를 차는 건 기본적으로 애정이 있는 관계에서만 가능한 표현이라고 생각했다. 단순한 비즈니스 관계인 여사님들은 자신에게 절대 혀를 차지 않았다. 마음에 들 때도, 마음에 들지 않을 때도 항상 명확하고 분명한 언어로 의사를 전달했다. 그러니 혀를 차는 행동은 아주 가까운 사이에서만 가능한 일인 것이 분명했다. 자신이 키우는 예쁜 강아지를 부를 때 그러는 것처럼.

오랜만에 노아와 함께 시내에서 저녁을 먹은 김순옥은 그를 데리고 삼청동의 한 갤러리로 갔다. 1층에 마련된 카페 창가 자리에 앉아 커피를 시켜 놓고 높다란 돌담길이 보이는 창밖을 말없이 바라봤다. 갤러리인 줄 알았는데 카페네? 노아가 순진하게 묻자 김순옥이 2, 3층은 갤러리라고 알려주었다. 노아는 이런 곳이 처음이었다. 김순옥은 갤러리의 오래된 역사와 현재 전시 중인 기획전과 한국 문화·예술 발전에 지대한 이바지를 했다는 갤러리 설립자 등에 대해 관광 가이드처럼 자세한 설명을 들려주었다.

서울 시내의 어지간한 좋은 호텔과 백화점 명품관은 다 다녀 봤건만 별로 얘기해줄 만한 거리가 없어서 노아는 아쉬웠다. 자신에게도 김순옥처럼 무언가 진지하게 들려줄 수 있는 이야기가 있다면 좋겠다는 생각을 처음 해봤다. 며칠 전엔 평창동 여사님이 피아제 시계를 사주셨어. 얼마 전에는 신사동 여사님이 차 한 대 뽑아주겠다고 약속하셨어. 그것도 내가 좋아하는 랜드로버로. 차는 아무래도 중고 사이트에 올려서 팔긴 좀 그렇겠지? 여사님 만날 때는 계속 끌고 다녀야 할 테니. 방배동 서지희는 아직까지도 내게 연락을 해서 종종 화를 내기도 하고 애원하기도 하고 울기도 해. 에비뉴엘에 가서 내가 좋아하는 에르메네질도 제냐 슈트랑 톰 포드 구두랑 아 테스토니 지갑도 사주겠대. 난 뭐 어떻게 해야 할지 잘 모르겠어. 다시 만나고 싶은 생각은 별로. 좀 지치게 하거든. 슈트랑 구두, 지갑 다 팔아봤자 천만 원이나 될까. 노아는 김순옥의 얘기를 들으며 머릿속으로 자신만의 얘기를 떠들어대고 있었다.

서지희를 다시 만난다면 슈트나 구두, 지갑 때문은 아닐 것이다. 국회의원 출마가 기정사실화되면서 아버지로부터 두 번째 남편과 다시 재혼을 하라는 압력을 받고 있다며 전화기에 대고 대성통곡을 하던 그녀는 충분히 측은한 존재였다. 이미 증권가 지라시에 이름이 오르내리기 시작한 딸 때문에 아버지로서도 적잖은 골칫거리였을 것이다. 그래도 그 아버지는 서지희를 사랑하니까. 이름도, 존재도 모를 누구의 아버지처럼 자신의 인생에서 타인처럼 밀어낼 일은 없을 테니까. 그렇게 생각하니 난생처음 질투란 것도 느껴졌다. 다시 만나는 것이 그다지 내키지 않는 이유도 그 때문일까. 아버지를 위해 재혼도 하고 평범하게 살라고 위로했지만 그것은 서지희를 위한 말이기도 했다. 진심으로 그렇게 살길 바랐다. 그런 마음도 모르고 서지희는 세상이 무너지는 것 같다고 더 크게 울었다. 진심이 진심으로 가 닿지 않을 때 노아는 더 이상 어찌해야 할지 알 수 없었다. 진심을 우회적이고도 효과적으로 전할 다른 방법이, 그럴 능력이 자신에게는 없었다. 김순옥이라면, 말 잘하고 똑똑한 김순옥이라면 서지희의 눈물샘을 건드리지 않고 충분히 알아듣게 설득했을 것 같다. 아니면 자신에게 하는 것처럼 쿨하게 혀를 끌끌 차고 말거나.

"그 사람과 같이 차를 마셨던 유일한 곳이야. 편집부 입사하고 처음 외부 미팅 따라 나왔다가."

생각에 잠겨 있는 것 같던 김순옥이 나른한 목소리로 말했다. 이곳에서 차를 마시며 그윽하게 바깥 풍경을 바라보던 그 모습에 처음 반했었다고 말하고 싶었지만 감정보다는 돈에 의해 움직이는 선수에게 그런 속내까지 말하기는 왠지 내키지 않았다. 복잡한 감정에 대해 아무리 친절하고 상세하게 설명을 해주어도 노아는 그 행간의 의미를 제대로 읽어내지 못할 것이다. 별 관심도 없을 것이고.

사랑에 빠지는 순간은 참으로 우습고 하찮았다. 지금의 김순옥처럼 갤러리의 오래된 역사와 현재 전시 중인 기획전과 한국 문화·예술 발전을 위해 큰 업적을 쌓았다는 갤러리 창시자에 대한 설명을 들려주던 윤석향의 얼굴 위로 붉은 노을빛이 물들고 있었는데, 그 오묘한 빛의 장난에 놀라났다. 장난을 운명으로 받아들인 김순옥은 그때의 심상을 줄곧 잊지 못했다. 윤석향이 자신에게 모욕적인 언사를 퍼부을 때에도, 혀를 끌끌 차며 지나갈 때에도 김순옥은 종종 그의 얼굴에서, 손끝에서, 뒷모습에서, 어깨에서 그때의 노을빛을 보곤 했다. 자신도 왜 그러는 것인지 이해가 안 되는 일을 어떻게 노아에게 이해시킬 수 있을까. 단순하고 생각 없이 오늘만을 사는 노아를. 노아의 옆얼굴에도 어느덧 노을이 지고 있었다. 하지만 빛의 장난은 일어나지 않았다. 노아는 노을이 지는지, 얼굴이 붉게 물드는지도 모른 채 연신 휴대폰만 내려다보고 있었다. 잠시 뒤 노아가 벌떡 일어섰다. 김순옥은 커피를 마시다 말고 놀라 그를 올려다봤다.

"미안한데 나 먼저 가봐야겠어."

김순옥이 뭐라 대꾸하기도 전에 노아는 카페를 나가 택시를 잡아탔다. 노아를 태운 택시가 저녁 어스름 속으로 멀어져갔다. 김순옥은 노아가 사라지고 없는 이 순간이 처음으로 조금, 외롭다고 느껴졌다.

카페를 나와 급하게 택시를 탄 노아는 휴대폰 문자를 다시 확인했다. 스칼렛이에요. 연락 기다릴게요. 택시 운전사에게 일단 삼청동을 벗어나 종로 시내 쪽으로 나가달라고 말한 뒤 문자의 발신 번호로 전화를 걸었다. 여보세요……. 차분하고 침착한 여자의 목소리. 노아는 자신이 누구인지를 밝혔고 스칼렛은 알고 있다고 답했다. 지금 만날 수 있을까요? 노아는 조심스럽게 물었다. 집으로 오시겠어요? 노아는 잠시 고민했다. 아뇨. 처음이니까 우리 편하게 차 한잔해요. 근처로 갈게요. 스칼렛은 '아, 네' 하더니 동네 근처 카페에서 보자고 했다.

주말 저녁 강북 도심의 도로는 오히려 한산해서 택시는 약속 시간보다 일찍 도착했다. 스칼렛이 말한 카페는 쉽게 찾을 수 있었다. 그녀를 기다리면서 지금 자신을 휘감고 있는 이 낯선 느낌이 무엇일까 노아는 계속 궁금했다. 엄마를 다시는 볼 수 없을 거라 생각하면서도 누군가 보육원을 방문할 때마다 자신도 모르게 문밖을 기웃거리게 될 때의 느낌. 아니, 그것과는 뭔가 달랐지만 명확하게 설명하기는 힘들었다. 정의할 수 없는 감정은 처음 배우는 알파벳 같았다. 알파벳 하나하나는 발음할 수 있지만 단어가 되고 문장이 되면 읽을 수 없는. 분명한 것은, 이 모든 것이 자신의 의지에 의해서 이루어지고 있다는 것이었다. 초이스 받는 인생에서 내가 초이스 하는. 선수들끼리 가끔 놀러 가는 룸싸롱에서 여자 선수들을 초이스 하는 것과는 전혀 다른 차원이었다. 아무 생각 없이 한 번 따라갔던 노아는 어쩌다가 자신의 옆에 앉게 된 여자가 소스라칠 정도로 기억 속

젊은 시절의 엄마를 닮은 것을 보고는 그만 뛰쳐나갔다. 그 후로 초이스 한 모든 여자들이 어느 세상에선가 엄마가 낳은 또 다른 자식일 수도 있다는 요상한 두려움이 늘 따라다녔다. 스칼렛은 부디 엄마를 닮지 않았기를 바랐다.

문이 열리고 한 여자가 들어와 두리번거렸다. 스칼렛임을 직감적으로 알아챘지만 이쪽을 보지 못한 그녀가 휴대폰을 꺼냈다. 노아는 전화를 받는 것과 동시에 손을 들어 보였다. 이쪽으로 걸어오는 스칼렛의 모습에서 엄마는 보이지 않았다. 자신이 상상했던 오피스걸의 이미지가 지나친 편견이었던 것일까. 도드라지는 메이크업에 화려한 치장 대신 화장기 없는 얼굴에 흰 티셔츠, 청바지가 전부였다. 눈가에는 짙은 스모키 아이라인 대신 무채색의 여린 우수가 자리하고 있었고 요란한 염색 컬러를 뽐낼 줄 알았던 머리는 차분한 흑갈색을 띠고 있었다. 한 뼘쯤 되는 하이힐 대신 굽이 낮은 하얀색 스니커즈를 신은 그녀의 키는 보통 정도였는데 다소 마른 듯한 몸 때문에 좀 더 커 보이는 듯했다. 오피스걸이 왜 저러고 나타났을까 하는 생각도 잠시, 그것이 얼마나 웃긴 편견인가 싶어 노아는 민망해졌다. 오히려 빤한 이미지가 아니어서 다행이고 반가웠다. 선입견을 보기 좋게 배신한 저 이미지가. 어머니와 닮은 구석이라고는 전혀 찾아볼 수 없는 저 얼굴이.

마주앉은 두 사람은 어색하게 인사를 나누었다. 어떤 식으로 말문을 열어야 할지 몰라 노아는 한동안 조용히 앉아만 있었다. 실제 이미지가 상상과 많이 달랐던 것은 스칼렛 역시 마찬가지였다. A와 B처럼 적당히 느끼하게 나이 든 중년일 줄 알았다. 오피스걸을 찾기에는 다소 앳돼 보이는 모습 때문에 앉고 나서도 무슨 말부터 해야 할지 당황스러웠다. 이런 만남이 아니었다면, 아무런 상관없이 건너건너 옆자리에 앉아 있는 타인이었다면 참 잘 큰 청년이라며 무심히 바라봤음 직한 모습. 대체 이 멀쩡해 보이는 남자가 왜 오피스걸을 찾는 걸까. 하긴, A도 B도 낮에 만나면 멀쩡해 보이는 사람들이다. 심지어 누군가를 가르치거나 대기업이라는 거대 조직의 중견 간부 노릇을 하고 있는.

"나이가 많지 않아 보이시는데……."

먼저 입을 연 것은 스칼렛이었다.

"스물여덟이요."

난감했다. A와 B처럼 나이 차이가 많을수록 서로 노골적이기 쉬운데.

"스칼렛 당신은요?"

노아의 질문에 스칼렛은 나이를 속일까 고민했지만 그래 봤자 몇 살이었다.

"동갑이에요."

노아는 반가웠다. 룸싸롱에서 만났던 여자들 말고 같은 20대를 만나기는 처음이었다. 그것도 동갑이라니. 처음 느꼈던 어색함도 한결 누그러지는 것 같았다.

"연락이 안 올 줄 알았어요."

노아는 수줍게 고백하듯 말했다. 그는 지금 이 자리, 이 만남이 그저 신기했다. 이렇게도 사람을 만날 수 있다는 것이. 자신의 의지와 상관없이 이어지는 숱한 관계들 말고 말이다.

"우리 동갑이니까 말 편하게 할까?"

노아의 말에 스칼렛이 다소 놀란 표정으로 쳐다봤다.

"왜, 불편해? 싫어?"

스칼렛은 그런 건 아니라고 했다.

"그래도 고객이신데……."

노아는 낯익은 단어가 나오자 피식 웃었다.

"그러고 싶어. 난."

스칼렛은 이상하게 흘러가는 분위기가 영 불안했다. 생각해 보니 가격에 대한 사전 협의도 하지 않았다. A와 B에 치여 다른 사람을 찾아야겠다는 급한 마음에 중요한 실수를 했다. 한데 눈앞에 나타난 젊은 동갑내기는 마치 소개팅에 나온 남자처럼 굴고 있다. 이런 사람에게 스폰을 받는다는 게 도무지 될 일 같지가 않았다. 그럴 능력이나 있으려나. 오피스걸이 뭔지 알고 나오긴 한 것일까. 그냥 호기심에 찔러보자 하는 심정으로 연락한 것일 수도 있다. 잘하겠다는 알쏭달쏭한 쪽지 하나 받고 이 자리까지 나온 게 판단 착오는 아니었는지 못내 찜찜했다.

"전 오피스걸이에요. 스폰해줄 고객이 필요한. 그것 때문에 이 자리에 나왔죠. 원하는 것이 무엇이고 얼마를 주실 수 있는

지 말씀해주세요. 아니면 서로 시간 낭비할 필요 없으니까."

노아는 역시 자신이 잘못 판단한 게 아님을 확신했다. 여려 보이는 외모와 달리 똑 부러지게 본인의 생각을 전하는 강단이 부럽고 반가웠다. 만약 여사님들에게 저런 식으로 얘기하면 어떤 반응을 보일까. 짧은 밤, 긴 밤 각각 얼마씩 주실 건가요. 옷이나 구두 같은 걸로 퉁 치실 거면 전 못해요. 중고 사이트에 올려 현금 만들기도 귀찮다고요. 그러니 돈만 받을게요. 그게 싫으면 말씀하세요. 서로 시간 낭비할 필요 없으니까. 노아는 생각만 해도 짜릿했다. 더 일찍 사고와 행동에 변화를 주었다면 전혀 다른 생이 펼쳐졌을지도 모른다. 전 노예가 아니에요. 당신의 아들도, 조카도 아니라고요. 그러니 더운데 껌 팔아오라고, 추운데 냉장고 박스 구해오라고 명령하지 마세요. 잘못했다고 때리는 것도 용납 못해요. 노예로 부릴 거면 밥이나 제때 주고 부리든가요. 아니면 노예 부리는 거 포기하세요. 서로 시간 낭비니까. 적어도 그 시절부터 시작됐어야 가능했을 것 같은 삶의 변화는 이제 변화를 꿈꾸기 버거울 만큼 너무 멀리까지 흘러왔다. 스칼렛은 언제부터 자신의 욕망과 주관에 충실하고 솔직했을까. 태어날 때부터 그랬던 것일까.

"원하는 건 따로 없어. 그냥 편한 게 좋으니까. 얼마를 줬으면 좋겠어? 원하는 대로 줄게. 그리고 말 편하게 하라니까."

스칼렛은 말귀를 제대로 알아듣긴 한 것일까 의아했다. 오피스걸을 만나서 원하는 것은 없는데 원하는 대로 주겠다니. 인물은 흰해도 재벌 3세 같아 보이진 않았다. A나 B처럼 자신을 힘들게 하는 변태적 욕망도 그에게서는 보이지 않았다. 예쁜 여자친구와 손 잡고 데이트나 즐기면 딱 어울려 보일 이미지였다.

"일주일에 두 번 이상은 안 돼. 그것도 미리 날짜 정해서. 예정에 없이 찾아오는 것도 안 되고. 돈은 일주일이나 한 달에 한 번씩 몰아서 주는 건 사절이고 관계 전 바로 현금으로."

스칼렛은 A와 B를 상대하면서 나름대로 개선이 필요하다고 생각한 것들까지 보태 먼저 요구 사항을 얘기했다. 그리고 원하는 금액까지. 되면 다행이고 안 되면 그냥 거기까지인 것이다.

"콜."

몇 초의 뜸 들이는 시간도 없이 노아 입에서 대답이 튀어나왔다. 환하게 웃고 있는 그의 모습이 천진난만한 아이처럼 느껴졌다. 지금 이 상황도 마치 애들 장난처럼 받아들이고 있는 것은 아닐까. 이럴 땐 곧장 테스트에 들어가는 수밖에 없었다.

"오피스텔이 근처인데 바로 갈까."

스칼렛의 제안에 노아는 주저 없이 고개를 끄덕였다. 두 사람은 함께 카페를 나와 어둠이 짙게 내린 거리를 걸었다. 노아의 입에서는 작은 휘파람 소리가 흘러나오고 있었다.

노아는 여자 혼자 사는 집에 발을 들인 것이 처음이었다. 여사님들 중 어느 누구도 자신을 집으로 데려간 적은 없었다. 집보다 더 좋은 호텔을 집처럼 드나들긴 했지만 이런 일상적인 여자의 공간이야말로 호텔보다 더 특별한 감흥을 전해주었다. 막세탁을 마친 호텔 방 특유의 섬유 냄새와 방향제 대신 좀 더 야릇하고도 미묘한 삶의 향취가 배어 있는 공간. 여자 화장품 냄새와 살 냄새, 한 시간 전쯤 끓여 먹은 듯한 된장찌개 냄새, 방금 청소를 했는지 반쯤 열려 있는 욕실에서 흘러나오는 락스 냄새. 그리고 새로 산 옷장에서 나는 것 같은 은은한 나무 냄새……. 일일이 분간하기도 힘든 더 많은 향들이 얽히고설켜 스칼렛의 공간을 이루고 있었다.

"씻을래?"

스칼렛이 침대 위에 흐트러져 있는 이불을 정리하며 말했다.

"아니, 오늘은 너랑 섹스하려고 따라온 거 아니야."

스칼렛이 허리를 세우고 뒤돌아봤다.

"그럼?"

"그냥 사는 게 궁금해서."

노아는 식탁으로 가 앉았다. 스칼렛이 앉아 있는 노아의 얼굴을 빤히 쳐다봤다.

"걱정 마. 오늘 치 돈은 줄 테니까. 대신 라면 하나만 끓여줄래? 저녁을 안 먹었더니 배고프다."

잠시 노아를 말없이 바라보던 스칼렛은 찬장을 열어 라면이 있는지 확인했다. 컵라면뿐이었다. 노아는 컵라면도 상관없다고 했다. 라면이 익기를 기다리는 동안 두 사람은 아무 말 없이 식탁에 앉아 있었다. 노아는 칠성급 호텔의 프레지덴셜 스위트

룸보다 이 작은 오피스텔이 더 아늑하고 편안했다. 술에 취해 자신에게 덤벼들거나 한심하고 딱한 눈으로 바라보는 김순옥도 존재하지 않았다. 돈만 주면 그냥 아무것도 하지 않고 편안히 머물다 갈 수 있는 곳. 그래서 돈이 아깝지 않은 곳.

"여긴 전세야?"

젓가락으로 라면을 건져 올리며 노아가 물었다.

"천에 오십."

"오피스걸은 언제부터 했어?"

"얼마 안 됐어. 최근."

"돈 벌어서 뭐해?"

"아직 뭘 할 만큼 벌지 못했어. 엄마 병원비에 생활비로 다 나가."

"그렇구나. 돈 벌면 뭐하고 싶어?"

"글쎄. 그냥, 우아하게 사는 거. 디올 백을 사고 싶을 때 살 수 있는⋯⋯."

몇 마디 나누는 사이 노아는 라면 국물까지 깨끗하게 비웠다. 노아는 근래 들어 라면을 이렇게 맛있게 먹어보기도 오랜만이었다. 그것도 별달리 조리가 필요 없는 컵라면을. 세상에서 가장 맛없는 라면은 자신이 끓이는 라면이고 가장 맛있는 라면은 남이 끓여주는 라면이라던 선배 마담 형 말이 떠올랐다. 김순옥과는 집에서 라면을 끓여 먹은 적이 한 번도 없었다. 여사님들과 함께 즐기는 농어 스테이크와 일 인분에 10만 원이 넘는

회 정식 코스도 맛있었지만 지금 먹은 컵라면에 비할 게 아니었다. 그저 시켜주는 대로 맛있게 먹어야 하는 매 순간마다 노아는 라면을 떠올렸고 청국장을 떠올렸고 어린 시절 엄마가 차려주던 집밥을 떠올렸다.

"금수저 출신인가? 아직 오피스걸을 찾을 나이는 아닌 거 같은데."

노아에게 정말 스폰서로서의 능력이 있는지 의심스러워 던진 질문이었다. 아까는 소개팅 나온 남자처럼 굴더니 지금은 여자친구 집에 놀러온 애인처럼 행세하고 있는 폼이 영 미덥질 못했다.

"나도 선수야. 호스트바 마담 출신. 지금은 스폰해주는 여사님들 덕분에 마담 생활도 청산했지. 스폰해주는 세 명의 여사님과 동거 중인 한 명의 여자가 있어. 그러니까 세 명으로부터 스폰 받아서 너 하나 도와주는 건 계산상으로도 어렵지 않은 일이지. 나 생각보다 많이 벌거든. 물론 너와는 방식의 차이가 있지만. 솔직히 그건 부러워. 난 그렇게 못하니까."

노아의 입에서 나온 뜻밖의 얘기에 무료하게 움직이던 스칼렛의 두 눈동자가 일시에 정지했다. 전혀 상상하지 못했던 사실을 덤덤하게 들려주는 노아가 좀 전과는 다른 사람으로 보이기 시작했다. 돈 많은 부모를 만났거나 반반한 얼굴로 남 사기쳐서 자기 배 불리는 양아치 정도로 생각했던 궁핍한 상상력이 민망해졌다. 어떤 사연으로 호스트바까지 흘러들어 가게 됐는지 궁금했지만 먼저 물으면 자신에게도 오피스걸이 된 사정을 물어올 것 같아서 참았다.

"뭐가 부럽다는 거지?"

"나와 비슷한 듯하면서도 다르게 사는 너의 방식."

노아는 지갑을 꺼내 약속한 금액을 건넸다. 스칼렛이 오늘은 안 줘도 된다고 말하자 노아는 라면값이라고 했다.

"말했잖아. 잘하겠다고. 난 약속한 건 지키거든."

"정말 다른 조건은 없어?"

"음, 조건이라면 섹스는 내가 원할 때 했음 좋겠어. 뭐 안 해도 상관없고."

스칼렛은 도무지 종잡을 수 없는 말을 늘어놓는 노아 때문에 머릿속이 복잡해졌다. 말 한 마디 한 마디에 어떻게 반응을 해야 할지 판단이 안 섰다.

"그렇게 이상한 표정 지을 거 없어. 말 그대로니까. 널 도와주고 싶고 잠자리는 굳이 하지 않아도 돼."

"한쪽이 일방적으로 손해를 보겠다는 거래는 세상에 존재하지 않아."

바닥까지 비운 컵라면을 치우는 스칼렛의 뒷모습이 노아의 눈에는 더없이 정겹게 보였다. 뒤로 다가가 가볍게 안아주고 싶었지만 첫날이라 참았다.

"손해인지 아닌지는 내가 판단해."

노아는 씩 웃어 보이고는 자리에서 일어났다. 오피스텔을 나올 때까지 스칼렛은 식탁 위에 놓인 수표를 집어 들지 않았다. 그것 때문에 노아가 일어섰다는 걸 스칼렛은 당연히 알지 못했다. 노아는 집으로 돌아가는 택시 안에서 아주 오랜만에 작은 행복을 느꼈다. '돈 쓰는 재미가 이런 거구나'라고 생각하며. 연신 휘파람을 부는 그를 운전기사가 룸미러로 흘끗거렸지만 노아는 자신이 휘파람을 불고 있다는 사실조차 느끼지 못했다. 택시 안에서 뱀이라도 나올까 봐 연신 인상을 실룩이는 운전기사의 표정도.

행방이 묘연한 구찌 열쇠고리 때문에 오아라는 아침부터 침대 밑이며 싱크대 바닥이며 몇 번이고 들춰보고 쓸어봤다. 김중권에게 선물을 받은 날 집으로 들어오는 길에 박스는 분리수거함에 버리고 열쇠고리는 외투 주머니에 넣었던 것까지는 기억이 났다. 하지만 그날 입었던 외투 주머니 안에는 아무것도 없었다. 이후로도 몇 번 외투를 더 입고 나간 것도 기억이 나지만 거기까지였다. 잃어버렸다 하더라도 그다지 아쉬울 것 없었지만 김중권이 물어보기라도 할까 봐 그게 걱정이었다. 열쇠고리 하나 찾느라 진이 빠져 이마에 손을 짚은 채 잠시 눈을 감고 서 있던 오아라는 '그러거나 말거나'라고 중얼거린 뒤 찾기를 포기하고 책상에 앉았다.

　노트북 모니터 옆에 붙어 있는 노란색 포스트잇에 눈길이 갔다. 집에 없을 때 김순옥이 다녀갔다는 걸 알고는 잠깐 소름이 끼쳤다. 그녀는 정중한 부탁도 아닌, 감정적인 호소도 아닌, 진심이 느껴지는 애원도 아닌 모호한 몇 줄의 문장을 남기고 갔다. 대화를 하고 싶다는 간단한 요지를 가장 불쾌한 방식으로 에둘러 표현해놓은 메모였다. 처음으로 '작가'라는 호칭을 사용하고 있었지만 오아라에게는 '작가님'이 아닌 '작가 나부랭이 따위'로 읽혔다. 그녀가 다녀가고 난 후 며칠 간 오아라는 외출했다가 들어올 때마다 엘리베이터 앞에서 자신의 집 쪽을 기웃거려야 했다. 안 그래도 열쇠고리 때문에 짜증이 나 있던 차에 오아라는 메모지를 사정없이 구겨 쓰레기통에 던져 넣었다.

소설 '초암'은 예상한 대로 잘 풀리지 않았다. A4 일곱 장 반쯤, 단편 한 편 분량도 채우지 못한 지점에서 기름이 바닥난 자동차처럼 멈춰 섰다. 계속 기름을 넣어야 하는데 주유소도 없고 경유를 넣어야 할지 휘발유를 넣어야 할지도 분간할 수 없었다. 찰나 같은 아이디어 하나로부터 출발하여 장대한 장편소설 하나를 탄생시킬 수 있는 작가적 역량이 자신에게도 있을 거라 믿었다. 구상 단계가 부실했다 하더라도 일단 시작을 하고 나면 손끝에서 어떤 식으로든 서사가 탄생하고 플롯이 짜여나갈 줄 알았다. 그러기에는 글을 관통해야 하는 종교적 관념과 범상치 않은 실존의 벽이 지나치게 높고 난해했다. 그것은 어지간한 노력이나 투지로 뛰어넘을 수 있는 벽이 아니었다. 명품 가방처럼 눈에 보이고 손에 잡히는 것이라면 얼마든지 묘사를 하고 스토리텔링을 하고 상상의 덧칠을 할 수 있겠건만.

자신의 삶과 전혀 상관없다고 생각했던 종교라는 테마는 어느 미지의 별처럼 알 수 없고 닿을 수 없는 것투성이였다. 너무 안일했다는 생각보다 정작 오아라를 견디기 힘들게 한 것은 '초암'에 대해 쉽사리 미련을 버리지 못한다는 것이었다. 더 솔직히 말하면 그것 말고는 달리 장편이 될 만한 거리를 찾지 못하고 있는 답답한 상황 때문이었다. 더 이상 진도를 나가지 못하는 이야기에 계속 매달리고 있다는 것 자체가 사람을 비참하고 참담하게 만들었다. 소설로 만들고 싶은 욕망과 그러지 못하는 한계 사이에서 오아라는 계속 혜광 스님의 말을 떠올렸다. 글도 욕망일 것입니다. 안 그런가요……. 욕망이 맞다. 그게 뭐. 모든 창작은 욕망으로부터 시작하는 것 아닌가. 왜 스님 앞에서 따져 묻지 못했을까. 글이 욕망인 게 잘못이냐고. 내가 욕망을 품는 게 나쁜 것이냐고.

　문제는 욕망이 간절해지는 만큼 엄습해오는 불안과 두려움의 크기도 증폭된다는 것이다. 〈문학과 미래〉를 포기하는 대신 새로운 돌파구로 찾았던 장편 공모에 대한 꿈이 그 시작부터 난관에 부딪히고 보니 오아라는 욕망이 그저 욕망으로 끝나게 될지도 모른다는 공포에 휩싸이곤 했다. 결국 오아라는 없고 스칼렛만 남게 되는. 등단작이 곧 마지막 작품이 되어 여전히, 그리고 앞으로도 별반 변화하지 않는 삶을 살게 될지도 모른다는 근원적인 공포. 지금과 전혀 달라지지 않는 미래를 상상하는 일은 입이 마르고 심장이 한없이 까라질 만큼 끔찍한 것이었다.

진짜 나쁜 욕망 덩어리들은 A와 B였다. 그나마 오아라는 뒤늦게 만나게 된 노아 덕분에 B를 떨궈낼 수 있었다. 갈수록 원하는 것이 많아지던 B는 그만 만나겠다는 오아라의 말에 한동안 협박과 애원의 끈을 놓지 않았다. 원하면 돈을 더 주겠다는 말에 잠시 혹하기도 했지만 다시 받아들이기에는 소설 작업에도, 사생활에도 이런저런 지장이 많았다.

노아는 처음 공언한 대로 꼬박꼬박 돈을 주면서도 섹스는 하지 않았다. 가끔 자신이 원할 때 잠자리를 하면 된다고는 했지만 지금까지 요구한 적은 한 번도 없었다. 반신반의했던 말이 정말 현실이 되면서 오아라는 소설에 몰두할 심적, 육체적 에너지를 좀 더 챙길 수 있었다. 에너지가 글로 발현이 안 돼서 문제였지만.

노아는 일주일에 두 번, 정해진 날 집으로 찾아와 밥이나 라면을 달라고 했다. 간단히 차려진 저녁을 먹은 후에는 자신이 사온 과일이나 디저트를 함께 먹으면서 이런저런 얘기를 떠들어댔고 말없이 TV를 보거나 영화를 볼 때도 있었다. 그러고는 때가 되면 돈을 놓고 돌아갔다. 비슷한 일을 하는 동갑내기 여자에 대한 동정심만으로는 채 이해하기 힘든 심리였지만 오아라는 왜냐고 묻지 않았다. 굳이 깰 필요가 없는 달콤한 균형이었으니까. 왜라고 묻는 순간 살얼음에 금이 가듯 그 황홀한 균형이 깨질 것만 같았다. 공으로 남의 돈을 먹는 것이란 자책의 목소리가 속에서 잠깐 들려오기도 했다. 그저 잠깐일 뿐이었고, 곧바로 사라졌다. 다만 가끔씩 늦은 밤 술 냄새를 풍기며 찾아오는 일도 있긴 했다. 졸리고 멍한 정신으로 그를 상대해주어야 하는 것이 피곤했지만 A와 B에게 번갈아 시달리던 걸 떠올리면 그마저도 호사였다.

얼마 전 술에 취해 찾아온 노아는 오아라가 끓여준 라면을 먹으면서 태그도 떼지 않은 피아제 시계를 내밀었다. 이건 보너스. 평창동 여사님이 사주신 건데 인터넷 중고 사이트에 올리면 금방 팔릴 거야. 오아라는 돈 대신 시계를 주는 것인 줄 알았는데 라면을 먹고 일어서면서 돈은 따로 지불했다. 아니, 괜찮아. 이 시계가 얼마 정도 하는지는 나도 알아. 노아는 시계는 보너스일 뿐이라며 부득불 돈을 놓고 갔다. 새것이나 다름없는 시계의 가격이 노아가 지불해야 할 하루치 돈의 수백 배에 달한다는 것을 알고 있는 오아라는 술김에 한 행동이려니 여기고 시계를 보관하고 있었다. 며칠 뒤 다시 찾은 노아는 시계를 팔았느냐고 물었다. 오아라는 찬장에 넣어두었던 시계를 꺼내 다시 내밀었다.

"왜? 이거 팔면 명품 백 몇 개는 충분히 사고도 남을 텐데."

그제야 오아라는 술김에 한 행동이 아니었다는 걸 알았다.

"이걸 왜 준 거지?"

오아라는 뒤늦은 질문을 했다.

"그냥. 잘해주고 싶어서. 그게 스폰 아니야?"

그 말을 들은 다음 날 오아라는 인터넷 중고 사이트를 통해 정가에서 10퍼센트 정도 빠지는 가격을 받고 시계를 팔았다. 통장으로 입금된 돈은 그녀가 등단 상금으로 받은 돈보다 훨씬 많았으며, A와 B를 몇 달 동안 쉼 없이 상대해도 벌기 힘든 액수였다. 오아라가 노아를 만나게 된 것을 운명으로 받아들이게 된 것도 그날 이후부터였다.

피아제를 판 돈으로 청담동 마인더숍에서 디올라마 백을 구입한 오아라는 가로수길의 한 카페로 들어가 수제 초콜릿과 에스프레소 한 잔을 주문했다. 김중권과 만나기로 한 약속 시간은 30분 정도 남아 있었다. 긴히 할 얘기가 있다는 김중권은 낮에라도 봤으면 하니 병원 근처로 와줄 수 있겠냐고 정중히 부탁을 했다. 마침 마인더숍에 갈 계획이었던 오아라는 기분이 좋았던 탓에 흔쾌히 그러겠다고 했다.

점심시간이 다 돼 약속 장소로 온 김중권은 오아라를 데리고 근처 설렁탕 집으로 갔다. 가로수길에서 굳이 설렁탕 집을 찾아 들어가는 김중권을 보며 오아라는 이 인연의 어렴풋한 끝을 보고 있었다. 강남에서 줄 서서 먹는다는 유명한 맛집이었지만 오아라는 KY성형외과 원장과 시큼한 깍두기를 앞에 놓고 후루룩 소리를 내며 설렁탕을 먹고 싶진 않았다. 바로 옆엔 미슐랭 투스타 레스토랑 출신의 오너 셰프가 운영하는 스테이크 집도 있었고, 뒤쪽엔 인기 연예인이 낸 고급 타이 레스토랑도 있었다. 단지 센스의 문제가 아니라 취향의 문제이고 철학의 문제일 수도 있겠다는 생각이 들었다. 센스는 노력 여하에 따라 달라지고 개선될 수 있는 것이지만 취향이나 철학은 때려 죽여도 바뀌지 않는다. 그러니 앞으로도 김중권은 언제나 삼계탕 집 아니면 설렁탕 집만을 고집할 것이다. 입성이나 매너는 명품인데 입맛과 소비 행태는 서민적인 캐릭터. 누군가에게는 매력적일 수도 있겠으나 오아라에게는 암울한 절망의 은유일 뿐이었다.

설렁탕을 주문한 김중권이 오아라 옆자리에 놓여 있는 디올라마 백을 쳐다보며 쇼핑했냐고 물었다. 고개를 끄덕이는 오아라를 알 수 없는 눈빛으로 바라봤다. 그거 꽤 비쌀 텐데. 김중권 말이 오아라는 묘하게 거슬렸다. 능력도 안 되면서 어떻게 샀냐는 뒷말이 생략돼 있는 것 같았다. 그래요, 능력이 안 되니까 당신을 만났던 거죠. 한데 당신은 디올 백 대신 이렇게 설렁탕 같은 거나 사주고 있네요. 부디 자신의 눈빛을 읽어주길 바랐지만 김중권은 빈 접시에 깍두기를 담느라 아예 쳐다볼 생각도 하지 않았다. 꼼데가르송 블레이저를 걸치고 지방시 타이를 맨 채 설렁탕 집에서 깍두기를 담고 있는 그의 모습이 순간 위선적으로 보였다. 마치 로열패밀리가 큰맘 먹고 하루쯤 서민 놀이라도 하고 있는 느낌이었다. 코스프레는 즐기지만 자신의 부를 나눠줄 생각은 전혀 없는, 그들만의 커뮤니티에서라면 저렇게 굴진 않겠지.

오아라는 잠시 상상했다. 김중권이 사준 베라왕 실크 드레스를 입고 한 손엔 우아한 펜디 클러치 백을 들고 궁전 같은 프라이빗 파티 홀에서 모엣샹동을 물처럼 마시며 상류층 사람들과 즐거운 한때를 보내는. 식탁에 올라온 설렁탕의 들척지근한 냄새가 곧바로 짧은 상상을 밀어냈다. 깍두기 국물을 넣은 설렁탕을 맛있게 먹는 김중권을 보면서 오아라는 허기나 없앨 요량으로 몇 수저를 천천히 떠 넘겼다. 방금 전 비싼 에스프레소 향으로 가득 찼던 입속을 느끼고 탁한 설렁탕 국물이 텁텁하게 훑어 내렸다.

"작가에게 너도 나도 다 드는 명품은 좀 안 어울리는 거 같아요."

설렁탕 한 그릇을 금세 비운 김중권이 물로 입을 헹구며 말했다. 오아라는 반 이상 더 남은 설렁탕을 더는 먹기가 힘들어 수저를 내려놨다. 대체 그 '너'와 '나'는 누구인 것일까.

"명품으로 치장한 당신이 그런 말을 하니까 굉장한 아이러니로 들리네요."

"솔직히 난 명품이니 뭐니 잘 몰라요. 아내가 사다가 채워놓은 옷장에서 꺼내 입을 뿐이죠."

의대 시절 김중권이 가난한 시골 집안 셋째 아들이었다는 얘기는 들은 적 있었다. 좋은 집안의 아내를 만나 남자 판 신데렐라가 된 스토리를 잠결에 들려주긴 했던 것 같은데 충분히 짐작 가능한 전개라 오아라는 새겨듣진 않았다. 누군가에게는 떨어지는 가랑비처럼 참 쉽게도 찾아오는 인생 반전의 운명이 왜 내게는 번개 맞는 것보다 힘든 확률일까. 오아라는 새삼 김중권의 인생에, 운명에 질투가 났다. 본인도 모르는 사이에 온갖 명품으로 채워지는 마법의 옷장을 갖고 있는 그의 삶이.

"꼼데가르송 블레이저와 동대문 시장 옷이 뭐가 다른지도 모르고 소비하는 행위도 문제는 있어 보여요."

김중권은 절대 물러나지 않고 나름대로의 논리로 맞서는 오아라를 보며 웃었다. 이런 것이야말로 아내나 여느 여자들과는 다른 작가적 기질인가 싶었다. 지금 이 만남의 이유이기도 한.

"곧 아내가 한국에 들어와요."

본론만큼은 설렁탕 집을 벗어난 곳에서 듣고 싶었다. 음식 냄새와 탁한 김이 가득한 식당 안이 오아라는 처음 앉을 때부터 답답했다. 김중권 입에서 흘러나온 아내라는 단어의 뉘앙스와 식당 분위기가 물과 기름처럼 서로 뒤섞이지 못한 채 부유했다. 김중권은 그다음 어떤 말을 하려고 하는 것일까. 아내가 한국에 들어오는 것과 이곳에서 꼭 설렁탕을 먹어야 하는 당위성 사이에 어떤 연관이라도 있는 것일까. 뽀얀 국물과 빨간 깍두기 국물에 아내가 한국에 들어와야 하는 이유 혹은 단서가 숨어 있는 것은 아닌지.

이것저것 궁금증이 피어오르는 오아라와 달리 김중권은 말을 잇지 않고 침묵했다. 솔직하게 묻고 싶기도 했다. 그래서 절더러 어쩌라고요. 오아라는 구차스러운 질문 대신 물끄러미 김중권을 바라봤다. 김중권의 아내가 옆에 놓아둔 자신의 디올라마 백을 본다면 뭐라고 할까. 가격이 나름대로 착해서 전 라인별로 하나씩 구비했어요. 한정판으로 나온 반 클리프 아펠의 리미티드 에디션도 퍼스널 쇼퍼를 통해 어렵게 구했죠. 좀 특별한 아이템이 나오면 알아서 집으로 들고 오거든요. 오아라는 머릿속으로 그렇게 말하는 우아한 아내의 모습을 그려봤다. 한 번 본 게 다였지만 영원히 소멸되지 않을 듯 인상적인 기억으로 남아 있는 그녀의 자태는 하이 주얼리 리미티드 에디션의 숨 막히는 아름다움과 황홀하게 어우러질 것이다. 가진 것이 많을수록, 태생적 자존감이 우월한 사람일수록 보이는 이미지도 비례하여 완벽해지는 법이니까. 깍두기 국물을 넣은 설렁탕을 먹으면서도 꼼데가르송과 지방시의 이미지는 절대 깨지지 않는 것처럼.

아내가 귀국한다는 짧은 정보만 전한 채 김중권은 점심시간이 다 돼 병원으로 돌아갔다. 김중권 대신 디올라마 백과 함께 카페에 들어간 오아라는 커피를 마신 지 두 시간도 되지 않아 다시 아메리카노 한 잔을 시켰다. 좋은 백을 들었을 땐 주문할 때도 더 당당해진다. 오아라는 커피를 몇 모금 마신 후 두어 번 심호흡을 크게 했다. 심신을 다정하게 어루만지는 쌉쓸하면서도 그윽한 향이 폐 깊숙이 스며든 설렁탕 냄새를 비로소 씻어내리는 것 같았다. 메슥거리던 속도 차츰 진정이 돼갔다.

김중권의 아내가 돌아오면 난 어떻게 해야 할까. 오아라는 달리 어떻게 해야 할 것들이 떠오르진 않았다. 지금도 별달리 하고 있는 것들이 없으니까. 뭔가를 해야 한다면 김중권이어야 할 것이다. 그게 무엇인지는 모른다. 그는 알고 있으려나. 알고 있는 것 같기도 하고 아무 생각 없는 것 같기도 한 표정이었다. 무엇인가 해달라고 말한 것이 아니라 무엇인가를 하겠다는 의미로 전한 얘기였다면 그 무엇인가를 행했을 때 어떤 반응을 취해야 할까. 김중권은 여전히 미래 가치를 지닌 담보 중 하나로서 효용성이 있긴 하다. 하지만 혹시 모를 청담 파라곤의 새 안주인 자리를 상상은 해봤어도 앞날을 함께한다는 상상은 해보지 못했다. 그의 모호한 태도와 행동에서 자신이 꿈꾸는 미래를 온전히 걸어볼 만큼의 믿음이나 확신을 찾아내기는 힘들었다. 삼계탕과 설렁탕, 구찌 열쇠고리도 한몫했다. 적어도 오아라의 기준에서는 그랬다. 또한 그의 아내 자리를 대신한다는 것이 곧 오아라가 꿈꾸는 삶으로의 환치를 의미하는 것인지에 대해서도 갈수록 확신이 서지 않았다.

디올라마 백 덕분에 잠시나마 소설에 대한 근심을 잊고 밝아졌던 기분에 다시 그림자가 졌다. 어쨌든 그날 김중권의 존재가 오아라의 앞날을 책임질 행복의 원천이 될 수 없을 것 같은 느낌은 조금 더 확연해졌다.

한국에 한번 들어왔으면 한다는 김중권 말에 아내 유인혜는 5초쯤 침묵했다. 그러고는 아무 말 없이 알겠다고만 대답했다. 전화를 끊고 나서 김중권은 자신의 결정이 옳았는지에 대한 판단을 피하기 위해 앞날의 일만을 생각했고, 이후 자신이 어떻게 행동해야 하는지에 대해서만 고민했다. 다른 여자를 사랑하게 됐다는 것만으로는 선택과 행동의 당위성을 모두 설명하기에 부족했다. 오아라라는 작가를 세상에 차고 넘치는 누추하며 비열한 불륜의 대상으로 전락시키고 싶지는 않았다. 지금까지 유인혜를 사랑하지 않았던가. 오롯이 사랑 없이 책임과 도의만 있었던 관계였던가. 그건 아니었다. 처음부터 사랑은 아니었어도 끝까지 사랑이 아니었던 것은 아니다. 솔직히 진정한 사랑이란 게 무엇인지 김중권은 스스로 명명할 수 없었다. 분명한 것은 오아라에 대한 마음이 아내에 대한 마음과는 근원적으로 다르다는 것이었다. 무엇이 어떻게 다른지 설명할 수 없을 뿐. 오아라라면 말이든 글이든 표현해낼 수 있을 거라고 믿었다.

이혼을 하기 위해 얼마나 많은 것을 잃어야 하는지도 알고 있다. 아니, 알고 있는 것 이상일 것이다. 처음부터 자신의 것은 아무것도 없었으니까. 모든 것을 잃고 원점에서 다시 시작하기 위해 오아라라는 여인을 선택하려는 것이다. 부유한 대신 고여 있는 현재보다 부족하더라도 깨어 있는 내일이 김중권은 더 간절했다. 오아라는 자신에게 깨어 있는 내일을 선사해줄 최선의 선택이 돼줄 것이다. 삶에 대해, 사람에 대해, 세상의 이치에 대해 늘 깨어 있는 영혼, 작가니까. 그 난해하고 복잡한 섭리를 빛나는 관념과 언어로 형상화해낼 줄 아는 여자니까. 똑똑한 것과 깨어 있는 것은 엄연히 다르니까.

오아라를 만나 설렁탕을 먹으며 이러한 생각들을 전하려 했지만 그러지 않았다. 아직 유인혜가 한국에 들어오지도 않은 상태에서 너무 앞서가는 것은 바람직하지 않은 듯했다. 아내에게 이혼에 대한 얘기를 꺼내는 순간 홀로 감당해야 하는 파장의 크기가 상상 이상일 수도 있다. 그걸 견디고 마무리한 다음에 오아라에게 말하는 것이 순서다. 우리의 미래를 위해 이만큼 실천하고 행동했음을 충분히 증명할 수 있는 시점에서. 지금 하고 있다는 오아라의 장편 작업이 끝나갈 때쯤 자신의 신변도 정리가 된다면 금상첨화일 듯싶었다. 요즘 들어 부쩍 글 쓰는 것 때문에 피곤하고 지쳐 보이는 오아라에게 별달리 도움을 줄 수 있는 것이 없어 김중권의 마음은 안타까울 뿐이었다.

새로운 삶을 함께하게 된다면 해주고 싶은 것이 너무 많다. 진작 해보고 싶었지만 차마 할 수 없었던 것들. 가사도우미들이 알아서 해주기 때문에 자신은 할 필요가 없었던 것들. 그리고 유인혜라는 여자였기 때문에 결코 꿈꿀 수 없었던 일상들. 글을 쓰느라 늦게 잠들었을 아내를 위해 야채 주스를 만들거나 커피를 내려 침대맡으로 가져다주고, 직접 차린 오믈렛과 샐러드로 함께 아침을 먹고, 오전에는 집 앞 텃밭에 나가 물을 준 후 오솔길을 산책하고, 오후에는 아내와 함께 햇볕이 드는 거실에 나란히 앉아 책을 읽거나 차를 한 잔 하며 아내의 소설과 자신이 쓴 습작 소설들에 대해 의견을 나누고, 밤이 되면 글 쓰는 데 정신 팔려 있는 아내의 뒷모습을 흐뭇하게 바라보며 먼저 잠자리에 드는.

유인혜도 자주 글을 쓰고 자주 책을 읽었다. 자신만의 서재에서 문을 걸어 잠근 채. 안에서 나는 컴퓨터 키보드 두드리는 소리를 듣다가 김중권은 맞은편 자신의 서재로 들어가 의학 잡지에 기고할 글을 쓰거나 논문 따위를 혼자 읽었다. 가끔 아이디어가 떠오르면 단편소설을 쓰기도 했다. 글을 쓰는 거 같은데 어떤 글을 쓰는 거지? 언젠가 방에서 나오는 아내에게 김중권이 물었을 때 유인혜는 그냥 메일을 좀 썼다고 했다. 그녀는 거의 매일 밤 메일을 썼다. 가끔 누군가와 영어로 통화하는 소리가 들릴 때도 있었다. 그러고는 어느 날 첫째를 데리고 미국으로 가겠다고 말했다. 아이의 조기 유학이 목적이었지만 그 말을 전하는 아내의 표정은 전에 없이 상기돼 있었다.

출국할 때가 다가오면서 영어로 나누는 통화는 더욱 잦아졌고 미국으로 간 이후에도 아내가 여전히 밤마다 메일을 쓰는지는 확인할 길이 없었다. 아내에게 메일을 보내 한번 물어볼까 싶기도 했지만 아내의 메일 주소를 모른다는 걸 그때 알았다. 그렇게 메일을 자주 쓰던 유인혜는 김중권에게 단 한 통의 메일도 보내지 않았다. 일주일에 한두 번 아들과 함께 화상 통화를 하기 때문에 굳이 메일까지 쓸 필요는 없었을 것이다. 그마저도 최근 들어서는 일주일에 한 번, 어쩔 땐 이 주일에 한 번 꼴로 횟수가 줄었다. 아빠가 보고 싶다며 아들이 혼자 화상 통화를 걸어오기도 했다. 엄마는 어디 갔니? 김중권이 물으면 아들은 엄마가 많이 바쁘다고 했다. 미국 시간으로 꽤 늦은 밤까지 아들은 종종 혼자였다. 괜찮아요. 집 앞까지 항상 누가 데려다 줘요. 아들을 걱정하는 김중권에게 정작 아들은 엄마의 안위에 대해 염려할 필요가 없음을 전했다.

유인혜는 보름 후 한국에 들어오기로 했다. 김중권은 보름의 시간 동안 자신이 무엇을 해야 할지 다시 곰곰이 생각했다. 우선 급한 것은 당장 먹고살 일을 걱정해야 하는 것이었다. 남김없이 빼앗길 그날을 위해.

오아라가 두 번째로 범각사를 찾은 날엔 아침부터 비가 추적추적 내렸다. '초암' 집필을 거의 포기하다시피 한 후 딱히 뭘 어쩌겠다는 생각도 없이 무작정 집을 나와 버스를 탔다. 밤새 A에게 시달리느라 새벽 늦게까지 잠도 자지 못해 두 다리는 납덩이가 달린 듯 천근만근이었다. A는 갈수록 더 자극적인 것들을 원했다. 오아라는 수위가 올라갈수록 많은 돈을 요구했다. 가끔은 A가 원하는 것을 들어줄 자신이 없어 터무니없는 돈을 요구하기도 했다. 한번은 잠자리를 하지 않으면서도 스폰을 해주는 고마운 고객도 있다고 했다가 대체 몇 명이나 상대하는 거냐며 오아라의 멱살을 잡고 따져 묻는 A에게 따귀를 날린 적도 있었다. 뺨이 벌겋게 되도록 세차게 얻어맞은 A는 눈물을 보이며 미안하다고 했고 오아라는 더 이상 본인과 관계없는 일에는 간섭하지 않겠다는 각서를 받고 나서야 용서했다.

밤새 스칼렛의 삶을 살고 나면 오아라는 글을 쓰기가 더 힘

들었다. 신세가 우습기도 했고 대상을 딱히 알 수 없는 역겨움
이 찾아오기도 했다. 고귀한 스님의 드라마틱한 일생을 그려볼
라치면 그때마다 A의 벌거벗은 몸뚱이가 상상의 틈 사이를 비
집고 들어왔다. 온갖 욕망과 욕심으로부터 벗어나기를 강조하
는 『불교학개론』은 채 반도 읽지 못하고 덮어버렸다. 그 속에
등장하는 부처님의 생애와 교리, 그리고 종교적 배경과 역사 자
체가 곧 초암 스님의 일생과 절묘하게 중첩되고 있는 듯했지만
욕심만큼 진도를 나가지 못했다. 아침에 멍한 정신으로 잠에서
깨면 습관처럼 책상 앞에 앉아 책을 펼치지만 스칼렛으로부터
채 빠져나오지 못한 오아라에게 신성하고 난해한 종교 이론은
죽어라 애써도 풀리지 않는 수학 문제와 다를 바가 없었다.

일부러 오후 늦게 찾은 범각사는 전에 왔을 때와 달리 대웅
전 앞터에 사다리를 놓고 연등을 달고 있는 인부 몇 사람을 빼
고는 조용하고 한산했다. 비가 그친 사찰에는 축축한 고요만이
자리하고 있었다. 요사채 쪽으로 가는 길에 마침 비질을 하고
있는 혜광 스님이 보였다. 오아라를 본 혜광 스님은 놀라는 기
색도 없이 웃으며 합장으로 인사를 했다. 오아라도 두 손을 모
아 허리를 숙였다.

"어려운 발걸음을 또 하셨군요."

혜광 스님은 오아라를 요사채가 아닌 석불전 뒤쪽으로 나 있
는 작은 산길로 안내했다. 절의 안쪽 끝, 사람들이 잘 들어오지
않는 구석으로부터 또 하나의 길이 나 있었다. 산길이긴 했지만

두 사람 정도가 나란히 걸을 만한 폭에 경사가 완만한 평지나 다름없어 산책하기엔 더없이 좋은 곳이었다. 내린 비로 인해 땅은 좀 질척거렸지만 하늘은 청명했다. 그곳에는 오아라가 살고 있는 세상과는 전혀 다른 공기가 흐르고 있었다.

"복이십니다. 이 길을 걸으시니. 초암 스님도 늘 혼자 이 길을 거닐곤 하셨지요."

특별한 날을 제외하고는 평소 일반인들의 출입이 통제되는 곳이라고 했다. 맑은 새소리와 싱그러운 숲 냄새는 전에는 전혀 느끼지 못했던 것이다. 초암 스님은 이 길을 걸으며 자신의 부모를 죽인 살인범에 대한 기억을 가끔씩이라도 떠올렸을까.

"그 원망과 분노를 대체 어떻게 참으셨을까요. 전 일상 자체가 원망과 분노의 연속인데."

오아라는 혜광 스님의 뒤를 따라 걸으며 물었다. 말해놓고 보니 성당에서 고해성사하는 신자가 된 기분이었다. 왜 두 번 본 스님에게 자꾸 속 얘기가 하고 싶어지는 것일까. 생각해보니 그럴 만한 사람이 아무도 없었다. 유일한 사람이 엄마였으니.

"큰스님 별명이 인욕보살이셨습니다. 평소 육바라밀행을 좋아하셨고 그 가운데에서도 인욕바라밀을 수행의 모토로 적극 실천하셨지요. 누가 욕을 하건, 누가 때리건 큰스님은 조금의 흔들림도 없이 참으셨습니다. 욕을 하는 것과 때리는 것과 살인을 하는 것. 큰스님에게는 그것이 그저 다를 바 없는 한낱 지나가는 구름과 같은 것 아니었을까요."

나란히 걷던 두 사람은 작은 벤치에 앉았다. 오아라는 혜광 스님 얘기를 들으면 들을수록 자신이 다룰 수 있는 재료가 아니라는 확신이 다시금 굳어져갔다. 그런데 왜 이곳까지 또 찾아온 것일까. 초암 스님 때문에 온 것만은 분명 아니었다. 무언가 설명할 수 없는 답답한 체증 같은 것이 내내 가슴속에 똬리를 틀고 있는데, 그 정체를 알 수가 없었다. 혜광 스님은 고개를 꺾어 무성한 나무들 사이로 조각조각 떠 있는 맑은 하늘을 올려다보고 있었다. 그 모습을 보고 있자니 혜광 스님의 몸속에는 다른 색깔의 피가 돌고 있을 것 같았다. 육신만 같은 시공간에 있을 뿐 영혼은 금방이라도 온갖 번민의 끈을 끊고 허공으로 훨훨 날아오르려 하는 것만 같아 오아라는 스님의 손목이라도 붙들고 싶었다. 그 손목을 붙들면 자신도 너풀너풀 날아오를 수 있을 것 같았다. 세상의 무게는 땅 위에 모두 내려놓은 채. 초암 스님도 여기 이곳에서 저런 표정으로 하늘을 올려다보곤 했겠지. 부모를 죽인 살해범이 또 다른 누군가에게 살해됐다는 소식은 알고 간 것일까. 자신을 괴롭히는 부질없는 욕망의 껍질을 모두 벗어버리고 한없이 가벼워진 초암 스님은 그래서 행복했을까. 스님이나 성자가 되면 누구나 그렇게 가벼워질 수 있는 것일까. 혹시 스칼렛도 그들처럼 될 수 있을지……

　오아라는 옆자리에 놓아둔 디올라마 백을 내려다봤다. 마인 더숍에서는 그토록 빛나 보였던 가방이 지금 이 순간 화려한 생명의 빛을 잃어버린 채 작고 볼품없는 네모난 가죽 덩어리가 돼 있었다. 잠깐, 서글펐다. 이곳까지 괜히 들고 왔다는 후회 때문에. 명품 백을 시장 가방처럼 보이게 하는 이상한 세상을 발견했다는 착잡함 때문에.

"글도 욕망이라 하셨죠. 욕망이 무조건 나쁜 건 아니잖아요."

하늘을 향해 있던 혜광 스님의 시선이 스르르 그녀에게로 내려왔다.

"원효 스님은 〈발심수행장〉이라는 글에서 '인수불욕 귀산수도(人誰不欲 歸山修道)리요만은 이위부진(而爲不進)은 애욕소전(愛慾所纏)이니라'라고 말씀하셨습니다. 누구나 산에 가서 도 닦기를 싫어하리요만은 그렇게 하지 못하는 것은 애욕 속에 얽혀 있기 때문이라는 뜻이지요. 욕망 자체를 경계해야 한다기보다 욕망으로 인해 애욕 속에 얽히는 것을 경계해야 할 것입니다."

오아라는 이곳까지 품고 온 하나의 의문이 더 깊은 미궁 속으로 빠져드는 것처럼 아득해졌다. 욕망이니 애욕이니 하는 단어들이 생선 가시처럼 생각의 그물 속 여기저기에 턱턱 걸렸다.

"아마도 초암 스님 이야기는 쓰지 못할 것 같아요. 그래서 왔어요. 쓰지 못할 거 같아서."

혜광 스님은 기운 없이 말하는 오아라를 지긋이 바라보았다. 그 눈빛에 어떤 메시지가 담겨 있을지 마주하기가 두려운 오아라는 차마 고개를 돌리지 못했다. 이것이 혜광 스님이 듣고자 했던 말인지도 알 수 없었다. 초암 스님 이야기를 쓰기에 전 이미 너무 속물 덩어리가 된 것 같아요. 이것이 스님이 말씀하신 애욕이라는 건가요. 욕망과 애욕은 무엇이 다른가요……. 마지막 말은 전하지 못했다.

"모든 사람들이 숱한 욕망과 애욕에 얽혀 삽니다. 그것이 업보라면 어쩌겠습니까. 가끔 오셔서 이렇게 머리나 식히고 가시지요. 이 길은 혼자 걸어야 더 길이 보입니다."

오아라는 균형이 맞지 않는 대화를 나누는 것이 사람의 에너지를 몇 배로 소진시킨다는 것을 두 번의 만남을 통해 깨달았다. 사천왕문을 지나 버스 정류장까지 내려오는 동안 오아라는 마치 가파른 산 정상까지 올랐던 것 같은 고단한 피로를 느꼈다. 아니, 피로가 아닐 것이다. 그걸 피로라고 부른다면 너무 정직하지 못하다. 하지만 오아라는 군이 다른 표현을 떠올리지 않았다. 그러기 싫었다. 정직한 표현을 떠올리면 다리에 힘이 풀려 주저앉을 것만 같았다. 그 순간 떠오르는 것은 그저 빨리 집으로 가는 버스에 몸을 신고 싶다는 생각뿐이었다.

며칠째 우울해 있는 오아라를 위해 노아는 늦은 오후 집 앞으로 와 그녀를 불러냈다. 오아라가 내려가자 오피스텔 앞에 몸집 큰 흰색 랜드로버 한 대가 서 있었다. 조수석 쪽 창문이 열리더니 선글라스를 낀 노아가 타라고 손짓했다. 운전석에 앉아 천진난만하게 웃고 있는 노아를 보니 오아라는 기분이 좀 나아지는 듯했다.

"웬 차야?"

도로로 접어들자 오아라가 차 안을 둘러보며 물었다.

"신사동 여사님이 뽑아주셨어. 난 차 없어도 되는데 굳이 사주시네."

노아는 비싼 외제차 받은 이야기를 티셔츠 하나 얻어 입은 일처럼 말했다. 이제 막 뽑은 새 차에서는 새 차다운 냄새가 났다. 김중권의 BMW에 놓여 있던 양키캔들 차량용 방향제 향기 대신 내부 이곳저곳에서 배어나오는 차 본연의 냄새들이 어우러져 독특한 질감의 향을 만들어내고 있었다. 오아라는 그것이 BMW의 아로마 허브 향보다 마음을 더 편안하게 하는 것 같았다. 반들거리는 센터페시아며 우직한 듯 남성적인 디자인으로 꾸며진 계기판을 보는 일은 생각보다 즐거웠다.

"역시 신상은 다 좋은 것 같아. 기분이 조금 나아졌어."

오아라 말에 덩달아 기분이 좋아진 노아는 액셀러레이터를 밟고 있는 발에 힘을 주며 한산한 도심 도로를 시원하게 달렸다. 차가 한남대교를 넘어 신사동으로 접어들 때 저만치 KY성형외과 간판이 보였다. 김중권을 처음 만났던 날 버스를 타고 지나며 봤던 야경 속 간판의 느낌과는 사뭇 달랐다. 그때만큼 거대해 보이지도, 화려해 보이지도 않았다.

신호 대기에 걸려 정차해 있는데 병원 입구에서 얼굴을 붕대로 칭칭 동여맨 채 마스크를 쓴 여자 한 명이 나왔다. 그녀는 바로 앞에 대기하고 있던 승합차에 올라탔다. 차 모양새를 보니 원정 성형을 하러 온 중국인이 아닐까 싶었다. 늘씬한 팔등신 몸매만으로도 성형은 전혀 필요 없을 것 같은 그녀가 양악 수술을 하러 한국까지 온 이유는 무엇일까. 턱을 쪠고 뼈를 깎아 위치를 다시 맞춘 후 얼굴선이 예쁘게 바뀌었는지를 유심히 살피는 김중권의 모습이 떠올랐다. 저 여자도 그의 손끝에서 다시 태어났을까.

양악이나 다이아몬드 트임까지는 아니더라도 필러나 보톡스 정도는 김중권이 선심 쓰듯 해줄 줄 알았다. 명품 백이나 옷, 비싼 가전제품이나 현금은 아니더라도 성형외과 위층에 함께 자리한 KY피부과에 피부 관리라도 받으러 오라고 할 줄 알았다. 한데 KY성형외과 원장과 특별한 관계를 가지면서도 정작 저 곳을 드나들 수 있는 기회는 단 한 번도 생기지 않았다. 얼굴에 손 좀 대고 싶다고 말하면 김중권은 또 그렇게 얘기할 것이다. 그건 작가답지 않아요. 비록 성형외과 의사지만 무분별한 성형은 권하고 싶지 않거든요. 작가라면 좀 다르게 사고할 줄 알았는데. 오아라의 미간이 일그러지는 걸 다행히 노아는 보지 못했다. 들어가는 문을 어떻게 여는지 알려주지도 않은 채 김중권은 아내가 곧 들어올 거라는 애매모호한 말만 흘리고 다시 문 안으로 사라졌다. 알아서 따라 들어오라는 듯. 그럴 수 있으면 해보라는 듯.

범접할 수 없는 초암이 아니라 김중권 같은 인물이나 탐구해서 소설을 쓰는 게 분수에 맞는 일 아닐까도 싶었다. 결국 그렇고 그런 막장 불륜 스토리가 되겠지만, 지금 같아선 어떤 인물,

어떤 소재를 선택하더라도 과연 장편 하나를 만들어낼 수 있을지에 대한 근본적인 회의감을 떨칠 수 없었다. 김순옥에게 다시 연락을 해봐야 하는 거 아닌가 하는 마음이 들 때면 차라리 죽고 싶었다. 당신이 남긴 메모를 이제야 봤어요. 더 열심히 할 테니 제발 내 작품을 실어만줘요. 그런 벌레 같은 생각을 할 때마다 길거리로 뛰쳐나가 얼굴도 모르는 누군가에게 칼을 쥐여주고 자신을 찔러달라 하고 싶었다. 이대로 가다가는 정말 행동으로 옮기게라도 될까 봐.

차는 어느새 백화점 명품관 주차장으로 진입하고 있었다. 마인더숍에서 본 주차대행 요원과 쌍둥이처럼 차려입은 남자가 차에서 내리는 노아에게서 키를 받아들었다. 여긴 왜 온 거냐고 노아에게 물었다.

"디올 백이 혼자 안쓰러워 보여서 재벌 3세 흉내 좀 내보려고."

입성이 안 받쳐주니 명품 백을 든다 한들 명품 노릇을 하겠는가. 디올 백만 들었지 전체적인 스타일링의 균형은 전혀 맞지 않는 오아라가 노아는 딱해 보였던 것이다. 백화점 행사 매대에서 저렴하게 주고 산 중저가 브랜드 옷에 디올 백을 매치한다는 것이 얼마나 민망하고 추레해 보이는지는 오아라가 더 잘 알고 있었다. 그런 모양새로 전철이나 버스를 타고 다니면 사람들은 당연히 '짝퉁'으로 볼 거라는 것도. 아니, 대부분은 그것이 디올인지 뭔지 알지 못할 수도. 그러거나 말거나. 오아라는 그토록 간절히 원했던 아이템이었던 만큼 열심히, 성실하게 들고 다녔을 뿐이다. 디올은 언제 어디에서나 디올이니까.

그러고 보니 처음이었다. 남자와 함께 쇼핑하러 온 것은. 김중권을 만나면서 잠시나마 꾸었던, 그러나 곧 허무하게 흩어져버리고 말았던 꿈이 또 다른 남자로 인해 현실이 됐다. 이것도 꿈이라고 꾸고 있는 자신이 조금 딱하게 느껴지기도 했다. 운명. 노아와 함께 반짝이는 대리석 바닥을 걸으며 오아라는 다시 운명이란 놈 때문에 간지러운 전기 자극을 받고 있었다. 알 수 없는 전개로 늘 사람을 놀라게 하거나 당황하게 하거나 실소하게 만드는 보이지 않는 힘. 뒤늦게 C에게 연락을 하지 않았던들 이런 반전이 일어났을까. 소설보다 더 재미있는 현실이 작가 오아라를 보란 듯이 비웃고 있는 것 같았다. 네 소설에서는 절대 이런 전개는 일어날 수 없어. 개나 소나 다 쓸 수 있는 단편이나 몇 편 쓰다가 끝날 너의 인생. 지금이라도 그냥 김순옥에게 무릎 꿇는 게 어때. 잘못했다고 사정하고 지면을 구걸해 봐. 원고료 한 푼이라도 아쉽잖아. 오아라는 머리를 흔들며 악귀처럼 따라다니는 생각을 떨쳐내려고 애썼다.

"나 그럼 구두 하나만 사도 돼?"

"구두 하나로는 안 되지. 아예 풀 착장을 맞춰야 오늘 여기에서 나갈 수 있어."

그 황홀한 제안을 듣고 나서야 오아라는 비로소 짜증나는 생각의 그물을 털어낼 수 있었다.

방에 놓인 커다란 쇼핑백들을 쳐다보며 오아라는 노아를 생각하고 있었다. 돌체앤가바나의 데이지 프린트 카디 원피스, 프렌치 에나멜과 아이보리 새틴 소재의 로저 비비에 펌프스 구두, 헬렌 카민스키 라피아 햇, 발렌시아가 선글라스와 레트로 스타일의 끌로에 허드슨 백까지. 명품 쇼핑백이 가득한 방 풍경이 오아라는 낯설었다. 누군가 잠시 맡기고 간 물건인 듯 좀처럼 내 것이라는 느낌이 들지 않았다.

대체 노아는 세 명의 여사님들로부터 얼마나 스폰을 받는 것일까. 그걸 받아내기 위해 어떤 짓들을 해야 할까. 왜 아직까지 잠자리를 원하지 않는 것일까. 뭔가 다른 꿍꿍이가 있는 것은 아닐까. 섹스를 하지 않아도 되니까 널 만나는 거야. 그리고 넌, 나와는 다르니까. 노아의 말을 다 이해할 수는 없었다. 섹스를 하지 않아도 되는 것은 스칼렛이 노아를 만나고 있는 가장 큰 이유이기도 했다. 다만 무엇이 다르다는 것인지는 알 수 없었다. 분명한 것은 그 대가와 완전히 반비례하고 있는 관계의 불균형이 시시때때로 불안하게 만든다는 것이다. 혜광 스님과 대화를 나눌 때 느꼈던 것과는 또 다른 불균형. 깨질까 봐 겁나는.

"나 열흘 정도 유럽 다녀와. 신사동 여사님 모시고. 랜드로버 한 대 뽑아주셨으니 또 따라가서 열심히 봉사해야 해."

잔뜩 선물을 안기고 돌아서면서 노아는 덤덤히 말을 전했다. 언젠가 우리도 함께 여행을 가자는 말도 했다. 덤덤한 표정 속에서 오아라는 여릿한 애환을 봤다. 아니, 거울에 반사된 자신을 향한 측은함 같기도 했다. 노아에게서는 파도처럼 오르내리는 감정의 파랑이 어지간해선 느껴지지 않았다. 하루에도 몇 번씩 가슴속에서 집채만 한 파도가 몰아치는 자신에 비해 늘 로봇 같은 평상심을 유지하는 그가 신기했고, 가끔은 부럽고 가끔은 무서웠다.

"난 여사님들에게 무조건 복종해야 마음이 편해. 그런데 넌 너만의 고유한 리듬이 있는 것 같거든. 타인으로 하여금 너의 리듬에 맞추게 하는. 그게 부럽고 좋아."

노아의 말은 언제나 앞뒤가 맞지 않는 표현이거나 어색한 문맥일 때가 많았다. 작가랍시고 어디가 어떻게 잘못됐는지 짚어주고 싶었지만 행여 신분을 노출시키는 실수는 저지르고 싶지 않았다. 노아에게는 어디까지나 오아라가 아닌 스칼렛이어야 했다. 작가다운 것에 대한 김중권의 숨 막히는 편견이 노아에게서도 발견될까 봐 두렵기도 했고. 굳이 밝히지 않고도 이만큼 스폰을 받아내고 있으니 괜한 파장을 만들 이유는 없었다.

가끔 노아에게 물어보고 싶기도 했다. 내가 작가인데 넌 작가다운 게 어떤 거라고 생각해? 명품을 좋아하면 작가가 아니라고 생각해? 디올 백을 사랑하면 작가답지 못한 거야? 작가는 설렁탕 집이 아니라 미슐랭 스타 셰프의 레스토랑을 선호하면 안 돼? 노아라면 어떤 대답을 내놓을까. 김중권과 다를 것이란 기대감과 별반 다르지 않을 거라는 의구심 사이에서 오아라는 선뜻 예상 답안을 찾을 수가 없었다. 늘 진의를 읽어내기 힘든 노아의 표정 때문에 더욱.

함께 영화를 보다가 팔을 베고 잠이 든 노아를 깨울 수가 없어 저린 팔로 밤을 새다시피 한 정도가 이 스폰 관계에 있어 스칼렛이 가장 힘들었다고 할 수 있는 순간이었다. 고작 저린 팔을 참아내는 정도로 돌체앤가바나와 로저 비비에와 헬렌 카민스키와 발렌시아가와 끌로에를 받아냈다. 아니, 피아제도 있지. 반 정도만 중고 사이트에 팔아도 또다시 등단 상금보다 훨씬 많은 돈이 들어올 것이며 한두 번 입고 팔았다고 해도 노아는 아무 말 안 할 것이다. 어여쁜 그 물건들을 가만히 바라보고 있으면 어느새 조용한 속삭임이 들린다. 김순옥에게 끝까지 자존심을 굽히지 않은 건 잘한 일이라고. 이제 우리가 너에게 믿음이 되고 희망이 돼줄 거라고. 그걸 가능하게 해줄 노아가 있지 않느냐고. 그러니 고고한 척 느긋하게 장편을 준비해도 된다고.

"신기해. 10퍼센트 정도 싸다고 해도 만만치 않은 가격인데 중고 사이트에 올리는 족족 사겠다는 사람들이 환장하고 줄을 서잖아. 욕망의 블랙홀 같아."

노아는 그렇게 말하고 잠이 들었다. 피아제 시계가 순식간에 팔려나가는 것을 보고 오아라 역시 놀랐다. 욕망의 블랙홀이라는 표현은 처음엔 유치하게 들렸는데 자꾸 곱씹어보게 만드는 괜찮은 표현 같았다. 쇼핑을 하다가 오아라는 차량용 디퓨저를 사서 노아에게 선물했다. 새 차를 위한 선물치고는 약소했지만 남자를 위해 무언가를 산 것은 처음이었다. 노아는 까르띠에 시계보다 더 마음에 든다고 했다. 너무 비약이 심해 진정성이 느껴지지 않았지만 그는 차에 타자마자 디퓨저를 세팅하고 아이처럼 좋아했다.

"스위트한 건 랜드로버랑 안 어울릴 거 같아서 시더우드 향으로 골랐어."

오아라 말에 노아는 차 안에 숲이 통째로 들어온 것 같다고 하면서 앞으로 방향제는 시더우드로만 사겠다고 했다. 지루하니까 새로 살 때마다 향을 바꾸는 게 낫지 않겠냐고 하자 노아는 짧게 답했다. 난 한 번 좋으면 끝까지 좋아. 오아라는 누군가를 위해 돈을 쓰는 일이 행복일 수도 있다는 것을 처음 알았다. 물론 돈이 있어야만 가능한 행복.

오아라는 쇼핑백에 들어 있는 상품들을 하나씩 꺼내 걸쳐봤다. 원피스에 구두를 신고 선글라스를 끼고 모자까지 쓴 후 거울 앞에 섰다. 전신 거울은 생전 처음 보는 오아라의 낯선 비주얼을 가감 없이 보여주었다. 오아라는 옷장을 열고 디올라마 백을 가져와 함께 매치했다. 조각나 있던 자신의 분신을 찾은 듯 비로소 디올이 디올로 완성되는 순간이었다. 저 거울 속 모습을 노아에게 당장 보여주고 싶었다. 김중권에게도. 봐요. 당신이 제게 해주었어야 할 배려와 친절은 이런 거라고요. 만날 때마다 설렁탕을 먹고 싸구려 전통 찻집에 데려가서 날 작가 대접해주는 게 배려와 친절이 아니라. 작가도 디올 백을 목숨만큼 사랑할 수 있다고요.

거울 속으로 혜광 스님과 함께 걸었던 산사의 숲길이 보였다. 이렇게 차려입고 숲길을 홀로 걷고 있는 자신의 모습. 그 가치를 알아봐줄 이가 아무도 없는 길은 걸을 필요가 없다. 혜광 스님이 지금 이 모습을 본다면 뭐라고 할지 궁금했다. 옷도 욕망이고 애욕이라고 할까. 이제 평생 볼 일 없을 테니 그다지 궁금해할 필요는 없었다.

부질없는 상상의 풍경들을 걷어내고 현실로 돌아온 오아라는 디올 백과 끌로에 백을 한참 동안 번갈아 들어보며 거울 앞을 떠나지 않았다. 적어도 그러는 동안에는 소설에 대한, 미래에 대한, 답 없는 욕망에 대한 걱정과 두려움 따위는 찾아오지 않았다. 그것만으로도 충분했다. 그것만으로도.

노아가 신사동 여사님과 해외여행을 간 후 김순옥은 하루 종일 불안함과 설명할 수 없는 허전함 사이에서 오락가락했다. 집으로 찾아가 메모까지 남겼는데도 아무런 연락이 없는 오아라에게 몇 번 더 전화를 걸었지만 끝까지 받지 않았다. 기어이 윤석향의 입에서 '능력 좋은 4년차 에디터들 널렸어'라는 말까지 듣게 되자 김순옥은 다급해져 문자를 보냈다.

'오기인가요, 무례인가요? 그렇게까지 했으면 기본 예의라도 지켜주시죠.'

반나절쯤 기다려서야 오아라로부터 문자 한 통을 받을 수 있었다.

'집 주소 알아내 예고도 없이 찾아온 것이야말로 오기인가요, 무례인가요. 처음부터 지금까지 당신은 한순간도 예의 있었던 적이 없었습니다. 그만하세요, 이제.'

답장을 읽는 순간 김순옥은 머리카락이 쭈뼛 서는 것 같았다. 시장 좌판 여인네처럼 머리채 잡고 바닥을 뒹굴며 오아라와 미친 듯이 난투극을 벌이는 모습이 떠올랐다. 교양이고 뭐고 다 집어던진 채 서로 물어뜯고 할퀴는 원초적인 상상. 처음이었다. 그토록 살의에 가까운 폭력적 충동을 느낀 것은. 머리는 산발한 채 피를 철철 흘리며 바닥에 널브러진 누군가의 모습을 그려보며 마치 실제인 것처럼 몸을 부르르 떨어본 것도. 지금 당장 그녀가 눈앞에 있었다면 분명히 죽일 듯이 달려들었을 것 같다.

결국 김순옥은 오아라의 작품을 받아내는 것이 절대 불가능하다는 결론을 내렸다. 그렇다면 어떻게 이 순간을 모면해야 할까. 한참을 고심 끝에 〈문학과 미래〉 신인상을 떠올렸다. 매해 열리는 신인상 공모에 응모되는 수백 편의 단편들. 예심에서 떨어진 대부분의 작품들은 윤석향이 일일이 보지 않기 때문에 한두 해 전 작품들 중에서 아무거나 하나 골라 들이민다고 해도 전혀 눈치 채지 못할 것이다. 수준 미달의 작품을 본 윤석향은 역시 오아라의 신춘문예 당선이 그저 운이었음을 깨닫고는 포기하겠지. 매우 졸렬하고 치사한 방법 같았지만 목 앞까지 겨눠진 칼날 앞에서 한낱 양심의 가책과 싸우고 있을 만큼 한가로운 상황이 아니었다. 〈문학과 미래〉를, 윤석향의 곁을 지키느냐 떠나느냐 하는 것은 곧 생사의 갈림길이니까. 여기에까지 생각이 이르자 화산처럼 들끓던 김순옥의 마음이 조금씩 진정되기 시작했다.

어느 정도 생각이 정리되자 김순옥은 노아의 빈자리를 느끼며 지금쯤 그가 어디에서 무얼 하고 있을지 궁금해졌다. 언제부터인가 노아는 더 바빠진 듯했다. 애인 노릇, 잠자리 상대를 해줘야 할 여사님들이 늘어난 것일까. 더 피곤해질 법도 한데 생전 못 들던 그의 콧노래 소리를 듣게 되는가 하면 여자들은 어떤 걸 좋아하냐고 막연하게 묻기도 했다. 그새 노아에게 새 차까지 생긴 걸 보니 신상에 변화가 생긴 것 같긴 했다. 스폰 관계에서도 진정한 사랑의 발견이 가능하다면 꽤나 신선하고도 놀라운 반전일 것 같았다. 노아가 차를 사주겠다는 제안을 여러 번 거절한 걸로 알고 있는 김순옥은 자초지종을 묻고 싶었지만 최근에는 좀처럼 얼굴을 마주칠 기회가 없었다.

해외로 떠나기 며칠 전 노아는 전에 없이 격렬하게 잠자리를 거부했다. 김순옥은 그날도 술에 취해 들어오긴 했지만 인사불성이 될 정도는 아니었다. 윤석향 때문에 괴로운 마음을 노아와의 섹스로 대신 풀려고 했던 것도 아니었다. 그냥 이상하게도 노아의 탄탄한 몸이 그리워지는 밤이었다. 툭하면 노아를 향해 혀를 차는 김순옥도 그의 육체만큼은 볼 때마다 경이로움을 감출 수가 없었다. 운동을 자주 하는 것도 아닌데 타고난 몸이 그렇다는 것은 김순옥 입장에선 대단한 신의 특혜였다. 자신도 신으로부터 그런 은혜를 입었다면 윤석향의 마음 하나쯤 얻는 건 일도 아닐 거라고 생각했다. 단단하면서도 적당한 탄성을 지닌 노아의 팔과 가슴 근육을 눈을 감은 채 손끝으로 쓸어보면 마치 거대하고 신비로운 원시 산맥의 축소판을 만지는 것 같았다. 옷을 갈아입을 때 잠깐씩 보게 되는 등 근육은 때로 화를 내는 것 같기도 하고 때론 온갖 표정으로 여자를 유혹하는 또 다른 얼굴 같기도 했다. 그런 몸을 소유할 수 있는 여사님들이라면 어떤 대가를 치르더라도 아깝지 않을 듯했다.

새벽까지 잠을 못 이루고 있던 김순옥은 늦게 귀가한 노아를 덮치듯 끌어안고 침대로 가 입을 맞추고 옷을 벗기려고 했다. 그의 입에서는 먹은 지 얼마 되지 않은 듯 라면 냄새가 났다. 한 번도 라면 먹는 모습을 본 적이 없는데 분명히 들척지근한 라면 국물 냄새였다. 어느 호텔에서 라면까지 룸서비스 해줄까 물어보고 싶은 마음을 억누르며 거칠게 셔츠 단추를 푸는데 노아의 손이 김순옥의 손을 붙들었다.

"이러지 마. 오늘은."

동굴 속에서 들려오는 먼 메아리 같은 음성이었다.

"뭐라고?"

비현실적인 느낌이어서 김순옥이 되물었다. 노아는 또박또박 같은 말을 정확하게 반복했다. 정색하고 말하는 노아의 어조조차 낯설었다. 그러고는 김순옥을 밀어낸 후 양치질도 하지 않고 그대로 잠이 들었다. 라면 냄새를 풍기며.

노아도 상처를 줄 수 있는 남자 중 한 명이 될 수 있다는 걸 깨닫게 된 그날, 김순옥의 마음속에서는 지금까지 느껴보지 못했던 묘한 애증이 생겨났다. 윤석향을 향한 그것에 비하면 미약한 정도였지만 그런 감정이 노아를 상대로도 생길 수 있다는 사실이 신기하고 짜증났다. 자신만의 주관이나 철학이라고는 찾아볼 수 없는 한심한 수동적 인간형이라고 여겼던 존재로부터 단호하게 손길을 거부당한 기분 역시 신기하고 짜증났다. 이 애증 때문에 노아가 떠나 있는 밤이 외롭게 느껴지는 거라고 김순옥은 생각했다. 그러니 외로움 역시 애증만큼이나 미천하고 하찮은 것일 뿐이라고.

김순옥은 1년 전 신인상 예심 작품 폴더에서 오아라라는 작가에 대한 자신의 생각이 편견이 아니었으며 평가 또한 잘못되지 않았음을 입증해줄 작품 하나를 심사숙고해서 골랐다. 윤석향은 하루건너 하루 꼴로 김순옥에게 오아라의 작품을 가져오라고 닦달했지만 그녀는 일부러 뜸을 들였다. 기다림이 길어지는 만큼 실망도 커지기 때문이다. 윤석향의 여자가 되지 못하는 것 이상으로 견디기 힘들었던 것이 편집자로서의 능력을 송두리째 의심당하는 것이었다. 한 번씩 모멸스럽게 바라보는 윤석향의 시선 속에서 김순옥은 여자로서, 편집자로서 늘 두 개의 칼에 찔려야 했다. 적어도 그중 하나는 잘못 겨눠진 것이었다는 걸 증명할 좋은 기회였다. 오아라의 정직한 실력이 고작 이 정도라는 걸 알게 되면 다시는 그로 인해 괴로워질 일도 없겠지.

오아라 문제가 정리되는 대로 김순옥은 윤석향에 대한 새로운 접근법을 강구해야겠다고 마음먹었다. 자신의 태도나 행동이 노아의 그것과 별반 다를 게 없었다는 새삼스러운 반성을 하게 됐기 때문이다. 윤석향에게 여자로, 편집자로 인정받기 위해 내가 한 것이 무엇이 있던가. 언제나 동경하고 흠모하며 서운해하기만 했지 정작 그의 마음을 얻기 위해 견마지로를 다했던가. 여자로 보이기 위해 외모에도, 옷과 화장에도 좀 더 신경써야 했다. 한 번도 써보지 않은 향수도 살 계획이다. 윤석향의 우아한 아내만큼은 아니더라도 그녀와는 또 다르게 어필할 수 있는 매력을 찾아야 한다. 어떻게든, 무슨 수를 써서라도.

그렇게 찾아오게 된 강남의 유명하다는 성형외과. 김순옥은 의자에 앉은 채 벽에 걸린 원장 사진을 10분 넘게 쳐다보고 있었다. 한쪽 벽면을 가득 채울 정도로 크게 인쇄돼 있는 병원장 얼굴 아래에는 김중권이라는 이름이 적혀 있었다. 분명히 어디에선가 본 얼굴인데 기억이 나질 않았다. 서울에서 가장 크다는 성형외과 원장이니 TV나 잡지 같은 매체에 한두 번 나온 게아닐 터라 낯이 익은 게 이상할 일도 아니었지만 김순옥은 좀처럼 눈을 뗄 수 없었다. '세상이 당신을 바라보는 눈이 바뀌게 될 것입니다. 바로 이곳에서'라는 카피가 원장 사진 옆에 커다랗게 적혀 있었다. 김순옥은 이곳을 찾는 여성이라면 한 번쯤 마음이 움직일 법한 유치하고도 확고한 메시지라고 생각했다. 딱히 어디를 고치겠다고 작정하고 오진 않았지만 최고 전문가의 손길은 다를 것이란 믿음으로 찾아온 곳이었다. 김순옥은 오래전부터 얼굴에 손을 대고 싶어 했다. 윤석향이 자신을 향해 혀를 찰 때마다, 안경 너머로 뜨악한 시선을 한 채 바라볼 때마다, 자신이 타다 준 차가 한 모금도 줄지 않은 채 쓸쓸히 식어가고 있는 것을 볼 때마다 김순옥은 얼굴을 뜯어고치고 싶은 충동을 느꼈다. 무엇보다 퍼스트레이디라도 된 것처럼 고상하게 손을 흔들며 편집부 사무실을 한 바퀴 휙 돌고 지나가는 그의 아내를 볼 때마다, 얼굴이 아니라 다른 곳에도 손을 댈 필요가 있다면 못할 것도 없었다.

성형외과와 피부과를 겸하고 있는 국내 최대 규모의 병원답게 입구에서부터 코디네이터가 일대일로 밀착 서비스를 했다. 남다른 규모와 서비스는 처음부터 무조건적인 신뢰를 선사하기에 충분했다. 이래서 돈 있는 사람들은 다 이곳으로 모이는구나 싶었다. 김순옥은 2천만 원짜리 적금을 깨는 대신 후회 없는 선택을 하고 싶었다. 코디네이터를 따라 상담실로 들어간 그녀는 가방에서 사진 한 장을 꺼냈다. 지난 해 편집부 송년회 때 찍었던 사진 속 윤석향의 옆자리에는 그의 아내가 서 있었다. 나머지 편집부 직원들을 아랫것들로 보이게 하는 외모와 옷차림을 보면서 김순옥은 시기와 부러움을 동시에 느끼고 있는 자신을 향해 침을 뱉고 싶었다.

"여기 이 여자보다 더 예뻐지고 싶은데 어디를 고쳐야 할지는 모르겠어요."

코디네이터는 시종일관 친절한 미소를 잃지 않고 사진 속 윤석향의 아내와 김순옥을 한동안 번갈아 쳐다봤다. 그녀는 양쪽 입꼬리를 올려 항상 웃는 인상을 만들어주는 입꼬리 성형과 광대, 사각턱, 앞턱을 다듬어 브이 라인을 만드는 안면윤곽술, 눈을 자연스럽게 키우기 위한 앞트임과 밑트임, 봉긋한 이마와 가지런한 콧날을 위한 필러 시술을 추천했다.

"뭔가…… 좀 더 해야 하지 않나요? 약한 거 아닌가 싶은데. 이를테면 가슴 확대 수술이라든가 양악 같은, 보다 드라마틱한 변화를 줄 수 있는……."

"아 네, 고객님. 비용은 어느 정도까지 쓰실 수 있으세요?"

주머니 걱정을 해주는 것 같은 코디네이터에게 김순옥은 손가락 두 개를 펴 보였다. 코디네이터의 표정이 좀 더 밝아지더니 상담 차트에 안면윤곽술을 양악수술로 고치고 자가지방술보다 생착률이 높다는 줄기세포 가슴성형과 허벅지 지방흡입을 추가했다.

"원장님께 직접 시술 받을 수 있나요?"

뭔가를 한참 적고 있는 코디에게 김순옥이 묻자 코디는 미리 예약된 소수 VVIP 고객만 원장이 직접 진행하며 비용도 더블이라고 여전히 친절하게 말했다. 예상했던 답이었는데도 마음이 살짝 불편해졌다. 직접 얼굴을 보면 생각이 날 것 같은데 마주칠 일은 없을 듯했다.

원장의 얼굴이 기억난 것은 3주 뒤 미리 내놓은 휴가에 맞춰 예약을 잡은 후 병원을 나와 버스를 기다리고 있던 정류장에서였다. 오아라의 오피스텔 복도. 그녀와 함께 나란히 걸어왔던 남자. 오아라 오피스텔의 비밀번호를 알고 있던. 아귀가 맞춰진 후 김순옥은 버스를 몇 대 그냥 보냈다. 두 사람이 부부라면 그런 작은 오피스텔에서 함께 나올 리도 없을 뿐더러 부부의 모습이라고 하기엔 친근함 사이를 가로지르는 묘한 어색함과 서먹함이 있었다. 서로 높여 쓰는 말투부터 그랬다. 김순옥의 직감은 예상된 방향으로 흘러가 예상된 결론을 내렸다. 인간 쓰레기……. 옆에 서 있던 여자가 김순옥의 입에서 낮게 흘러나온 욕을 듣고는 주춤주춤 몇 발자국 떨어졌다.

버스를 타고 집으로 가는 동안 오피스텔에서 나란히 나오던 두 사람의 모습을 계속해서 떠올리던 김순옥은 무엇엔가 홀린 듯 중간에 내려 다른 버스로 갈아탔다. 오아라의 오피스텔에 도착해 정문에서 7011호를 호출했다. 아무 반응도 없었다. 두어 번 더 눌러봐도 역시 마찬가지였다. 잠시 기다렸다가 지난번처럼 다른 사람이 들어가는 틈을 타 안으로 들어간 김순옥은 로비에서 불안하게 서성이다가 이내 엘리베이터를 타고 7층으로 올라갔다. 엘리베이터에서 내려 걸어가는 동안 김순옥의 심장은 지난번처럼 거칠게 뛰기 시작했다.

왜 이곳까지 다시 오게 된 것인지 그녀 자신도 정확히 이유를 알 수 없었다. 오는 내내 이 복도에서 자신을 스쳐 지나가던 두 사람의 모습만 구간 반복되는 영상처럼 계속 떠오를 뿐이었다. 오피스텔 문을 열고 들어가면 그 안에 두 사람의 관계를 밝혀낼 수 있는 단서들이 있을 것만 같았다. 대단히 특별한 작가인 척 자존감으로 똘똘 뭉친 오아라라는 여자의 진짜 실체. 어떻게든 그것을 확인하지 않고는 집으로 돌아갈 수 없다는 이상한 이끌림이 김순옥의 발길을 이곳까지 향하게 했지만 타인의 공간에 함부로 발을 들이는 것은 충동보다 훨씬 큰 객기를 필요로 했다.

문 앞에 선 채로 몇 번을 망설이던 김순옥은 이내 떨리는 손으로 비밀번호를 누르고 조심스럽게 문을 열었다. 아무도 없었다. 신발을 벗고 안으로 들어갔다. 책상 위에는 〈범각법보〉라는 타블로이드판 불교신문과 불교 관련 서적들이 몇 권 놓여 있었고, 책 위에는 범각사라는 절의 이름과 전화번호, 주소가 적힌 메모지가 놓여 있었다. 독실한 불자의 이미지는 그녀와 전혀 어울리지 않았다. 신의 존재를 필요로 하지 않거나 아예 부정하며 살아가는 인간이라면 모를까.

고개를 돌려 보니 크고 작은 쇼핑백 여러 개가 방구석에 놓여 있었다. 김순옥은 쇼핑백 안을 살펴봤다. 아직 태그도 떼지 않은 명품들이 주인을 기다리는 애완견처럼 얌전히 들어 있었다. 가난한 소설가와 부유한 병원장, 그리고 아직 꼬리표도 떼지 않은 신상 명품들. 김순옥은 생각보다 쉽게 단서를 찾았다는 생각에 타인의 공간을 몰래 침범한 데 대한 두려움은 잠시 잊어버렸다. 너무 싱겁게 끼워 맞춰진 통속이라는 테마의 퍼즐. 감히 〈문학과 미래〉의 지면을 마다할 수 있었던 뒷배가 결국 이

거였을까. 이름 없는 작가 주제에 소설가랍시고 대단한 병원장까지 문 오아라의 능력에 감탄하지 않을 수 없었다. 글 쓰는 능력보다 남자 꾀는 재주를 더 타고난 것인지도 모른다. 마른 듯 여린 몸매에 굳이 트임 수술이 필요 없을 것 같은 적당히 큰 눈. 대단히 높진 않지만 가지런하게 내려와 보기 좋은 각을 이루는 콧날, 동그란 이마와 부드럽게 흐르는 얼굴선, 붉고 작은 입술. 잠깐 스치듯 봤던 오아라의 얼굴이 쓸데없이 선명하게 떠올라 김순옥은 몇 번 머리를 세차게 흔들었다.

김순옥은 쇼핑백 안에 든 것들을 하나하나 꺼내봤다. 다 합치면 반년 치 월급보다도 더 나갈 법했다. 성형수술비 2천만 원을 모으는 데 4년이 넘게 걸렸건만 가장 정직했던 방법이 가장 미련하고 멍청했던 시간 낭비로 전락하는 순간이었다. KY성형외과 원장 사진에 써 있던 카피가 떠올랐다. '세상이 당신을 바라보는 눈이 바뀌게 될 것입니다. 바로 이곳에서'. 저 명품들을 걸치고 원장의 팔짱을 낀 채 걸어가는 오아라의 모습이 그려졌다. 세상의 시선을 바꿀 마법의 옷을 걸친 오아라. 기분 나쁘게도 제법 잘 어울리는 그림이다.

김순옥은 쇼핑백에서 꺼낸 돌체앤가바나 원피스를 들고 가 옷장 문을 열었다. 안에는 간호사 옷과 경찰 제복 등이 일상복 틈에 섞여 걸려 있었다. 둘이 이러고 노는 것일까. 김순옥은 타인의 성적 취향에 대해 함부로 욕할 마음까지는 없었지만 어쩔 수 없이 코웃음이 나왔다. 그녀는 전신 거울 앞에 선 채로 원피스를 자신의 몸에 대봤다. 이 옷을 걸치고 오아라처럼 교태를 부리면 윤석향은 어떤 반응을 보일까. 가슴께가 제법 깊게 파여 있으면서 허리 라인이 잘록하게 들어간 것이 술에 취한 그를 유혹할 때 입으면 딱 좋을 분위기다.

옷을 이리저리 대보며 거울 앞을 떠나지 못하고 있는 김순옥의 귓가에 어느 순간 윤석향의 말소리가 먼 이명처럼 들려왔다. '옷도 그 사람의 얼굴이고 지성이야. 명품은 못 걸치고 다닐지언정 품위는 있게 입어야지'. 그녀의 미간이 일그러지는가 싶더니 윤석향의 목소리 위에 사모님의 것인지 오아라의 것인지 구분이 안 되는 목소리가 겹쳐 들렸다. '그 옷이 당신에게 어울릴 거라고 생각해요? 옷도 주인은 알아보는 법인데'. 여러 갈래의 목소리들은 돌비 음향처럼 한데 뒤섞이면서 좁은 방 안을 휘휘 감싸 돌았다. 뒤이어 윤석향이 혀를 차는 소리가 확성기를 통과한 음성처럼 잔뜩 에코 먹은 소리로 어지럽게 울려 퍼졌다.

"나도 이런 거 입을 수 있다구!"

갑자기 옷을 움켜쥐며 큰 소리를 내던 김순옥이 뒷걸음을 치다가 몸의 중심을 잃고 침대 위로 넘어졌다. 넘어지는 와중에 한쪽 발로 드레스 밑단을 밟는 통에 어디에선가 우두둑 소리가 세차게 들려왔다. 급히 일어나 살펴보니 허리 왼쪽 재봉선 옆으로 5센티미터 정도가 뜯어져 있었다. 크게 놀란 김순옥은 두 손으로 옷을 부여잡은 채 짧은 탄식과 함께 황망한 표정을 지었다. 그녀는 얼른 뜯어진 곳이 안 보이도록 원피스를 접어 쇼핑백에 도로 넣었다. 그 짧은 순간 김순옥의 등에는 식은 땀이 올라왔다.

놀란 가슴을 진정시키느라 심호흡을 하던 그녀의 눈에 침대 매트리스와 평상 사이로 뭔가 삐져나와 있는 것이 보였다. 작은 수첩이었다. 안에는 각 날짜별로 번갈아 A, B, C라고 표기가 돼 있었고 옆에는 금액으로 보이는 숫자들이 적혀 있었다. 간혹 금액 옆에 물음표와 함께 '계좌 이체'라고 괄호 표시돼 있는 것도 있었고 플러스 기호 표시와 함께 '20만 원'이라고 적혀 있기도 했다. 수첩의 내용과 옷장에 들어 있는 요상한 옷들이 여러 개의 명품들과 함께 김순옥 머릿속에서 새로운 시나리오를 만들어내고 있었다. 간호사 옷을 입고 A, B, C 앞에서 온갖 추잡한 짓거리를 해대는 오아라의 또 다른 얼굴. 대충 그림이 맞춰지자 김순옥은 침대에 앉아 한동안 일어날 생각을 못했다.

도도하게만 굴던 오아라의 이중생활. 그 비밀을 알게 됐다는 충격보다 단골손님을 세 명이나 확보하고 있는 그녀의 능력이 더 놀라웠다. 그렇다면 김중권은 A일까 B일까 C일까. 그가 선호하는 것은 간호사 옷일까 경찰 복장일까. 세상 부러울 것 없을 그가 어떻게 해서 오아라와 이런 관계를 맺게 된 것일까. 수첩에 적힌 남자들은 오아라의 정체가 소설가인 것은 알고나 있는 것일까.

오아라의 집을 나올 때쯤에는 찢어진 옷에 대한 걱정도, 남의 집에 몰래 들어왔다는 죄의식도 모두 잊어버린 후였다. 한국 문단에 치욕이 되고도 남을 천박한 존재. 그런 여자의 소설을 〈문학과 미래〉에 싣는다는 것이 가당키나 할까. 새삼 오아라의 작품을 되돌려 보낸 것에 대해 잘한 일이라는 생각이 들었다. 그렇게 생각하니 구멍 난 돌체앤가바나 원피스가 살짝 고소하게 느껴지기도 했다. 명품도 사람도 쓰레기가 되는 건 순식간이었다.

오피스텔에 다녀온 다음 날 김순옥은 윤석향에게 미리 찾아 놓았던 단편을 건넸다. 윤석향은 소설을 들고 자리로 가 곧장 읽기 시작했다. 김순옥은 윤석향이 소설을 읽는 동안 연신 그쪽을 흘끔거렸다. 늘 표정에 변화가 없는 그인지라 작품이 어떻게 읽히고 있는지는 알 수 없었다. 그래서 자신의 소설을 심사받는 것처럼 조금 두근거리기도 했다. 얼마 후 윤석향이 회의실로 김순옥을 불렀다. 윤석향은 소설을 손에 든 채 안경을 벗어 테이블 위에 올려놓았다. 안경을 벗으면 윤석향의 매력은 조금 반감된다. 안경 너머에 존재하는 시선은 마치 드라이아이스가 깔린 무대를 보는 것처럼 어딘지 연극적이다. 그 자체가 근엄한 언어이고 대사인 것처럼 함부로 다가갈 수 없는 무언가가 있었다. 하지만 안경을 벗으면 어느새 쉰을 앞둔 그렇고 그런 중년의 축 처진 눈매로 변한다. 김순옥은 의자에 앉으면서 윤석향의 안경을 씌워주고 싶었다. 그럴 수 있는 관계가 되길 바랐다.

아내보다 훨씬 고아하고 품위 있는 여자가 되어.

"손질이 좀 필요하겠어. 오아라의 연락처를 알려줘. 내가 한 번 통화해봐야겠어."

예상 밖의 반응에 김순옥은 자신도 모르게 손으로 치맛단을 부여잡았다. 작품을 읽고도 포기를 못하는 그가 이제는 도무지 이해할 수 없을 정도였다.

"등단작이 어쩌다 얻어걸린 작품이었을 수도 있죠. 이게 본실력이고. 지금이라도 다른 작가를 섭외하는 게……"

김순옥은 소리 안 나게 침을 한 번 삼키고는 목소리에 힘을 주어 말했다. 안경을 벗은 윤석향의 초점 잃은 시선은 계속 원고만 내려다보고 있었고, 김순옥의 마음은 마른 볏단처럼 타들어가고 있었다.

"말귀를 못 알아듣나? 손질만 좀 하면 된다니까. 등단작에서 보여주었던 재기발랄함이 보여. 구성만 살짝 바꿔줘도 완전히 달라질 수 있다고. 명색이 문예지 편집부 에디터 입에서 다른 작가 섭외하자는 소리가 그렇게 쉽게 나오나? 그토록 사명감이 없으니 늘 그 모양이지."

윤석향은 답답하다는 듯 또다시 혀를 찼다. 혀 차는 소리가 문예지 한 권의 편집을 총괄하는 자의 아집만큼이나 단단하고 거세게 들렸다. 이쯤 되면 김순옥은 윤석향의 고집을 집착이나 아집이라고 생각할 수밖에 없었다. 볼품없는 작품도 자신의 손길이 닿으면 전혀 다른 수작으로 탈바꿈할 거라는 굳건한 믿음이 만들어내는. 옳다고 생각하는 것에 대한 퇴로 없는 신념이 빚어내는 괴팍한 미련 말이다. 이제 어떻게 해야 하는 걸까. 김순옥은 머릿속이 아득해졌다.

"전하실 말씀 있으시면 제게 하세요. 제가 담당하고 있는 작가니까."

"일단 내게 직접 연락 한번 하라고 해."

윤석향이 나가고 나자 김순옥의 입에서는 긴 한숨이 터져 나왔다. 옷에 묻은 채 아무리 닦아내고 빨아도 지워지지 않는 흉한 얼룩 같은 상황이 답답하고 화가 났다. 소리라도 지르고 싶었지만 그러지 못하는 대신 김순옥은 자신의 머리카락을 마구 휘저었다. 건너편 책장 유리에 산발이 된 머리 모양이 어른 거렸다. 테이블 위에 있는 전화기를 집어 던져 유리를 박살내고 싶었다. 뭐가, 대체, 이렇게, 쉽지 않을까. 특히 저 윤석향이란 남자는.

김순옥은 그것이 오아라의 소설이 아니라는 사실을 들키지 않으려면 어떻게 해야 할지 내내 고민했지만 마땅한 방도가 떠오르지 않았다. 분명한 것은 오아라와 윤석향이 절대 연락하면 안 된다는 것이었다. 그러기 위해서는 오아라가 탄 전철이 폭발하거나 그녀의 오피스텔이 무너져 내리거나 누군가에게 납치당해 토막 살인이라도 당해야 했다. 아니면 윤석향이 사고로 기억 상실증에 걸리거나 심장마비로 급사를 하거나. 어느 쪽이든 실현 가능성이 희박해 보이긴 매한가지였다. 불의의 사고로 위장해 사람을 죽일 수 있는 방법도 찾아보았다. 몰래 들어가 가스 밸브를 살짝 잘라놓고 오는 방법이 괜찮을 것 같았지만 요즘에는 대부분 쇠파이프로 교체돼 쉽지 않을 것이다. 냉장고 안 음료수 병에 농약을 섞어놓을까도 했으나 부검을 할 경우 CCTV에라도 찍혔다면 가장 먼저 용의선상에 오를 것이다. 야심한 밤 한적하고 외진 근교 어딘가로 불러낼까 싶기도 했지만 전화조차 받지 않는 그녀를 나오게 할 방법이 없었다. 아무리 머리를 굴려도 마땅한 방도가 떠오르지 않았다. 죽어야 할 인물은 어쩌면 윤석향 쪽일지도 몰랐다. 김순옥은 처음으로 윤석향에게 살의를 느끼고 있었다. 애증의 끝 간 데가 살의라는 걸 이제야 알게 됐다. 사랑해서 죽였다는 사람의 심정도 알 것 같았다. 모든 게 인력으로 안 되는 불가항력의 상황에서 인간이 못할 짓은 없다는 것도. 윤석향과의 아름다운 공존은 아무래도 영영 불가능해진 것 같다는 생각에 김순옥은 양 주먹을 꼭 쥔 채 몸을 부르르 떨었다.

윤석향이 먼저 퇴근한 후 그의 책상에 사표를 올려놓고 나온 김순옥은 왈칵 눈물이 났다. 영원히 뼈를 묻을 거라 믿었던 직장이 오늘로서 마지막이 되고 말았다. 〈문학과 미래〉라는 간판이 주는 자존감은 많지 않은 월급보다 훨씬 포기하기 힘든 것이었다. 적어도 일주일에 5일 동안은 윤석향과 같은 공간에 머물 수 있었던 소중한 시간들이 이토록 허무하게 끝을 맺을 줄은 몰랐다. 내일 출근해 사표를 보게 된 윤석향은 어떤 표정을 지을까. 앓던 이 빠진 듯 속 시원한 기분으로 웃으며 곧장 다른 편집자를 알아보겠지. 그러고는 며칠 지나지 않아 아예 없었던 존재처럼 무심히 잊고 말 것이다. 이제 2천만 원을 들여 얼굴과 가슴을 뜯어고칠 이유도 모두 사라졌다. 자신을 바라보는 세상의 시선이 바뀔 일도.

　회사에서 몇 번 전화가 걸려왔다. 윤석향이 아래 직원을 시켰을 것이다. 다시 나오라는 회유를 위해 건 것이 아니라 마지막으로 확인이 필요하거나 업무와 관련한 질문 사항들 때문이겠지. 인수인계를 전혀 안 하고 나왔으니 물어볼 게 한두 가지가 아닐 것이다. 그 때문에 회사로부터 전화가 걸려올 때마다 김순옥은 더 불쾌하고 짜증이 났으며 절대 전화를 받지 않겠다는 오기가 생겼다. 오아라의 연락처야 어떻게든 알아낼 것이고 연락이 닿는 순간 자신이 어떤 짓을 했는지 두 사람 모두 알게 될 것이다. 다른 사람의 소설이 어떻게 해서 자신의 것으로 탈바꿈되어 윤석향 손에까지 흘러 들어갔는지 의아해한 오아라가 전화를 걸어올지도 모른다. 김순옥은 전화벨이 울릴 때마다 심장이 덜컹 내려앉는 것 같아 가슴을 움켜쥔 채 발신 번호를 확인해야 했다.
　하필 이럴 때 노아는 왜 곁에 없는 걸까. 한심한 인생살이라고 속으로 험만하기만 했던 노아의 삶이 한순간 부러워지는 것을 보면 인생의 반전이 드라마의 반전보다 더 극적이다. 원초적인 몸의 노동을 통해 돈을 버는 시스템이야말로 세상에서 가장 눈부신 생계 매커니즘이라는 생각도 들었다. 노아가 이렇다 할 자기주장이나 별 문제의식 없이 여사님들의 충실하고 미련한 머슴 노릇을 했던 것은 그만큼 자기 삶에 만족하고 있다는 반증일 수도 있겠다는 뒤늦은 자각이 들었다. 오히려 부단한 침묵과 낮은 자세가 노동의 대가를 극대화할 수 있는 현명한 전략이자 처세인가 싶기도 했다. 그렇게 이해하고 보니 지금까지 살아온 자신의 삶이 더욱 덧없게 여겨졌다. 그리고 처음으로 노아를 향해 그저 혀나 차기 바빴던 자신의 과오를 뉘우쳤다.

김순옥은 미친 듯 노아가 그리워졌다. 남들은 막대한 돈을 지불해야 가질 수 있는 몸을 늘 곁에 두고서도 정작 그 가치를 알지 못했던 미련함을 반성했다. 윤석향으로부터 영원히 버려졌다는 상실감이 조장해낸 반사적 감정일 수도 있었지만 그건 중요하지 않았다. 더불어 이제야 궁금해졌다. 노아는 여사님들과 호텔 침대 위에서 어떻게 봉사를 하고 희생을 할지. 어떤 언어와 어떤 몸짓으로 그녀들을 만족시킬지. 어떤 비굴함을 참아내며 그녀들의 지갑을 열게 만드는지. 그런 능력은 후천적으로 학습이 가능한 것인지.

문예지 편집부 에디터가 아니라 호스티스로 윤석향을 만났더라면 보다 쉽게 그의 몸을 가질 수 있었을까. 상황이 관계를 결정하는 것인지 존재가 관계를 결정하는 것인지 헷갈렸다. 이도 저도 아닌 제3의 무수한 무엇들이 결정하는 것일지도. 그 무수한 무엇들 중에서 김순옥은 단 한 가지도 가질 수 없었다. 그러니 〈문학과 미래〉 편집부가 아니라 술집 룸에서 만났더라면 사고와 감정의 날카롭고도 격렬한 충돌이 생길 틈도 없이 술을 섞고 몸을 섞었을지도 모른다. 다음 날 '안녕' 하며 다시 무관한 타인이 되어 헤어지더라도 환멸스러운 애증보다는 그편이 나아 보였다. 적어도 조소의 의성어를 날려대던 그의 혀가 잠자리에서만큼은 전혀 다른 역할과 기능을 할 테니까. 침대 위에서는 침대 위에서만 할 수 있는 것에 충실하면 되니까. 머리 대신 몸만 쓰면 될 테니까.

한창 일하고 있어야 할 시간에 김순옥은 침대 위에 누워 천장을 올려다보며 영양가 없는 상상으로 시간을 보냈다. 평일 오전, 창문을 뚫고 들어오는 찬란한 햇살을 온몸으로 받으며 태평스럽게 누워 있는 기분은 좋지도, 싫지도 않았다. 끝도 없는 상상과 공상과 허상의 실타래만 늘어진 엿가락처럼 이어지는 실체 없는 시간. 보이긴 하나 잡을 수 없는 시간. 어디로 가야할지 갈 곳을 잃어버린 가련한 시간. 생각해보니 노아가 떠난 지도 열흘이 다 된 것 같다. 아니, 열흘을 넘긴 것 같기도 했다. 떠난 날짜가 언제였는지 정확히 기억나질 않는다. 열흘이 한 달처럼 까마득히 길다는 것뿐. 정확히 열흘이 아니라 열흘 정도라고 얘기했던가. 그러니 11일이 될 수도 있고 13일이 될 수도, 그 이상이 될 수도 있을 것이다.

기대하진 않았지만 연락 한 번 없는 노아가 궁금하고 서운했다. 노아가 없으니 윤석향 때문에 회사를 그만두었다는 얘기를 들어줄 이가 아무도 없었다. 그것이 김순옥을 더 서글프게 했고 그래서 다행이라고 생각했다. 노아 말고는 그 누구한테도 말하고 싶지 않은데, 그 누군가가 옆에 있다면 곧장 하소연을 늘어놓을 것 같았다. 화가 나고 부끄럽고 서럽고 짜증이 나고 허탈하고 막막한 자신의 이야기를 아는 사람은 오직 노아가 유일하길 바랐다. 옆에 나란히 누워 차분히 얘기를 털어놓은 후 조각 같은 몸을 끌어안으면 되는 심플한 커뮤니케이션이 가능한 사람은 노아뿐이니까. 구차스럽게 묻지도 따지지도 않고 자신의 몸을 내어줄 단 한 사람.

　그래도 노아를 기다리는 존재가 하나 더 있어서 조금 위로가 됐다. 어느 여사님에게 받았다는 꽤 비싸 보이는 외제차. 말도 없이, 감정도 없이 주인을 기다리고 있는 모양새가 자신보다 더 측은하게 보였다. 차가 생긴 며칠 뒤 김순옥은 오아라의 집 앞에서 주웠던 구찌 열쇠고리를 새로 포장해 선물이랍시고 건넸다. 뭘 이렇게 비싼 걸 샀어. 안 줘도 괜찮은데. 노아는 웃으며 받긴 했지만 차 키에 달고 다니라고 준 열쇠고리는 책상 위 구석에 그냥 놓여 있었다. 어쨌든 지금 노아를 기다리는 존재는 김순옥과 자동차와 열쇠고리 셋인 셈이다. 생물과 무생물이 동격이 됐다고 생각하는 순간 김순옥의 마음은 왠지 모르게 조금은 무뎌지는 듯했다. 구찌 열쇠고리 위로 쏟아지고 있는 무심한 햇살처럼.

김중권은 방바닥에 놓여 있는 명품 쇼핑백들을 한동안 말없이 내려다봤다. 오아라는 미리 옷장에 넣어 두려고 했지만 작은 두 칸짜리 붙박이장은 이미 옷과 짐들로 차고 넘치는 상태였다. 김중권이 무슨 생각을 하고 있을지 대충 짐작은 갔지만 오아라는 뭐라 말하기가 애매했다. 자신이 샀다고 하는 것도, 다른 남자에게 받았다고 하는 것도 모두 내키지 않는 설명이었다. 물건들을 빤히 쳐다보고 있는 김중권의 시선에서 오아라는 왠지 모를 죄의식을 느껴야 했고 그것이 짜증날 뿐이었다.

　"장편소설은 어떻게 돼가요?"

　식탁에 마주앉아 차를 마시며 김중권이 물었다. 그의 시선은 여전히 수시로 쇼핑백들을 훑었다. 질문 속에 담긴 씁쓸한 기포가 음성의 장막을 뚫고 나와 공기 속을 부유했다.

　"쓰고 있어요."

　그것 때문에 두 번이나 범각사를 다녀왔다는 얘기는 하지 않았다. 혜광 스님을 만난 일도.

"어떤 이야기인지 통 얘기를 안 해주네요."

"아직 어떤 이야기가 될지 저도 모르니까요. 그보다는 중권 씨도 제게 할 얘기가 있었던 것 같은데."

강남 설렁탕 집에서 함께 점심을 먹고 헤어진 후 처음 만난 자리였다. 그동안 김중권은 연락이 한 번도 없었다. 오아라 역시 군이 먼저 찾진 않았다. 청담 파라곤의 안주인 자리가 탐난다는 것, 그 일말의 가능성 때문에 놓지 않고 있는 관계일 뿐이라는 사실은 오아라를 먼저 행동하게 만들 만큼 그다지 매력적인 필요충분조건은 되지 못했다. 미래의 김중권보다는 현재의 노아가 훨씬 중요한 실물 가치를 지니고 있었다. 아무것도 담보해주지 못하는 미래는 맞추기도 짜증나는 싸구려 퍼즐 같은 것이다. 지금까지 살아오면서 이미 뼈저리게 느꼈던 그 사실을 김중권을 통해 재인식해야 하는 과정이 오아라를 지치게 했다.

쇼핑백들을 쳐다보며 어떤 말들이 김중권의 머릿속에서 떠다니고 있을지 상상하는 것은 이제 어렵지 않았다. 미리 걱정했던 것도 사실이다. 숨기려고 했다면 그가 오기 전에 어디에든 쑤셔 넣었을 것이다. 그러지 않은 것은 그러고 싶지 않아서였다. 김중권이 저것들을 얻는 데 도움을 준 것은 아무것도 없다는 생각 역시 한몫했다. 한데 계속 신경이 쓰인다. 아르마니 블루종을 걸치고 앉아 있는 그가 명품이 든 쇼핑백을 저런 시선으로 쳐다보고 있다는 것에 은근슬쩍 화가 나기도 했다. 소설이 잘되고 있냐는 질문을 의역하면, '왜 작가의 방에 저따위 물건들이 있는 건가요?'일 것이다. 차라리 그렇게 돌직구를 날렸다면 오아라도 이번만큼은 속 시원하게 답을 했을 것이다. '아르마니를 걸치고 그런 질문을 하는 게 참 위선적이군요'라고. '더 이상 작가의 정체성과 가치관, 삶의 방법론을 단순 편협한 사고로 일반화시키지 마세요'라고. 한데 김중권은 계속 시선으로만 말하고 있었다.

그가 걸치고 있는 블루종의 코발트블루 컬러는 스웨이드라는 소재와 묘하게 어울려 마치 지중해 바다 빛을 그대로 물들여 놓은 듯 아름다운 색감과 질감을 자아내고 있었다. 스웨이드라는 소재를 고려하면 싸구려 재킷에서는 절대 나올 수 없는 느낌이었다. 그 역시 아내가 사다가 옷장 안에 넣어 둔, 그저 무심히 손에 걸려나온 옷들 중 하나겠지.

"아내가 곧 들어올 건데, 아직 생각 중이에요."

무엇을 생각 중이라는 것인지 명확히 얘기해달라고 하고 싶었지만 입을 떼는 것이 구차스럽게 느껴졌다. 김중권은 지금까지 줄곧 혼자만 생각해왔다. 그 생각이 무엇이며 어디까지 와 있는지에 대해서는 얘기하지 않았다. 그런 그가 오아라는 까마득히 먼 존재처럼 보였다. 청담 파라곤 정문 앞에서 자신의 팔을 붙들어주었을 때 느꼈던, 그 시절인연 같았던 감흥은 이미 가뭄의 논바닥처럼 말라가고 있었다. 그리고 곧 진짜 바닥을 드러낼 것이다.

"당신이 정말 좋은 장편을 써서 사회적으로 존경받는 작가이자 지식인이 됐으면 좋겠는데⋯⋯."

'지식인'이라는 단어가 너무 이상하고 간지럽게 느껴져서 하마터면 실소를 터뜨릴 뻔했다. 장롱 속에서 십수 년 전 유행했던 낡고 헤진 옷을 꺼내든 기분. 지식인의 반대말은 명품 소비에 혈안이 돼 있는 천박하고 가난한 소설가 정도 될까.

"당신이 좇고 있는 이미지와 내가 좇고 있는 이미지. 그게 참 많이 다른 것 같네요."

김중권의 시선이 오피스텔에 들어온 후 처음으로 오아라를 직시했다. 손에 들고 있던 찻잔은 허공에 멈춘 채로. 끝까지 말을 섞기 싫었는데 왜 그런 말이 튀어나왔을까. 뱉어놓고 난감한 기분이 들었지만 오아라가 내내 느끼고 있던 기묘한 체증에 작은 숨구멍이 트인 것도 같았다. 말을 참는 것은 때로 숨을 참는 것과 같은 고통을 안겨준다.

"내가 이미지를 좇고 있다고요?"

찻잔을 천천히 내려놓으며 김중권이 물었다. 정말로 몰라서 묻는 눈빛이었다.

"네. 날 만난 첫날부터 지금까지 시종일관, 한결같이. 그리고 지금 당신이 좇던 이미지와 부합되지 않는 어떤 느낌 때문에 생각이 복잡해졌잖아요."

김중권의 표정이 무거워졌다. 어떤 의미인지 분명하게 알아듣지는 못했을 것이다. 그의 이야기와 행동이 그러했듯 오아라

193

는 그와 비슷한 방식으로 소통을 해주겠노라 마음먹었다. 모호한 소통은 종종 긴장을 증폭시키고 의미를 확대시키고 해석을 난해하게 만든다. 노골적인 표현을 하지 않으면서도 노골적일 수 있는 아주 효과적인 소통의 방법이다.

"내게 무언가 문제가 있다는 말처럼 들리는군요."

오아라는 대답 대신 자리에서 일어나 식어버린 찻잔을 들고 싱크대로 갔다. 물을 틀고 찻잔 하나를 오랫동안 씻었다. 그에게 등을 보이는 것으로 답을 대신하기 위해서였다. 그러나 김중권은 오아라의 등을 보는 대신 어딘지 모를 허공을 바라보고만 있었다. 마치 그 허공에 답이 있기라도 한 듯 아주 한참 동안.

김중권이 돌아가고 난 후 오아라의 입에서는 긴 한숨이 새어 나왔다. 가볼게요. 그가 건조한 한마디를 남기고 문을 나설 때까지 오아라는 싱크대에서 등을 돌리지 않았다. 마음이 조금 찜찜한 것 같긴 했는데 정확한 느낌인지 확신이 서지 않았다. 상황이 주는 심리적 불편함을 머리가 그렇게 해석한 것인지도 몰랐다. 김중권이 꼬치꼬치 따져 묻지 않을 거라는 건 알았다. 늘 자기 안에서 답을 찾는 사람이니까. 복잡해진 머리 때문에 청소나 하려던 오아라는 문자 알림 소리에 휴대폰을 집어 들었다.

'돌체앤가바나 원피스 팔렸나요?'

우울해지려던 오아라의 표정이 순간 밝아졌다. 아직 안 나갔다고 답을 하자 옷의 상태가 궁금하다며 디테일한 사진을 몇

장 더 보내주면 보고 결정하겠다는 문자가 왔다. 사진을 찍기 위해 쇼핑백에 들어 있는 원피스를 꺼내 침대 위에 펼치는 순간 뭔가 옷의 형태가 이상한 것을 느꼈다. 살펴보니 왼쪽 허리 뒤쪽이 길게 뜯어져 있었다. 며칠 전 입어봤을 때만 해도 멀쩡했던 것 같은데. 아니, 기억이 확실치 않다. 원래 이런 상태였는데 눈에 안 보이는 뒷부분이라 둔감하게 넘어갔던 것인지도 모른다. 전에 없이 안타까운 얼굴로 오아라는 한동안 찢어진 원피스를 손에서 놓지 못했다. 작은 틈 하나 때문에 손 안에 들어왔던 뭉칫돈이 연기가 되어 사라질 판이었다. 오아라는 김중권과 대화할 때보다도 더한, 이루 말할 수 없는 아픔을 느꼈다. 자신도 모르는 사이 순식간에 넝마가 된 것 같은 원피스 하나 때문에.

다음 날 찾아간 매장 직원은 난감한 표정을 지었다. 분명히 구입하실 때 저랑 같이 제품 확인하셨을 텐데…… 예상했던 반응이다. 명품 매장에서는 고가의 제품을 구입하기 전 박음질이나 기타 제품 상태를 고객에게 재차 확인시킨다. 바로 이런 사태를 방지하기 위해. 그걸 알면서도 오아라는 부득불 옷을 들고 매장을 찾아왔다. 이렇게밖에 할 수 없을 만큼 뭔가 절박한 심정으로. 점원은 아무래도 교환은 힘들 것 같다고 말했다.

"차라리 재봉선 쪽이 뜯어졌으면 괜찮을 텐데 위치상 AS를 맡기셔도 티가 날 거예요."

낙심한 오아라를 보며 직원은 더 이상 아무 말도 하지 않았다.

"명품만 전문으로 수선하는 곳도 있다던데……."

"네, 이 근처에 잘하는 곳이 한 곳 있긴 합니다. 그쪽으로 가 보셔도 되고요."

직원이 알려준 곳은 백화점 근처 명동사라는 곳이었다. 오래되어 낡거나 손상된 명품을 새것처럼 만들어준다는 전문 수선집. 오아라도 몇 번 들어본 이름이었다. 하는 수 없이 오아라는 백화점을 나와 지푸라기라도 잡는 심정으로 명동사를 찾아갔다. 문을 여니 생각보다 큰 실내가 나타났다. 접수 데스크 뒤편으로 열 명도 넘는 직원들이 분주히 일하고 있었다. 작업장 위에는 샤넬과 루이비통, 에르메스 같은 고가의 가방과 지갑 등속들이 시체처럼 적나라하게 해체돼 있었고, 밑창이 통째로 뜯겨나간 셀린느와 페라가모 구두 등도 보였으며, 완전히 조각조각 나뉘어져 브랜드를 도저히 알아볼 수 없는 옷들까지 수두룩했다. 상처받은 명품들이 새 생명으로 다시 태어나는 곳. 긁히고 찢기고 젖고 바랜 모든 흔적들을 감쪽같이 지우고 이전의 화려했던 자태로 돌아가는 곳. 명품은 끝까지 명품이어야 한다는 고집과 자존심으로 돌아가는 찰리의 초콜릿 공장 같은 신비한 곳. 오아라는 그곳에 옷 대신 자신을, 자신의 과거를, 자신의 미래를 맡기고 싶었다.

다들 작업에 열중하느라 오아라는 한동안 그냥 서 있어야 했다. 저기……. 조용한 편이었는데도 오아라의 얘기를 듣지 못할 만큼 그들은 놀랍도록 일에 집중하고 있었다. 방해하기가 민망할 만큼. 시선을 돌리던 직원 한 사람이 오아라를 발견하고 접수대 쪽으로 나왔다. 오아라는 쇼핑백 안에 들어 있던 옷을 꺼내 보여주었다.

"이건 좀 어렵겠는데……."

한쪽 눈에 확대경을 낀 직원이 유심히 살펴보더니 난감한 표정으로 말했다.

"원래 제품과 똑같이 수선해준다고 해서 왔는데……."

"딱 봐도 티 나게 생겼잖아요, 위치가. 어떻게 여기가 뜯어지지? 일부러 잡아 뜯었을 리도 없고. 이건 이탈리아 장인을 모셔 와도 못 해요. 좀 조심하시지 어쩌다 이 좋은 옷을."

기억도 못하는 사소한 실수 한 번으로 옷의 운명이 바뀌어야 한다는 사실에 오아라는 할 말을 잃었다. 선택의 여지는 없었다. 수선을 안 하면 어차피 옷으로서의 기능 자체를 상실하니 죽이는 것보다 불구가 되더라도 살리는 게 낫다. 직원은 최선을 다해보겠지만 너무 큰 기대는 하지 말라고 했다.

옷을 맡기고 명동사를 나온 오아라는 문의를 해왔던 사람에게 사정이 생겨 옷을 팔 수 없게 됐다고 문자를 보냈다. 수백만 원이 순식간에 날아가버렸다고 생각하니 맥이 풀렸다. 그리고 노아에게 미안했다. 옷 파는 것을 포기한 순간 드디어 생애처음 돌체앤가바나 원피스가 온전히 자신의 것이 되긴 했다. 돌체앤가바나 원피스를 입을 수 있게 됐는데도 마음 놓고 기뻐할 수 없다는 게 서글플 뿐.

옷 하나가 던져준 우울감은 집에 돌아와서도 가시질 않았다. 컴퓨터를 켠 그녀는 소설 '초암' 파일을 휴지통에 버렸다. 붙들지 말아야 할 것을 붙들고 있는 대가로 치러야 했던 고통도 함께 삭제되길 바라며. 그러고는 며칠 전 인터넷으로 잔뜩 주문한 소설책 중 하나를 집어 들고 읽기 시작했다. 책상 위에는 최근 나온 유명 작가의 신간부터 읽은 지 오래되어 기억이 가물가물한 책까지 여러 권이 쌓여 있었다. 소설의 답은 결국 소설 안에 있지 않을까 하는 심정으로 구입한 책들이었다. 다른 작가들은 서사를 어떻게 다루는지, 긴 호흡의 구조는 어떻게 끌고 나가는지 모든 것이 새삼 궁금해졌다. 한 장편 공모전에서 당선된 여류 작가의 작품부터 읽기 시작한 오아라는 책 서평에 먼저 눈이 갔다.

'이 작품을 위해 3년간이나 교도소를 오가며 수고로운 취재를 마다 않은 작가의 치열한 의지와 학습의 노고가 디테일한 묘사와 현실감 넘치는 치밀한 이야기로 고스란히 형상화됐다. 차분하지만 에너지 넘치고 냉정하지만 뜨거운 작가만의 독보적인 상상력은 한국 문단에 지금까지는 없었던, 생경한 읽기의 즐거움을 선사한다.'

소설보다 더 거하게 느껴지는 서평이 인상적이었다. 억울한 살인 누명을 쓴 채 교도소에 수감된 남자가 교정 봉사를 다니는 대학교수이자 교정위원인 한 여자와 사랑에 빠져 결국 치밀한 계획을 통해 탈옥을 감행한다는 스토리였다. 군더더기 없이 깔끔하면서도 속도감 있는 전개로 책은 술술 넘어갔다. 단순히 파격적이고 위험한 사랑 이야기인 줄 알았던 소설은 서평에서 밝힌 것처럼 작품 전반부에 걸쳐 교도소 내의 부조리한 억압적 현실과 살인 누명을 쓰기까지의 답답하고도 기막힌 법정 공방 과정을 실감 나게 보여주고 있었다. 불과 대여섯 시간 만에 거의 절반 가까이 읽게 만들 만큼 흥미진진했다. 아니나 다를까. 책을 읽다 말고 작가 프로필을 확인해 보니 '사법고시 출신으로 뒤늦게 신춘문예에 등단한' 독특한 이력을 지니고 있었다.

3분의 1정도를 남기고 오아라는 뻑뻑해진 눈을 비비며 잠시 책을 덮었다. 서평에서처럼 한국 문단에 지금까지는 없었던, 생경한 읽기의 즐거움을 선사하는 작품인지 그것까지는 확신할 수 없었다. 그간 읽어왔던 무수한 작품들과 어떤 지점에서 차별화되는 것인지도. 오히려 오아라는 빠히 알고 있는 소설적 방법론에 대한 새삼스러운 복습을 거치고 있다는 느낌이 들었다. 결국 자신이 아는 만큼 쓰게 된다는. 모르던 것을 깨닫는 것은 즐거움이지만 자신이 알고 있었던 것에 대한 재확인은 야릇한 열등감을 불러오기도 한다. 하고 싶어도 할 수가 없다는 서글픈 자각. 결국 포기해야만 하는가에 대한 본질적인 자문에 직면하게 만드는. 하지만 정작 오아라가 두려운 것은 장편소설이라는 목적이 사라지면 스칼렛의 존재 이유 또한 소멸된다는 사실이었다. 스칼렛의 시간을 견디게 만들었던 생명 같은 구실.

오아라는 책상 위에 탑처럼 쌓여 있는 소설책들을 당장 쓰레기통에 갖다 처박아버리고 싶었다. 소설 '초암'처럼.

A가 술에 취해 찾아온 것은 자정을 막 넘겨서였다. 예정돼 있던 방문일은 다음 날이었다. 아니, 자정을 넘겼으니 오는 날은 맞았다. 책을 덮고 막 침대로 가 누웠던 오아라는 초인종 소리에 인터폰 화면으로 A인 것을 확인하고는 문을 열어주지 않았다. 만취한 A가 문을 발로 차며 고성방가를 하지 않았다면 끝까지 문을 열지 않았을 것이다.

"스칼렛, 나의 창녀여, 문을 열란 말이다! 내 발 아래에서 기어라. 나의 천박한 창녀 스칼렛!"

문밖에서 노래인지 악다구니인지 모를 소리를 떠들어대는 통에 오아라는 결국 그를 안으로 들였다. 역한 술기운과 함께 비틀거리며 들어오는 그가 금방이라도 쓰러질 것 같아 오아라는 어쩔 수 없이 부축했다. 축 늘어진 채 완전히 무게 중심을 실은 남자는 지탱하기 힘들 정도로 육중했다. 결국 그 무게를 이기지 못하고 함께 방바닥으로 쓰러졌다. 오아라는 넘어지면서 침대 모서리에 오른쪽 광대를 찧고 말았다. 소리도 지를 수 없을 만큼 극심한 통증이 느껴졌지만 몸을 누르고 있는 A 때문에 꼼짝할 수가 없었다. A는 오아라를 깔고 누운 채로 여기저기 거칠게 키스를 해대다가 옷을 벗기려 했다. 그의 팔을 뿌리치려

했지만 술기운까지 더해진 A의 힘은 초인적이었다. 격렬히 반항하는 오아라의 상의가 A의 손에 의해 찌익 소리를 내며 찢어졌다. 그 사이로 브라를 하지 않고 있던 가슴이 그대로 드러났다.

"돈도 안 내고 왜 이래, 개새끼야!"

그 순간 오아라의 입에서 나온 가장 절박하고도 본능적인 저항의 구호는 돈이었다. A가 비열한 표정으로 피식 웃더니 오아라를 타고앉은 채로 지갑을 꺼내서는 얼마인지도 모를 5만 원과 만 원 짜리 지폐 뭉치를 빼들었다.

"그래, 넌 역시 뼛속까지 창녀야, 스칼렛."

A는 잔뜩 혀 꼬부라진 소리로 알아들을 수 없는 욕지거리까지 내뱉으며 돈다발을 오아라의 얼굴에 뿌리고는 남아 있는 옷을 마저 벗기려 했다. 오아라가 따귀를 한 대 때리면 A는 두 대를 때렸고 발로 차면 머리채를 휘어잡고 고개를 비틀었다. 광대에서 흘러나온 피가 어느새 서로의 옷에 묻었지만 두 사람의 몸싸움은 멈출 기미가 안 보였다. 그때였다. 문이 열리고 노아가 들어온 것이. 노아는 눈앞에서 펼쳐진 광경을 보자마자 트렁크를 내팽개치고 번개처럼 A에게 달려들었다. 아무리 술기운까지 더해진 A라고는 해도 한창 팔팔한 20대의 노아를 당해낼 수는 없었다. 그렇게도 떼어내기 힘들었던 A는 참으로 손쉽고 가볍게, 노아의 두 손에 의해 오아라로부터 떨어져나갔다.

오아라의 얼굴과 몸 여기저기에 피가 묻어 있는 것을 본 노아는 A를 눕혀놓고 주먹질을 해댔다. 쥐약 먹은 개처럼 으르렁

거리던 A는 노아의 주먹이 날아올 때마다 '으헉' 소리를 내며 연신 잘못했다고 빌었다. 눈물을 흘리며 살려달라고 하는 A의 표정이 노아는 눈에 보이지 않았다. 늘 눈웃음치며 조용히 말하던 노아에게 그런 성난 모습이 있으리라곤 오아라도 미처 몰랐다. 정신을 차린 오아라가 이번엔 노아에게 달려들어 뒤에서 부둥켜안고 필사적으로 뜯어말렸다. 계속 놔두었다간 A가 죽을 것 같아서였다. 간신히 노아를 떼어내자 A는 방바닥을 뒹굴며 '어이쿠, 나 죽네'를 반복했다. 성이 안 풀린 노아는 벌떡 일어서더니 싱크대로 가 식칼을 꺼내왔다.

 "진짜 죽고 싶어? 죽여줘?"

 노아의 서슬 퍼런 기세에 A는 울음도, 죽는 소리도 뚝 그쳤다. 눈치를 보며 일어나서는 '스칼렛, 미안해' 한마디를 남기고 집 밖으로 황급히 사라졌다. 폭풍이 지나간 후 찾아온 정적 속에서 두 사람은 한동안 말없이 방바닥에 앉아 가쁜 숨을 몰아쉬었다. 잠시 후 노아가 반쯤 넋이 나간 오아라에게 다가가 얼굴과 몸을 살폈다.

 "넘어지면서 침대 모서리에 좀 찧었어. 괜찮아."

 노아는 다 벗겨지다시피 한 오아라의 상의를 추슬러주었다. 젖가슴 위쪽과 목 쪽으로 벌겋게 된 자국을 보고는 다시 한 번 성을 냈다.

 "멍들게 생겼네. 좆같은 새끼."

 여기저기에 피가 묻어 있는 옷을 보고는 안 되겠다 싶어 옷장에서 아무 옷이나 꺼내와 갈아입게 했다. 오아라는 노아 앞에서 벗은 몸을 처음 보이게 됐지만 이상하게 부끄럽다는 생각은 들지 않았다. 아빠 앞에서 옷을 갈아입는 어린 딸처럼 스스럼없이 옷을 벗고 입었다. 노아 역시 늘 그래 왔던 사람처럼 익숙한 손놀림으로 비틀거리며 옷을 갈아입는 오아라를 도와주었다. 보기보다 마른 듯한 그녀의 알몸이 노아를 더 안타깝게 했다. 노아는 따뜻하게 데운 우유를 한 잔 가져와 오아라에게 먹였다. 어느 정도 진정이 되자 오아라가 이 시간에 어떻게 온 거냐고 물었다.

"공항에 늦게 도착했는데 보고 싶더라고. 약속한 날은 아니지만 그냥 공항에서 택시 타고 들러봤지."

오아라는 힘없이 고개를 끄덕였다. 만약 이 시간에 찾아온 것이 노아가 아니라 김중권이었다면 어땠을까. 스칼렛이 된 자신이 얼굴도 모르는 중년 남자에게 창녀 소리를 들으며 만신창이가 되고 있는 모습을 그가 지켜봤다면. 오아라는 몸서리를 쳤다. 왜, 많이 안 좋아? 노아가 놀라서 물었다. 아니, 괜찮아. 잠시 지켜보고 있던 노아가 빈 컵을 치우고는 오아라를 침대로 데려가 눕혔다. 그 옆에 나란히 누운 노아는 오아라를 가만히 품에 안았다. 그를 만난 후 처음 오아라가 그의 가슴에 안겼다. 손조차 잡아본 적 없던 그의 가슴에. 자신을 감싸고 있는 노아의 두 팔이 거대한 나무 울타리 같기도 했고 아늑한 요새처럼 느껴지기도 했다.

긴 여행을 마치고 온 노아에게서는 생소한 바람 냄새가 났다. 까마득한 거리를 따라온 이국땅의 낯선 공기일까. 오아라는 크게 숨을 들이켜 그 냄새를 들이마셨다. 산소호흡기로 인공호흡을 하듯. 오아라의 숨소리가 불규칙하게 떨릴 때마다 노아는 더 꼭 그녀를 끌어안았다. 괜찮아. 이제 내가 옆에 있으니까 편히 자. 노아의 음성이 아빠의 자장가처럼 들렸다. 아빠의 자장가는커녕 목소리조차 들어본 적이 없으니 아빠의 자장가 같다고 느끼는 것은 맞지 않는 비유였다. 하지만 그것 말고는 딱히 형용할 말이 떠오르지 않았다. 잠깐, 찢어진 돌체앤가바나 원피스가 생각났다.

"내 이름, 오아라야."

무의식이 시킨 듯 뇌를 거치지 않고 흘러나온 말이었다. 노아는 아무 말이 없었다. 대신 오아라가 된 스칼렛을 안은 두 팔을 영원히 그럴 것처럼 단단히 묶고 있을 뿐이었다. A가 사라진 현관에는 노아가 데리고 온 튼튼해 보이는 대형 트렁크가 묵묵히 보초를 서고 있었다.

노아는 아침 일찍 밖에 나가 죽과 상처에 바르는 연고, 일회용 밴드를 사다 주고 나서야 돌아갔다. 오아라는 노아가 가고 난 후 샤워를 하고 연고를 바르고 죽을 먹었다. 그러는 내내 밤새 코끝을 맴돌았던 노아의 냄새와 귓가를 떠나지 않던 숨소리, 그리고 가슴으로 전해지던 그의 온기를 떠올렸다. 뜬눈으로 밤을 지새우게 될까 봐 걱정했던 것도 잠시, 언제 잠이 들었는지 기억이 나질 않았다. 그렇게 깊이 잠에 빠졌던 적이 얼마 만이었던가. 아침 햇살을 받으며 눈을 떴을 때 노아는 처음 누웠을 때와 똑같은 자세로 팔도 풀지 않은 채 오아라를 바라보고 있었다. 오아라가 몸을 일으키자 그제야 노아는 내내 깔려 있던 한쪽 팔을 주무르며 기지개를 켰다. 오아라는 미안하고 고마웠지만 표현하지 못했다.

남자와 잠자리를 하는 것과 같이 잠을 자는 것의 차이가 어떤 것인지 오아라는 비로소 알 것 같았다. 노아의 품에 안겨 잠이 들기까지의 짧은 시간 동안 그녀 머릿속에는 무수한 상념이 지나갔다. 장편을 쓸 동안 먹고살기 위해 시작했던 스칼렛으로서의 삶이 이렇게 빨리 한계에 부딪힐 줄 몰랐다. 더 벌어야 하고, 더 버텨야 하는데. 아직 장편은 제대로 시작조차 못했는데. 엄마 병원비는 더 늘어날 텐데. 이제야 겨우 명품 몇 개 손에 쥐었을 뿐인데. A에게 당하는 동안에도 오직 그런 생각뿐이었다.

집을 나서기 전 노아는 이 일을 그만두는 게 어떻겠느냐고 물었다. 자신이 먹고살 만큼 더 주겠다고. 이미 충분히 넘칠 정도로 주고 있는 그에게 오아라는 '아냐, 됐어'라고 말하고 싶었지만 그러지 못했다. 그러지 않았다. 어쩌면 그의 입에서 간절히 나오기를 바랐던 말이었는지도 모른다.

"이 일을 계속 할 수밖에 없는 이유들이 있어."

"이유는 모르겠지만 목적은 결국 돈이잖아."

노아의 말이 늦가을 불어오는 바람처럼 서늘하게 오아라의 심장을 쓸고 지나갔다. 생각해볼게. 그렇게 말하는 순간 오아라의 마음은 이미 스칼렛의 삶을 끝내는 쪽으로 기울고 있었다. 어쩔 수 없이 네 말대로 하긴 하겠지만 이건 충분히 고뇌에 찬 갈등 끝에 어렵사리 결정한 거야. 노아에게 그렇게 보이려면 얼마간의 시간을 끌어야 할지 계산해봤다. 그래도 양심상 며칠은 고민하는 척해야겠지.

엄밀히 말하면 A와의 관계를 끝낸다고 해도 스칼렛이 사라지는 건 아니었다. 노아만을 유일한 손님으로 상대하게 되는 것일 뿐. 노아와의 관계가 끝나야 스칼렛도 끝나는 것이었다. 그렇게 생각하니 노아에게 자신의 이름을 알려준 것이 괜한 짓이었다는 후회가 밀려왔다. 순전히 노아의 두 팔과 가슴 때문이었다. 인터넷 검색 창에 오아라 이름 석 자를 쳐볼 사람도 아니겠지만 그런다 한들 상관이나 있을까. 고작 신춘문예 등단작 하나가 전부인 이름 없는 작가라는 것을 알게 된다고 해도 달라질 건 없을 것이다. 겨우 그런 것 때문에 굳이 이름까지 숨길 필요가 있었냐고, 글로는 먹고살기 힘들어 택한 것이 결국 오피스걸이 되는 것이었냐고 비웃기라도 할까.

햇살이 부서지는 창밖을 보며 생각에 빠져 있던 오아라는 문득 책상으로 가 컴퓨터를 켜고 한글 창을 열었다. 그러고는 뭔가를 적어 내려가기 시작했다. 등단을 하고 난 후 지금까지 자신이 겪은 일들을 일기 쓰듯 써내려갔다. 대략 적어놓고 보니 그럭저럭 하나의 시놉시스가 된 것 같았다. 다소 막장 같은 느낌이 없지 않았지만 어차피 막장 아닌 삶이 있을까. 결국 돌고 돌아 자신의 이야기로 회귀한다는 것이 조금 꺼림칙하긴 했지만 어떤 것을 쓰느냐의 문제보다 어떻게 쓰느냐의 문제가 중요한 것이라고 스스로에게 주문을 걸듯 되뇌었다. 가난한 작가가 오피스걸이 된다는 설정은 사람들의 관심을 불러일으킬 만큼 흥미로울 듯했다. 다만 이것이 세상을 향한 커밍아웃이 되지 않을까 일말의 염려가 앞섰지만 만약 그렇게 된다면 곧 작품이 세상의 빛을 보게 됐다는 의미이기도 하니 그것은 독이 든 성찬이 될 것이다. 독배는 받고, 마시지만 않으면 될 일이다. 그것이 독배란 것만 경계한다면.

'초암' 때와 달리 시놉시스가 수월하게 써지는 걸 보면서 오아라는 이것이 될 이야기라는 감이 왔다. 자신이 쓸 수 있는 이야기와 쓸 수 없는 이야기의 경계를 스스로 알아버렸다는 것이 속상하긴 했다. 그것이 곧 작가적 역량의 경계가 될 것이라는 서글픔도 있었다. 중요한 것은 무엇이든 시작해야 한다는 것이다. 그것에만 집중하기로 했다. 자신의 이야기를 쓴다면 쓸 수 있는 것들은 무궁무진하게 늘어날 것이다. 또다시 명품이라는 소재도 우려먹을 수 있을 것이다. 잘만 하면 화자의 입을 빌려 자신의 삶에 그럴싸한 당위성과 철학적 의미를 부여할 수도 있을 것이다. A4 두 장 정도 되는 시놉시스의 초고를 완성한 오아라는 잠시 고민하던 끝에 파일명을 이렇게 저장했다. '시놉_스칼렛 오아라.

    오아라가 월간 〈더 퍼플〉지로부터 연락을 받은 것은 다음 날 명동사에 옷을 찾으러 가던 길이었다. 자신을 피처 에디터라고 소개한 기자는 〈더 퍼플〉지가 상류층들이 사는 최고급 주거지를 비롯해 특급 호텔, 스파, 유명 성형외과 및 피부과, 핫 플레이스로 뜨고 있는 레스토랑과 카페 등에 배포되는 국내 최대 부수의 럭셔리 라이프스타일 잡지라고 소개했다. 오아라도 카페나 레스토랑에서 자주 보던 잡지였다. 명품 광고가 콘텐츠보다 더 많아 보이는, 그래서 호화 사치를 조장하는 졸부들의 잡지라는 손가락질을 받기도 하는 매체. 그런 사실을 먼저 의식한 것인지 에디터는 명품에 대한 고급한 안목을 지니고 풍요로운 삶의 가치를 향유할 줄 아는 진정한 상류층을 위한 잡지라는 낯간지러운 설명부터 곁들였다.

    "잠시만요. 제가 길 가던 중이라 좀 시끄러워서."

    오아라는 휴대폰을 들고 대로변을 피해 한적한 골목 안쪽으로 들어갔다. 통화가 불편하면 나중에 다시 하겠다는 에디터에게 오아라는 이제 괜찮다고 답했다. 〈더 퍼플〉 같은 잡지에서 왜 자신에게 전화를 했는지부터 궁금했다. 에디터는 신춘문예 당선 소설을 인상 깊게 읽었다는 인사치레를 먼저 건넨 후 본론을 꺼냈다. 음악, 미술, 문학 세 장르에 걸쳐 앞으로 남다른 발전 가능성을 지닌 신인 세 명의 스페셜 인터뷰를 진행하는데 문학 쪽 인터뷰이로 나와 달라는 부탁이었다.

"신인 작가라면 저 말고도 더 좋은 분들이 많을 텐데……"

오아라는 같은 해 신춘문예 등단한 작가들만 따져도 열 손 가락이 넘는데 굳이 자신에게 연락을 준 것이 이해가 되지 않았다. 하지만 그 궁금증은 곧 풀렸다.

"등단작에서 보여주신 명품이라는 테마에 대한 소설적 접근이 좀 특별했거든요. 저희 잡지 성격과도 부합하고. 편집장님께서 직접 오 작가님을 언급하셨어요."

명품이 테마는 아니었다고 바로잡고 싶었으나 굳이 맥을 끊어놓을 필요는 없었다. 지금 중요한 맥은 그게 아니었으니까. 비록 상상으로만 그려보던 〈보그 코리아〉로부터 온 섭외 전화는 아니지만 오아라도 관심 있게 보던 상류층 멤버십 잡지에서 인터뷰를 요청해왔다는 것이 팩트였다. 그것도 온갖 럭셔리 브랜드 광고는 다 들어간다는 〈더 퍼플〉지에서. 에디터는 4페이지짜리 화보성 인터뷰라고 설명해주었고, 인터뷰와 촬영 일정은 최대한 오아라의 스케줄에 맞출 수 있다고 했다.

"저희 잡지 보시면 아시겠지만 각계각층의 셀럽들 인터뷰도 많이 나가거든요. 오아라 작가님과도 좋은 인연이 됐으면 해요."

셀러브리티를 의미하는 '셀럽'이라는 표현에 오아라는 기분 좋은 전기 자극이 몸을 타고 흘러내리는 것을 느꼈다.

"그렇게까지 말씀하시니 차마 거절하기가 어렵네요."

오아라는 마지못해 받아들이는 척 응수했다. 에디터는 진심에서 우러나온 목소리로 감사하다는 말을 두 번 반복했다. 제가 감사하죠. 오아라는 마음속으로 중얼거렸다. 이번 꼭지가 화보성 인터뷰다 보니 다소 번거롭더라도 촬영 콘셉트와 스타일링 방향을 정하기 위해 스타일리스트와 사전 미팅을 한번 해야 하는데 괜찮으냐고 에디터가 물었다. 오아라가 시간을 알려주면 잡지사 쪽으로 가겠다고 하자 에디터는 위치가 압구정동이고 편한 시간에 언제든 환영이라고 답했다.

"아, 그렇군요. 마침 지금 압구정인데."

오아라의 얘기에 에디터는 반가워하며 '어머, 그러세요? 그럼 지금 잠깐 뵐까요?' 했다. 그리고 통화를 끊은 지 30여 분 후 오아라와 에디터는 근처 카페에서 만났다.

올해 트렌드 컬러라는 핑크 레드 립스틱을 바르고 화려한 클러치 백을 들고 나온 에디터는 작은 키 때문인지 위태로워 보일 정도로 굽이 높은 크리스찬 루부탱의 킬힐을 신고 나왔다. 회사에 클러치 백을 들고 출근한 것일까 아니면 잠깐 사무실 밖으로 나오느라 들고 나온 것일까 궁금했다. 출근용이라고 하기엔 크기가 파우치 수준이었다. 잠깐 들고 다니기에도 꽤나 용기가 필요할 것 같은 강렬한 오렌지 컬러에 과하게 번쩍거리는 금장식이 달린 클러치 백은 야심한 밤 클럽 파티에 갈 때나 어울릴 법한 아이템이었다. 게다가 하얀색 테에 큐빅이 잔뜩 박힌 펜디의 오버사이즈 미러 코팅 선글라스를 쓰고 있어서 보는 이에 따라서는 살짝 정신 나간 여자처럼 볼 법한 이미지였다. 요란한 명품을 두른 것까지는 괜찮은데 〈더 퍼플〉지의 에디터치고는 전혀 고급스러워 보이지 않는다는 게 치명적인 문제였다.

"역시 명품 잡지 에디터님이라 들어오실 때부터 뭔가 달라 보이네요."

그럼에도 불구하고 오아라 입에서는 의중과는 전혀 다른 인사말이 나갔다. 의도치 않은 말의 효과 역시 의도치 않게 좋았다. 그런가요? 호호. 에디터는 손바닥으로 입을 가리고 목을 꺾어가며 웃었다.

"등단작 읽었을 때도 남다르다 싶었는데 역시 오 작가님 옆에는 돌체앤가바나가 있네요. 제 촉이 틀리지 않았어요."

명동사에 수선을 맡겼다 찾아온 돌체앤가바나 쇼핑백을 본 에디터가 눈을 반달처럼 만들며 말했다. 근처 명품관에서 쇼핑하셨나 보다. 에디터의 수선에 오아라는 그냥 웃으며 고개만 끄덕였다. 에디터는 전화로 했던 얘기들을 다시 한 번 자세히 설명한 후 〈더 퍼플〉지에 왜 예술계의 셀럽들이 많이 나와야 하는지에 대해 한참을 떠들어댔다.

"진정한 럭셔리는 값으로 따질 수 없는 거잖아요. 그런 점에서 명품이 가장 명품다운 가치로 승화된 형태가 예술이라고 생각해요. 허접한 연예인이 프라다를 드는 것보다 소설가, 음악가, 미술가들이 프라다를 들었을 때 비로소 진짜 밸런스가 맞는 이치라고 할까. 예술가들이야말로 진정한 명품의 가치와 의미를 향유할 줄 아는 부류니까요. 이번 인터뷰도 이런 매체로

서의 철학과 사명감이 담겼다는 점에서 아주 중요하다고 할 수 있죠."

미리 암기해온 대본을 외우듯 에디터 입에서 막힘없이 흘러나오는 설명을 들으며 오아라는 김중권을 떠올렸다. 이 얘기를 그가 들으면 어떤 반응을 보일까. 토시 하나까지도 미리 계산된 듯한 표현 때문에 상당히 기계적으로 들리긴 했지만 묘한 설득력을 지니고 있었다. 에디터가 말한 그 '부류'에 포함됐다는 사실이 오아라는 아직도 실감이 나지 않을 뿐이었다.

월세 50만 원짜리 원룸에 살면서 먹고살기 위해 밤에는 오피스걸로 일해야 하는 가련한 작가라는 사실을 알게 되면 에디터는 뭐라고 할까. 누추한 현실에 감쪽같은 당의정을 입혀 존재의 가치를 탈바꿈시키는 돌체앤가바나의 힘은 실로 대단한 것이었다. 그러니 오아라는 에디터의 논리를 천박하다고 욕하고 싶은 마음이 전혀 없었다. 아찔한 높이로 뻗어 올라간 크리스찬 루부탱 킬힐 역시 에디터를 하이클래스의 세상으로 수직 상승시키는 요술 램프 같은 것일 테니까. 그 힘 자체가 에디터의 논리인 것이고 삶의 방식인 것이다. 오아라는 그것을 부정할 수 없었고 부정하기 싫었다. 이런저런 잡다한 수다와 함께 에디터는 몇 가지 촬영 시안을 보여주었고, 의상 협찬을 위해 오아라의 신체 치수를 적어갔다.

에디터와 헤어진 오아라는 한낮 압구정 대로를 산책하듯 천천히 걸었다. 뜻하지 않게 찾아온 작은 기회. 당연히 이것으로도 인생이 바뀔 일은 없을 것이다. 등단이라는 행운이 삶의 아무것도 변화시키지 못한 것처럼. 그래도 막장 같은 인생이기에 어디로 튈지는 아무도 알 수 없는 것 아닐까. 이 작은 이벤트가 누추한 현실을 조금이나마 다른 방향으로 튕겨내는 조약돌이 돼줄지도 모르는 일이니. 오아라는 그렇게 애써 자위하기로 했다.

노아가 없는 동안 서지희라는 여자가 찾아왔다. 얼굴은 젊어 보였는데 하고 온 행색은 영락없는 강남의 졸부 사모님 스타일이었다.

"노아 보러 왔어요."

다소 딱딱한 말투였음에도 불구하고 김순옥은 문장의 길이를 넘어서는 이상한 간절함이 느껴져 별 의심 없이 문을 열어주었다. 안으로 들어온 서지희는 집 안을 이리저리 둘러보며 노아는 어디에 있느냐고 물었다. 며칠째 연락이 안 된다고도 했다.

"여행 갔어요. 외국으로."

서지희는 김순옥의 말에 긴 한숨을 내쉬며 옆에 놓여 있던 의자에 털썩 주저앉았다.

"당신은 누군데 여기 있죠?"

김순옥은 당황했다. 가장 원초적인 질문 앞에 자신을 누구라고 설명해야 할지 알 수 없었기 때문이다. 그냥 같이 사는 여자인데요. 말하고 보니 궁색한 변명을 둘러댄 것 같아서 기분이 썩 유쾌하지 않았다. 너는 누구인데 이렇게 불쑥 쳐들어와서는 나의 정체성을 캐묻는 거니.

"연인 사이예요?"

사랑하는 사이냐고 묻는 것 같은데 김순옥은 어떻게 답해야 할지 고민이 됐다. 자신과 노아는 정말 어떤 사이인 것일까. 이 관계를 명명할 수 있는 가장 적확한 단어는 무엇이지. 단순한 동거인의 관계라고 하면 안 될 것 같은데 그 이상을 부연 설명해줄 마땅한 표현이 떠오르지 않았다.

"그러는 당신은 누구시기에 아침부터……."

김순옥은 여전히 선 채로 서지희에게 되물었다. 그녀는 불안한 듯 흔들리는 눈빛으로 김순옥의 얼굴을 올려다봤다. 스모키 화장 수준으로 짙게 그린 아이라인은 그녀의 얼굴을 훨씬 나이 들어 보이게 했다. 화장솜에 클렌징 워터를 묻혀 꺾여 올라간 아이라인의 꼬리 부분을 살짝 지워주고 싶었다. 그러면 한결 다소곳하고 여성스러운 얼굴이 될 것 같았다.

"아침에 오면 노아를 볼 수 있을 줄 알았어요."

서지희는 그렇게 말하고는 고개를 아래로 꺾었다. 우는 건가. 김순옥은 팔짱을 낀 채 잠시 그녀를 지켜봤다. 아무 미동도 없는 걸 보니 우는 건 아닌 듯했다.

"누구랑 간 건지 알아요?"

여전히 고개를 숙인 채 힘없는 목소리로 서지희가 물었다.

"사모님들 중 한 명과 갔겠죠."

서지희의 고개가 다시 올라왔다. 그러고는 알 수 없는 미묘한 눈빛으로 김순옥을 쳐다봤다. 왜 저런 눈빛으로 날 보는 것일까. 실연당한 여자가 옛 남자의 새로운 여자 앞에서나 보일 법한 눈빛으로.

"전화도 안 받고 가게에도 안 나오고 며칠 밤 집 앞을 지켜도 코빼기도 볼 수가 없어요."

짧은 시간 동안 듣게 된 단편적인 정보만으로도 이 상황이 어떻게 돌아가고 있는지 김순옥은 대충 짐작이 갔다. 노아가 며칠 밤 집 앞을 지켜서라도 만나야 할 정도의 존재가 돼버린, 돈 말고는 아무런 매력도 지니지 못한 이 가련한 존재에게 김순옥은 위로의 말을 건네야 할지 충고를 해주어야 할지 섣불리 판단이 서질 않았다. 기술과 사랑을 구분 못하고 선수들과 사랑에 빠지는 고객들이 한둘은 아니겠지만 이성이 마비될 만큼 상황 분간을 못한다면 누구보다 노아가 피곤해질 것이다.

"선수가 돈으로도 안 된다면 완전히, 아니 완벽히 끝난 거 아니겠어요?"

서지희가 돌변한 것은 그 말 때문이었다. 갑자기 자리를 박차고 일어서 김순옥의 멱살을 쥐어 잡은 서지희의 눈빛은 조금 전과는 사뭇 달라져 있었다. 죽일 듯이 노려보는 서지희의 시선에서 옅은 살기마저 느껴졌다. 김순옥은 그 눈빛이 섬뜩하지도 무섭지도 않았다. 그 속에서 얼핏 윤석향을 향한 자신의 미움과 분노가 보였기 때문이다. 마치 두 사람 사이에 심리적 동화 작용이 일어나는 듯 서지희가 느끼고 있는 감정이 날것 그대로 전이되는 기분이었다. 멱살을 잡히고서도 별 동요 없이 침착함을 유지하고 있는 김순옥의 태도가 서지희를 더욱 흥분하게 했다.

"세상에 널린 게 선수들이에요. 노아에게 매달릴 시간에 노아를 대체할 다른 남자를 찾는 게 현명한 방법 아닐까요? 가진 것도 많으신 거 같은데."

"노아는 하나야. 노아는 하나라고!"

서지희가 발악을 하는 통에 김순옥은 더 이상 아무 말도 하지 못했다. 그래, 맞다. 노아는 하나다. 노아를 대체할 사람은 없다는 사실을 김순옥 역시 누구보다 절박하게 깨닫고 있었다. 멱살을 잡힌 상대에게 느끼고 있는 측은지심이 자신을 향한 것이기도 한 것 같아서 그녀를 뿌리칠 수 없었다. 맞춰지지 않는 사랑의 불균형은 늘 어느 한쪽을 더 미치게 만들 뿐이다. 미치지 않으려면 어떻게 해야 하는지 서지희라는 여자와 머리를 맞대고 진지하게 토론이라도 해보고 싶었다. 자신도 서지희처럼 저렇게 미쳐버리기 전에. 아니, 이미 미친 건지도.

한참 난리 끝에 바람 빠진 풍선처럼 축 늘어진 서지희가 돌아간 후 김순옥은 잠시 동안 일어난 일이 꿈을 꾼 것처럼 아득하게 느껴져 한동안 멍하니 앉아 있었다. 노아가 돌아오면 물어볼까. 어떻게 하면 한 사람을 저토록 미치게 만들 수 있는지.

너의 몸이 그렇게 한 것인지 마음이 그렇게 한 것인지. 아니면 심신이 할 수 없는 그 이상의 무언가가 있어야만 가능한 것인지. 노아를 기다리는 김순옥의 마음은 그래서 더 간절해지고 있었다.

　여행에서 돌아온 노아는 어딘지 달라 보였다. 말수도 별로 없었고 뭔가 깊은 고민에 빠져 있는 표정이었다. 지금까지 별생각 없이 사는 것 같던 사람이 여행을 기점으로 무언가 심정의 변화라도 겪은 듯했다. 여행에서 무슨 일이 있었던 것일까. 그럴 일이 있었을 것 같진 않다. 사모님과 외국 여행까지 가서 그럴 일을 만들 노아가 아니다. 그는 분명히 긴 여행의 시간 동안 오롯이 한 여자만의 남자가 되어 충실히 본분을 수행하고 왔을 것이다. 평상시에도 그리 많은 대화가 오갔던 것은 아니지만 어쨌든 여행 이후의 노아는 더욱 말이 없어졌다. 전에 없던 낯설고 어색한 침묵이 끼어들 때마다 김순옥은 안 그래도 불편하고 불안한 마음에 잔뜩 날이 서는 기분이었다. 여행은 좋았어? 지나가는 말로 물어봤지만 노아는 별 대답 없이 씩 웃고 지나갈 뿐이었다. 긴 여정에 지쳤을 만한데도 집에 거의 붙어 있지 않았다.

　김순옥은 그 어느 때보다 애타는 마음으로 노아가 돌아오기만을 기다렸다. 술이라도 한 잔 기울이며 그간 있었던 짜증나고 분한 일들을 하소연하고 싶었다. 윤석향과도 끝이라고. 모든 게 오아라라는 여자 때문이라고. 물론 내게도 잘못은 있지만 작가랍시고 고상한 척하면서 밤마다 남자들한테 몸이나 파는 추악한 인간이라고. 그래서 네가 더 그리웠고 보고 싶었다고. 속 시원하게 다 털어놓고 한바탕 울고 나서 너의 그 단단하고 넓은 가슴에 안기고 싶었다고. 이제 내 곁에는 너뿐이라고.

한데 노아는 좀처럼 말문을 열 기회를 주지 않았다. 두 사람 사이에 까마득한 거리감을 만들고 있는 낯선 그의 얼굴이 모든 소통을 원천적으로 차단시키고 있었다. 그의 표정은 마치 '네가 입을 여는 순간 난 물거품처럼 사라질 거야'라고 말하고 있는 듯했다. 그렇게 갑갑한 며칠을 보내고 노아는 김순옥을 불러 앉혔다.

"할 말이 있어."

김순옥은 노아가 그토록 진지한 표정으로 말하는 것 역시 처음 봤다. 생소한 표정 안에는 이미 그가 꺼낼 언어들에 대한 무수한 암시가 들어 있었지만 함부로 해독하기가 두려웠다. 오늘따라 그의 짙고 검은 눈썹과 양 꼬리가 살짝 말려 올라간 입술이 미치도록 탐하고 싶게 만들었다. 서지희가 다녀갔다는 얘기도 해야 하는데…….

"여자가 생겼어. 사랑하는 여자."

노아의 입에서 흘러나온 사랑이라는 단어가 꿈속을 떠도는 이상한 빛 무리처럼 비현실적으로 다가왔다. 소리로는 인지했는데 그 의미는 전혀 와 닿질 않았다. 사전이라도 뒤져보고 싶은 심정이었다. 지금 노아가 말하는 사랑은 대체 무엇을 말하는 것일까. 남들이 다 떠들어대는 그 사랑? 아니면 노아만의 새로운 의미가 부여된 사랑? 이쪽도 저쪽도 이해 안 되기는 마찬가지였다.

"이제 그만 너와 헤어지고 싶어."

노아의 맑은 두 눈이 김순옥을 가만히 응시하고 있었다. 김순옥은 사랑과 헤어짐이라는 지극히 빤한 틀 안에 속수무책으로 갇혀버렸다. 넌 어떻게 그런 눈빛을 하고 그런 목소리로 그런 말을 할 수 있니……. 김순옥은 열심히 텔레파시를 보냈다. 제발 그 눈빛 좀 치워달라고, 그 목소리 좀 어떻게 해달라고. 지금 이 순간 노아는 자신의 마음을 헤아려줄 만큼 가까운 존재가 아니었다. 노아의 시선은 김순옥에게서 확실한 대답을 들을 때까지 계속 그러고 있을 것처럼 흔들림 없이 단단했다.

"서지희라는 여자가 찾아왔어. 꼭 연락 좀 달래. 너무, 간절해 보이더라."

뜻밖의 얘기에 군건해 보였던 노아의 표정에 미세한 일렁임이 퍼져나갔다. 서지희가 노아의 얘기를 함께 들었다면 어떤 반응을 보였을지 문득 궁금해졌다. 이번에는 노아의 멱살을 붙든 채 또 한 번 이성을 잃었겠지. 울며불며 매달리다가 협박도 했다가 빌었다가 화냈다가 무릎 꿇었다가 욕을 해대며 포악을 떨었을 것이다. 그리고 그 상상은 김순옥 자신이 하고 싶은 것들이기도 했다. 그러지 않기 위해서 김순옥은 어금니를 꽉 깨물며 안간힘을 다해 참고 있었다.

"신경 쓸 거 없어. 그 여자는."

서지희를 향한 무심하고도 냉랭한 반응에 김순옥의 마음이 서늘해졌다. 무심함과 냉랭함이 자신을 함께 겨누고 있는 것 같았다. 멱살을 잡고 행패를 부렸던 서지희에게 다시금 동정심을 느끼고 있는 스스로가 그저 웃기고 서글펐다.

"널 많이 사랑하는 것 같던데."

노아가 말하는 사랑과 서지희의 사랑은 같은 것일까. 눈에 보이는 것이라면 DNA라도 추출해 성분 분석을 의뢰하고 싶었다. 서지희와 관련된 얘기에는 반응을 하지 않을 모양인지 그의 입은 굳게 닫혀 있었다. 김순옥이 질문을 바꿨다.

"어떤 여자야? 고객?"

"고객은 아니고, 비슷한 일을 하는 여자야."

"호스티스? 네가 고객인 거야?"

사랑하는 여자가 생겼다는 말보다 더 놀라운 이야기였다. 노아가 돈으로 여자를 샀다는 것은 전혀 상상할 수 없는 일이었다. 많은 선수들이 그런다고 해도 노아는 아닐 줄 알았다. 다를 줄 알았다. 더군다나 그런 여자와 사랑에 빠지는 바보 같은 짓은 절대 하지 않을 줄 알았다. 보상 심리일 거야, 노아야. 그건 사랑이 아니야. 네가 돈을 주는 여자들에게 온몸 바쳐 충성하는 것처럼 그 여자 역시 받은 만큼 네게 서비스하는 것뿐이야. 어떻게 선수가 선수를 모르니? 그러니 내 말을 좀 들으렴. 노아,

제발……. 김순옥의 마음속에서는 시끄러운 외침이 어지럽게 꼬리를 물었다.

"그렇게 여러 명을 상대하면서 따로 사랑에 빠질 시간도 있었구나, 넌."

"사랑에 빠지는 데 왜 시간이 필요하지?"

주관도 없고 철학도 없고 삶을 살아가는 자신만의 방법론조차 없다고 믿었던 딱한 존재가 지금 모노드라마의 주인공 같은 대사를 하고 있다. 언제부터 자기 목소리가 생긴 것일까. 사랑이 이렇게 만든 것이라면 놀라운 일이다. 노아의 내면 안에 숨겨져 있던 또 다른 자아라면 더욱 놀라운 일이고.

"그러니 나가줬으면 좋겠어. 내 집에서."

원하지 않는 끝은 늘 예상치 않은 타이밍에 찾아온다. 그리고 타이밍이 맞지 않는 끝은 언제나 최악이다.

김순옥은 이틀 뒤 노아의 집에서 나왔다. 들어갈 때처럼 트렁크와 큰 가방 하나가 전부였다. 노아는 아침 일찍 나간 터라 얼굴도 보지 못했다. 더 오래 머무는 것이 불편해 무작정 나오긴 했는데 막상 갈 곳이 없었다. 어쩔 수 없이 일단 저렴해 보이는 모텔을 찾았다. 그리 좋은 시설을 기대했던 것은 아니었지만 방에서 풍겨 나오는 퀴퀴한 냄새와 담배 구멍 난 누런 이불을 마주하는 순간 돈을 물리고 도로 나가고 싶었다. 짐을 풀 생각도 못한 채 녹슨 스프링 소리가 신경을 긁어대는 침대 끝에 앉아 얼마간 넋을 놓고 있었다. 노아에게마저 버림받았다는 생각을 하면 더 견디기 힘들었지만 멋대로 돌아가는 뇌를 통제할 힘이 없었다.

집을 나올 때까지 이틀 동안 노아는 거의 얼굴을 볼 수 없었다. 자신도 마음이 불편해서 일부러 피했을 것이다. 그래도 김순옥은 한 번이라도 더 대화를 나누고 싶었다. 어떤 말을 어떻게 해야 할지는 몰랐지만 그래도. 〈문학과 미래〉에서도 쫓겨나고 윤석향과도 끝났는데 어떻게 나한테 이럴 수 있느냐고 매달려보고 싶은 마음 또한 없지 않았다. 새벽녘 김순옥이 잠든 줄 알고 조용히 들어와 이불도 없는 방바닥에 돌아누운 노아의 굽은 등을 보며 그 얘기는 영원히 할 수 없으리란 걸 알았다. 눈부신 그의 알몸을 더 이상 볼 수 없으리라는 것도.

새로 직장을 알아보는 일은 여의치 않았다. 어지간한 문예지 쪽은 출판 시장이 안 좋은 관계로 편집부 직원을 줄이고 있는 추세였다. 대중적인 장르 문학을 하는 출판사 한 곳에 자리가 있다고는 했지만 허접한 무협소설이나 만들고 싶진 않았다. 그래도 〈문학과 미래〉 편집자 출신인데. 김순옥은 침을 한 번 꿀꺽 삼키고는 〈문학과 미래〉 총무과로 전화를 걸었다. 실업급여를 받을 수 있도록 조치해줄 수 있는지 알아보기 위해서였다.

"사고 치고 사표 내셨다고 들었는데 실업급여는 좀 말이 안되죠."

어린 목소리의 총무과 여직원은 회사 대표라도 되는 것처럼 단호하게 말했다. 총무과에 갈 때 몇 번 봤던 막내 인턴인 듯했다. 굽신거리며 말도 제대로 못하던 앳된 모습이 떠올랐다. 그럼 퇴직금은……. 김순옥은 한참 어린 인턴에게 기어들어가는 목소리로 말했다. 기다리세요. 곧 처리될 거예요. 김순옥이 뭐라 더 물을 새도 없이 전화는 끊겼다.

4년간이나 몸담아온 조직은 순식간에 김순옥을 뭐라도 뜯어내려 하는 버러지 같은 존재로 만들었다. 그냥 잠자코 기다릴 것을 굳이 전화를 한 것이 후회가 됐다. 적금 2천만 원과 퇴직금이면 그래도 한동안 먹고살 수 있을 것이다. 세상에 널리고 널린 게 출판사니 눈높이만 낮추면 어디든 들어갈 수도 있을 것이다. 그렇게까지 최악은 아니다. 자꾸 최악이라는 생각이 드는 것은 감성적이고 나약해졌다는 증거다. 상황에 함몰돼서는 안 된다. 내가 내 발목을 잡아서는…….

무엇을 해야 할지 몰라 우두커니 앉아 있는데 문자가 왔다. KY성형외과에서 온 수술 예약 확인 문자였다. 휴대폰 화면을 물끄러미 내려다보고 있던 김순옥의 눈에서 눈물 한 방울이 볼을 타고 흘러내렸다. 가까스로 버티고 있던 자존감도 녹아내리기 시작했다. 이내 닦고 닦아도 그칠 줄 모르고 흐르는 눈물 때문에 두 눈을 봉해버리고 싶었다. 김순옥은 차가운 방바닥으로 내려와 두 무릎을 가슴팍에 붙이고 잔뜩 웅크린 채 울었다. 그러자 눈물만큼 끔찍한 후회가 밀려들었다. 오아라의 작품을 처음 받았을 때 돌려보내지 않고 윤석향에게 보여주었다면, 일

면식도 없는 작가의 작품을 갖고 이상한 장난을 치지 않았다면……

김순옥은 자신이 왜 그런 판단을 하고 그런 행동을 했는지 이제 이유조차 가물가물해졌다. 오아라는 몸 팔아가며 계속 글을 쓰고 있을까. 윤석향이 오아라를 만나게 된다면 어떤 일이 벌어질까. 편집부의 한 미친년 때문에 서로 크나큰 오해가 있었다며 〈문학과 미래〉와 작가 오아라의 진정한 만남을 자축하는 팡파르라도 울릴까. 윤석향이 그렇게나 애정을 보이는 것으로 보아 〈문학과 미래〉라는 울타리 안에서 오아라를 제대로 키워보려는 욕심이 분명 있는 것이다. 몇 편의 단편을 발표한 후 〈문학과 미래〉의 이름으로 오아라의 단편집과 장편이 차례대로 발간되겠지. 그때쯤 되면 난 어디에서 무엇을 하고 있을까. 김순옥의 눈물은 좀처럼 그칠 줄 몰랐다.

김순옥이 떠난 후 노아는 도배와 장판을 새로 하고 커튼과 침대를 바꾸었다. 옷장도 하나 더 들여놓았으며 김순옥이 남기고 간 자잘한 흔적들을 보이는 족족 치우고 버리고 태웠다. 이제 어느 정도 다 치웠다 싶으면 또 다른 흔적이 나왔고, 이것이 마지막이겠지 하고 버리면 또 다른 마지막이 나왔다. 1년도 채 머물지 않고 떠났건만 사람의 흔적이란 게 참 거머리 같다고 노아는 생각했다. 악착같이 매달린 끝에 노아가 진짜 마지막으로 치운 김순옥의 흔적은 세면대에 붙어 있던 길고 구불구불한 수십 가닥의 머리카락이었다.

오아라에게 집으로 들어와 함께 살자고 했을 때 그녀는 잠시 생각할 시간을 달라고 했다. 싫어도 잠자리를 하고 내키지 않아도 같이 여행을 가야 할 때의 곤혹스러움을 늘 겪으며 살아온 노아는 그녀가 부담 갖지 않고 결정할 수 있도록 충분히 배려하려고 노력했다. 오아라에게 집으로 들어오라고 한 이유는 물론 함께 살고 싶은 마음 때문이기도 했지만 난리를 한 번 치르고도 정신 못 차리고 계속 찾아오는 A 때문이었다. 그날 이후 노아는 가급적 낮 시간 동안 사모님들을 상대하고 밤이면 오아라의 집으로 가 그녀의 곁을 지켰다. A는 술에 취해 한 짓을 정확히 기억하고 있었고 며칠 후에는 멀쩡한 정신으로 찾아와 술에 취했을 때와 똑같은 짓거리를 했다. 다만 행패의 대상이 오아라에서 노아로 바뀌었다.

A는 자신과의 관계를 끝내자는 게 이 새끼 때문이냐며 노아를 향해 핏대를 세운 채 성을 냈다. 그러고는 널 정말 사랑했다는 통속적인 대사까지 던지며 오아라의 바짓가랑이를 잡고 늘어졌다. 떼어내려는 노아를 향해 무기력하게 주먹을 날리는 A가 측은하게 느껴지기도 했다. 돈을 주고도 살 수 없는 여자가 돼버린 스칼렛에게 A가 집착하는 것은 남자의 본능 같은 거라고 노아는 이해했다. 그래서 좋은 말로 어르고 달래 돌려보내려고 했다. 급기야 A가 싱크대로 달려가 칼을 집어 들자 더 이상 참을 수 없어진 노아는 그의 코앞으로 다가가 목을 들이밀

며 찌르라고 했다. A는 서슬 퍼런 노아의 행동에 칼을 든 채 주저거리고 있었다. 노아가 옆에 있던 프라이팬을 집어 칼을 들고 있던 그의 손목을 가격한 것은 순식간에 일어난 일이었다. 칼이 떨어지는 것과 동시에 주먹을 정통으로 맞고 쓰러진 A는 노아에게 완전히 제압당한 채 덫에 걸린 고라니처럼 혹은 그물에 걸린 물고기처럼 무기력하게 파닥거렸다. A의 코에서는 빨간 피가 애처롭게 흐르고 있었다. 노아가 경찰에 신고를 하려고 했지만 오아라가 극구 말리는 통에 그대로 A를 돌려보내는 수밖에 없었다. 신고해봤자 오아라도 난처해진다는 걸 노아 역시 잘 알고 있었다.

그날 노아는 집으로 오면서 결심했다. 김순옥을 내보내기로. 막상 집에 도착한 노아는 밖에서 한 시간 가까이 서성이며 시간을 끌었다. 결심이 흔들리거나 갈등이 돼서가 아니라 김순옥에게 사랑하는 여자의 존재를 밝힐지 말지를 결정하기 위해서였다. 그것은 김순옥을 납득시키는 데 있어서 중요한 핵심이었지만 사랑이라는 감정에 대해 전혀 확인해본 바가 없는 관계를 혼자서 사랑이라 규정짓는 것이 조금 고민이 됐기 때문이다. 그럼에도 불구하고 말하기로 한 것은 그것이 김순옥에 대한 예의라고 판단해서였다. 집을 나가주어야 하는 어쩔 수 없는 이유를 명확히 밝히는 것 말이다. 다행히 김순옥은 노아의 말을 순순히 받아들이는 듯했다.

여행을 가면서 아예 꺼놨던 휴대폰은 전원을 켜자마자 서지희의 전화와 문자로 연신 울어댔지만 이미 그녀는 노아의 관심 밖이었다. 김순옥으로부터 그녀가 집에 찾아왔다는 얘기를 들었을 때 살짝 놀라기는 했으나 그것은 인력으로 어쩔 수 없는 일이었다. 그러지 말라고 연락하는 것조차 서지희에게는 일말의 여지를 주는 일이 될 수도 있을 것 같아 아예 관심을 끄기로 했다. 인력으로 안 되는 일도 시간은 해결해주니까.

　도배와 장판을 새로 마친 집은 한결 깨끗하고 산뜻해 보였다. 도배지 색깔은 어떤 걸로 할까? 노아는 오아라에게 들어오겠다는 대답을 듣기도 전에 도배지 색깔부터 물어봤다. 오아라는 아무 생각 없이 '그냥 복잡하지 않은 흰색이 좋아'라고 했고, 그것이 곧 자신의 제안에 대한 답이라는 것을 알았다. 같은 공간인데도 누가 들어오느냐에 따라 그 의미가 달라진다는 것이 신기했다. 익숙하던 공간에 새로운 의미를 부여하느라 정신없이 움직이는 와중에 가끔씩 김순옥이 걱정되긴 했다. 김순옥이 이틀 만에 집을 따로 구해서 나갔을 것 같지는 않았다. 충분한 시간적 여유를 두고 머물 집이라도 마련한 후 나갔더라면 노아도 웃는 얼굴로 배웅을 했을 것이다. 마땅한 대안도 없이 급하게 나간 것이 분명한 만큼 노아의 마음도 편치만은 않았다. 준비되지 않은 이별은 이별을 고하는 이에게도 불편하고 가슴 아프기가 매한가지라는 것 역시 알게 됐다. 그래도 깊은 관계는 아니었으니까, 사랑했던 사이는 아니었으니까 괜찮아. 노아는 속으로 그렇게 생각하며 걱정을 털어냈다. 그 시각 김순옥은 여

228

전혀 모텔 방에서 홀로 울고 있는 줄도 모른 채.

노아의 방 2층 창문에는 초저녁인데도 불이 켜져 있었다. 함께 있을 때는 거의 나가 있을 시간이었다. 사랑한다는 여인이 벌써 집으로 들어온 것일까. 언제나 자신을 감싸고 있던 빛으로부터 떨어져 나와 거리를 두고 바라보게 된 빛은 전혀 다른 색깔, 다른 질감을 띠고 있었다. 이미 완벽하게 타인의 것이 돼버린 내 것. 다시 그 안으로 들어갈 수 없는 안타까운 빛. 빼앗겨버린 빛 안에서 뭔가 어른거리는 그림자 같은 것이 보인 것도 같다. 노아일까. 그의 실루엣이라도 한 번 보고 싶은 마음에 김순옥은 자꾸 까치발을 들었다.

당장 모텔에서 나가 월세집이라도 알아봐야 하는데 김순옥은 계속 이상한 무기력증에 시달리고 있었다. 모텔에 든 지 이틀 만에 처음 나와 발길을 옮긴 곳이 결국 이곳이라는 사실은 김순옥을 더욱 맥 빠지게 만들었다. 전기를 맞은 듯 붙박이처럼 선 채 창문을 올려다보고 있던 김순옥은 갑자기 들려오는 인기척에 맞은편 골목으로 급히 몸을 숨겼다. 문이 열리고 계단으로 노아가 내려왔다. 양손에 터질 듯이 가득 찬 20리터짜리 쓰레기봉투를 들고 나온 그는 담벼락 끝 쓰레기들을 모아둔 곳에 놔두고 들어갔다. 어두운 밤인 데다가 짧은 순간이어서 노아의 얼굴은 제대로 볼 수 없었다.

김순옥은 노아가 버리고 간 쓰레기 더미로 다가가 쭈그리고 앉았다. 동그란 손거울, 거의 다 쓴 핸드크림, 길거리 노점상에 서 산 싸구려 액세서리들, 낡은 구두 한 켤레, 겨울에 끼다가 어 딘가 넣어 두었던 장갑, 〈문학과 미래〉 창립 기념으로 만들었으 나 디자인이 촌스러워 쓰지 않고 놔두었던 수첩, 헤이리에 갔다 가 어느 카페에서 사온 커피 잔, 그리고 구찌 열쇠고리도 보였 다. 쓰레기봉투를 채우고 있는 것은 대부분 김순옥이 쓰던 것 이거나 쓰지 않고 처박아 두었던 것 혹은 김순옥이 노아에게 준 것들이었다. 자신도 잊고 있었던 물건들이 대형 쓰레기봉투 두 개를 가득 채울 정도였다.

김순옥은 쓰레기봉투를 열고 중간쯤 들어가 있는 구찌 열쇠 고리를 빼내려고 했다. 쓰레기들이 너무 꽉 차 있어서 손이 좀 처럼 들어가질 않았다. 위쪽 쓰레기들을 조금 빼내고 다시 손 을 넣으려는데 압력을 못 이긴 쓰레기봉투의 옆구리 부분이 툭 하고 터져버렸다. 순간 오아라의 돌체앤가바나 원피스가 떠올 라 잠시 동작을 멈췄다. 결국 열쇠고리를 꺼내긴 했으나 쓰레기 봉투는 이미 되돌릴 수 없는 상태가 되어버렸다. 한 아주머니 가 김순옥의 등 뒤에 대고 혀를 끌끌 차며 지나갔다. 자신을 향 해 혀를 차는 사람이 윤석향 말고도 세상에는 더 있었다.

김순옥은 정체를 알 수 없는 질척하고 끈끈한 액체가 묻어 있는 열쇠고리를 옷에 쓱쓱 문질러 닦았다. 그러고는 계단을 올라 노아의 집 초인종을 눌렀다. 잠시 후 문이 열리고 노아가 놀란 표정을 지었다. 김순옥은 노아의 등 뒤로 빛의 주인이 바꿰어 있는지 확인해보고 싶었지만 넓은 노아의 두 어깨가 온통 시야를 가로막고 있었다. 철벽처럼 단단하고 높은 어깨는 더 이상 네가 넘볼 수 있는 곳이 아니라고 경고하는 것 같았다.

"이건 내가 너에게 준 유일한 명품이야. 이건, 버리지 말아줘."

멀뚱히 서 있는 노아에게 김순옥은 열쇠고리를 건네고는 그대로 뒤돌아 내려왔다. 계단을 다 내려와 골목을 돌아 나갈 때까지 문이 닫히는 소리는 들리지 않았다. 그랬다면 걸음을 멈추었을지도 몰랐다. 김순옥에게는 그나마 그것이 위안이 됐다.

모텔로 돌아온 김순옥은 불완전했던 이별의 의식을 마저 끝낸 기분이 들었다. 돌이킬 수 있을지도 모른다는 일말의 희망까지 완벽하게 쓰레기봉투 안에 봉인됐음을 확인한 김순옥은 다시 트렁크에 짐을 싸기 시작했다. 다른 세상으로 건너가기 위해 잠시 들렀던 낡고 누추한 정거장에서 이제 정말 떠날 때가 됐다.

인간의 삶이 굴러가는 양상은 늘 머물거나 떠나거나의 반복일 뿐이다.

〈문학과 미래〉의 편집주간이라는 윤석향으로부터 전화가 온 것은 오아라가 노아 집으로 이사하기 이틀 전이었다. 전화 오는 줄도 모른 채 이삿짐 싸는 데 정신이 팔려 있던 오아라가 잠시 쉬는 틈에 휴대폰을 보니 낯선 번호로 부재 중 전화가 세 통이나 와 있었다. 중요한 전화인가 싶어 별생각 없이 통화 버튼을 눌렀다. 다시 연락할 일 없을 줄 알았던 '문학과 미래'라는 이름을 듣는 순간 오아라는 또 한 번 신기루 같은 운명의 장막을 보았다. 도무지 인간의 의지나 생각과는 전혀 타협할 생각이 없어 보이는 운명이란 놈의 장난. 비극으로 튈지 희극으로 튈지 알 수 없어 더 긴장하게 만드는 에너지.

　오아라는 윤석향이 도착하기를 기다리는 카페에서 지금 다가오고 있는 운명은 희극과 비극 중 어느 쪽으로 튈 것인지에 대해 예측하고 상상해봤다. 그런다 한들 예측대로 흘러가겠는가. 그저 지금까지 체험하고 학습된 불행과 불운의 기억을 떠올리며 본능처럼 다가올 미지의 시간을 염려하고 경계하는 것 말고는 할 수 있는 것이 없다. 결국 기다리면 알 것을 삶은 오아라를 이토록 사소한 일렁임에도 조바심치게 만든다. 앞날을 경계할 필요가 없는 삶을 기대하고 꿈꾸는 일도 이젠 지쳤다. 좀비처럼 끝도 없이 살아나는 희망에 고문당하는 일도.

김중권을 만나면서 잠깐 품었던 꿈 역시 한 줌 꽃가루가 되어 훌훌 날아간 지 오래였다. 김중권으로부터는 연락이 없었다. 그의 아내는 귀국했을까. 아마도 다시 만날 일은 없겠지. 우연하게라도 부딪히기 힘든 전혀 다른 세상을 살고 있으니까. 물과 기름처럼 섞일 수 없는 두 개의 세상을 자유롭게 오가는 김중권이 부럽게 느껴지기도 했다. 물 건너간 것으로 보이는 청담파라곤 안주인의 꿈은 처음부터 실현 가능성에 그다지 무게를 두지 않았던 탓에 그리 서운할 것도, 아쉬울 것도 없었다. 무엇보다 김중권의 새로운 아내가 된다 한들 그토록 꿈꾸던 유토피아를 만날 수 있을지 확신이 서지 않았다. 선택받은 사람들만 살고 있는 눈부신 세상인 줄 알고 건너갔다가 더 불편하고 불쾌한 세상을 만나게 될 수도 있다.

언제인가 김중권은 선배가 운영하고 있는 포천 근교의 요양병원 얘기를 한 적이 있었다. 그곳에서 페이닥터를 구한다고. 이혼을 하게 되면 병원 원장 자리를 내놓게 될지도 모른다고. 아마도 그때쯤이었을 것이다. 오아라가 김중권을 버려야 할지도 모를 카드로 인식하기 시작한 것이. 병원 원장 자리를 내놓을 정도면 청담 파라곤 역시 패키지로 포기해야 할 가능성이 컸다. 청담 파라곤에 살며 BMW를 몰고 다니는 KY성형외과 원장과 서울 근교의 소박한 주택에 살며 버스를 타고 다니는 요양병원 페이닥터. 이 두 캐릭터 사이의 까마득한 간극 안에서 김중권은 오롯이 하나의 김중권일 수 있을까. 오아라는 자신이 없었다. 그러한 상황에서 흔들림 없이 그를 하나의 김중권으로 바라볼 수 있을지. 그 엄청난 간극을 스스로 견뎌낼 수 있을지. 김중권이어야 하는 이유 자체가 사라진 지점에서 만나게 될 또 다른 갈림길을 외면하고 지나칠 수 있을지. 그것은 굳이 상상해보지 않아도 쉽게 결론을 알 수 있는 것이었다.

상념에 빠져 있는 사이 윤석향이 들어왔다. 카페 문을 열고 들어오는 그의 모습을 보고 오아라는 직감적으로 윤석향이라는 것을 알았다. 문예지 편집주간이라는 사전 정보가 만들어 낸 이미지에 대체로 부합하는 모습이었다. 지적이지만 사람을 약간 고집 있어 보이게 만드는 금테 안경, 염색할 때가 된 듯 이마선과 귀밑머리를 따라 물들기 시작한 새치 머리, 늘 저런 비슷한 스타일만 입고 다닐 것 같은 연한 체크무늬의 깨끗한 와이셔츠에 통 넓은 일자 면바지. 오래되어 낡았지만 죽을 때까지 버리지 않을 것 같은 가죽 스트랩 시계. 그리고 결정적으로 손에 들고 들어온 '문학과 미래' 이름이 박힌 서류 봉투까지.

오아라는 그가 들어오는 것을 보면서 자리에서 일어섰다. 일어서는 오아라를 알아보고 윤석향이 웃으며 다가왔다. 가볍게 인사를 나눈 후 윤석향이 직접 커피를 주문해 가져왔다. 그를 만나러 오기 전 오아라는 인터넷에서 사전 정보를 찾아봤다. 〈문학과 미래〉의 편집주간이자 나름 문단에서는 유명한 중견 문학평론가 겸 경기도 인근 소재 대학교의 문예창작학과 겸임 교수. 오아라는 커피를 받아 오는 그의 모습을 보고 다시 한 번 어정쩡하게 자리에서 일어섰다. 윤석향은 커피를 내려놓으며 앉으라고 손짓을 했다.

"사진으로도 인상적이더니 실물 보니까 배우라고 해도 되겠어요. 소설가라고 하면 안 믿겠는데. 허허."

자리에 앉아마자 꺼낸 윤석향의 첫마디에 오아라는 표정 관리를 하기가 힘들었다. 어떤 사진을 언제 봤다는 것일까. 윤석향은 김순옥과 함께일 때는 볼 수 없었던 사람 좋아 보이는 미소와 나긋한 목소리로 그녀의 외모부터 칭찬했다. 공식 석상에서 했다면 여류 소설가들의 외모를 비하하는 논란의 발언이 됐을 법한 얘기를 하고 있음에도 오아라의 어수선한 머리는 거기까진 생각하지 못하고 있었다. 그저 〈문학과 미래〉 편집주간이자 문학평론가씩이나 되는 사람이 보여주고 있는 호의에 얼떨떨할 뿐이었다. 김순옥 때문에 갖게 됐던 〈문학과 미래〉에 대한 불편한 심기와 선입견이 아직 고스란히 남아 있는 상태였기에 더더욱. 하지만 그런 혼란은 시작에 불과했다. 윤석향이 내민 서류 봉투로 인해.

윤석향과 헤어진 오아라는 집으로 돌아와서도 남은 짐 정리를 할 생각은 못하고 넋 나간 사람처럼 앉아 있었다. 윤석향이 건넨 서류 봉투 속에는 자신이 써서 보냈다는 단편소설이 들어 있었다. 윤석향이 그 소설의 부족한 점과 고쳐야 할 사항들에 대해 떠드는 동안 오아라는 어떻게 된 일인지 머리를 이리저리 굴리느라 아무 얘기도 귀에 들어오지 않았다. 내 얘기 듣고 있나요? 오아라의 멍한 표정을 보며 윤석향이 물었을 때가 돼서야 오아라는 그 작품을 쓴 적도, 당연히 보낸 적도 없음을 밝혔다. 그의 입에서 김순옥이라는 이름 석 자가 나왔을 때 오아라는 직감적으로 뭔가 수상한 일이 벌어졌음을 깨달았다.

한 시간 여에 걸쳐 오아라는 그간 김순옥과 윤석향 사이에서 오간 일들에 대해 알게 되었고 곧이어 윤석향은 김순옥과 오아라 사이에서 벌어진 일들을 전해 듣게 되었다. 톱니바퀴처럼 서로가 갖고 있던 이야기의 아귀를 맞춰본 후 두 사람은 모두 한동안 아무 말도 하지 않았다. 윤석향은 잠시 뒤 솔직한 이야기를 꺼냈다. 김순옥이 가져온 작품은 매우 실망스러운 작품이었고 오아라가 썼다고 믿기 힘든 소설이었다고. 이상하다 했는데 이제야 이해가 간다고. 오아라가 물었다. 작품을 보고 그렇게 실망했다면 굳이 이렇게 연락을 한 이유가 무엇이냐고.

"〈문학과 미래〉는 역사와 명성을 이어갈 동력을 잃어가고 있어요. 출판계의 불황과 독서 인구의 감소가 큰 이유이긴 하지만 팔릴 만한 작품이 나오지 않고 있다는 게 더 큰 문제죠. 〈문학과 미래〉가 배출한 작가들은 많지만 다들 자신만의 세계에 갇혀 그저 지적인 배설에만 몰두할 뿐 정작 대중과의 소통에는 실패하는 경우가 대부분이에요. 걸출한 베스트셀러 작가가 나오지 않는다는 거죠. 오 작가의 등단작에서 난 그 미래를 봤어요. 잘만 키우면 작품성과 대중성의 교묘한 균형을 맞춰 〈문학과 미래〉의 새로운 성장 동력이자 블루오션이 될 수도 있겠다 싶은. 그러니 두 번째 단편만으로 섣불리 판단할 수는 없었어요. 내 눈으로 다시 한 번 검증할 기회가 필요했단 말이에요. 이렇게 직접 만난 게 얼마나 다행인지. 더군다나 이런 미녀 작가시니 마케팅하기에도 최적의 조건을 갖추고 있는 셈이고."

윤석향은 오아라의 등단작에서 소위 현세대 대중들에게 먹힐 여러 문학적이고도 대중적인 코드와 가능성을 읽었다는 말도 덧붙였다. 나 잘났네 하며 지적인 배설에 그치는 것이 아니라 대중의 기호와 세상의 트렌드를 적절히 접목한, 팔릴 만한 작품을 만들어낼 작가가 될 수 있으리라는 얘기도. 윤석향의 입에서 흘러나오는 모든 언어와 문장들이 오아라의 귀에는 처음 만나는 세계처럼 생경한 자극이 됐다. 성장 동력이니 블루오션이니 하는 단어들이 다른 사람이 아닌 자신을 향한 수식이라는 게 기분을 묘하게 만들었다.

윤석향은 이야기 끝에 이렇게 만난 걸 보니 두 사람 모두 운명인 것 같다고도 했다. 김순옥으로 인해 마음고생만 하고 기약도 없이 장편 공모를 준비 중이었다는 얘기를 듣고는 진정 안타깝다는 표정을 지어 보이기도 했다. 이것이 운명이라면 운명을 만든 사람은 김순옥이었다. 대체 그녀는 왜 그랬을까. 윤석향도 오아라도 그에 대한 답은 찾지 못한 채 헤어졌다. 윤석향은 김순옥과 다시 연락할 필요도, 그럴 가치도 없다고 잘라 말했다. 〈문학과 미래〉에 그런 이상하고 교활한 직원이 있었다는 것 자체가 수치라고 말할 때는 잠깐 다른 사람처럼 인상을 쓰며 언성을 높이기도 했다.

작품에 대한 신랄한 비판과 충고들이 편집부 전체의 의견인 듯 말했던 김순옥을 지금이라도 만나보고 싶었다. 김순옥에 의해 사장될 뻔한 작품을 뒤늦게 보냈을 때 윤석향은 매우 긍정적인 평가를 전했다. 역시 자기가 사람을 잘못 본 게 아니었다는 말과 함께. 몇 가지 수정 보완했으면 하는 부분들을 전하긴 했지만 김순옥과는 달리 구체적이고도 합당하다고 생각되는 지적이었고, 그리 큰 고민 없이 그의 지침대로 작품을 고쳤다. 윤석향은 김순옥에게 더 이상 연락할 필요가 없다고 했지만 오아라는 김순옥에게 짧은 문자 하나를 보냈다. 자신의 작품이라고 건넨 단편은 어떻게 된 거냐고. 기다려도 답은 오지 않았다. 다시 문자를 보냈다. 당신의 기이한 행위를 일절 무시하고 싶지만 경위가 어떻게 된 건지 꼭 알아야겠다고. 역시 답은 없었다. 전화도 해봤다. 아무리 걸어도 받지 않았다. 김순옥이 묵묵부답일수록 오아라는 더 조목조목 따져 묻고 싶었다.

그렇게 어수선한 와중에 노아의 집으로 이사를 했다. 그곳에서는 오랜만에 맡아보는 도배풀 냄새가 났다. 연립주택의 2층이었지만 바깥 쪽 계단을 통해 들어가는 문이 따로 있어서 불편하진 않았다. 낡아 보이는 겉모습과 달리 도배와 장판을 새로 한 실내는 아늑하고 깨끗했다. 방에는 낡은 옷장과 새 옷장이 나란히 붙어 있었는데, 노아는 새 옷장을 쓰라고 했다. 오피스텔에 있던 붙박이장보다 커서 가져온 옷들을 걸고도 여유 공간이 많이 남았다. 남은 공간은 앞으로 내가 채워줄게. 오아라의 옷을 걸어주면서 노아가 말했다. 오아라는 그 말이 진심이라는 걸 알았다.

대충 짐 정리가 끝난 후 노아가 자장면을 시켜 함께 먹었다. 오아라는 자장면을 먹다가 노아의 이마에 살짝 맺혀 있는 땀을 손으로 닦아주었다. 먹다 말고 노아가 환하게 웃었다. 계약 기간 만료 전에 나오느라 부동산 수수료까지 대신 물어야 했던 노아는 오아라에게 아무 걱정 말고 당분간 하고 싶은 거 하면서 편히 쉬라고 했다.

"나더러 네가 몸 팔아 번 돈 갖고 잉여인간으로 지내라는 거네."

오아라가 그렇게 말하자 노아는 천진한 표정으로 말했다.

"나 라면 끓여주면 되잖아. 네가 끓여준 라면은 정말 맛있어."

그가 선답을 하는 건지 자신이 우문을 하는 건지 오아라는 헷갈렸다. 그에게 뒤늦게라도 작가라는 사실을 말하고 싶었지만 똑같은 불안감이 들었다. 오히려 그것이 지금 이 관계의 균형을 깨뜨리지는 않을까 하는.

"왜 나한테 이렇게 잘해주는 거야?"

자장면을 먹다 말고 오아라가 물었다.

"그냥."

노아는 젓가락으로 단무지를 집어 올리면서 짧게 답했다. 이사한 첫날 밤 노아는 신사동 여사님의 호출을 받고 나갔다. 그가 나간 낯선 집에 홀로 남겨졌지만 그래도 오아라는 조금, 덜 외로웠다. A가 또 찾아오지 않을까 불안해하며 잠들어야 했던 지난 밤들도 이제 영원히 안녕이었다.

〈더 퍼플〉지 인터뷰가 잡힌 날 오아라는 노아가 백화점 명품관에서 사준 아이템들로 착장을 맞추고 기자가 미리 약도를 보내준 청담동 미용실로 향했다. 가끔 지나다니며 보기만 했던, 연예인들과 청담동 며느리들이 많이 찾는다는 미용실은 입구 바닥부터 검은색 대리석이 깔려 있었다. 안내데스크에서 〈더 퍼플〉지 촬영 때문에 왔다고 하자 전담 어시스턴트 한 명이 '아, 협찬이요?' 하더니 친절하게 안쪽으로 안내했다. 어시스턴트를 따라 엘리베이터를 타고 버튼에 VIP라고 표기된 3층으로 올라가자 별도의 룸들이 늘어선 복도가 나타났다. 어시스턴트는 오아라를 맨 안쪽 룸으로 안내한 후 사라졌다가 포도를 통째로 갈아 만들었다는 생과일주스와 유기농 통밀 쿠키를 가져다준 후 나갔다.

클래식한 전등으로 장식된 거울이 달려 있는 벽만 빼고 나머지는 와인 컬러의 벨벳으로 둘러쳐져 있었고, 거울 아래 테이블에는 온갖 화장품과 메이크업 도구들이 흐트러짐 없이 열 맞춰 진열돼 있었다. 의자에 앉아 거울을 가만히 바라봤다. 테두리를 따라 켜져 있는 조명 때문에 오아라의 얼굴에는 한 번도 본 적 없는 그윽한 음영이 만들어졌다. 메이크업의 효과를 극대화하기 위해 꼭 필요한 전구들이라는 생각이 들었다. KY성형외과 원장의 아내 정도 되면 이런 곳에 아무 때나 와 VIP 대접을 받으며 메이크업과 머리 손질을 받겠지. 일주일 생활비보다 더 비싼 돈을 아무렇지도 않게 내고.

물 한 방울 안 섞인 진한 주스를 마시면서 5분 정도 기다리니 정장을 차려입은 여자가 들어와 자신을 메이크업 아티스트이자 부원장이라고 소개하며 명함을 건넸다. 오랜 시간 몸에 밴 듯한 친절한 매너와 아나운서 같은 말투가 블랙 의상 컬러와 어우러져 처음 만났는데도 왠지 모를 신뢰감을 전해주었다. 잡지에 이름만 나갈 뿐 공짜나 다름없는 협찬인데도 부원장씩이나 들어와 오아라는 다소 놀랐다. 매체 파워란 이런 것인가. 이제 시작하겠습니다. 정중하면서도 상냥하게 한 마디 하더니 부원장은 빠른 손놀림으로 오아라의 얼굴을 변신시키기 시작했다.

메이크업이 완성되기까지는 40분 정도. 부원장의 손길은 거침이 없으면서도 정교했다. 눈썹 하나, 아이라인 하나도 자를 대고 그린 듯 정확하게 좌우 대칭을 만들었고 입술과 눈두덩이, 볼 쪽은 두세 가지의 색깔을 섞어 너무 과하지도 부족하지 않은 고급스럽고도 입체적인 색감을 덧입혔다. 부원장은 수시로 거울 속 오아라 얼굴을 유심히 살피면서 고개를 끄덕이기도 하고 혼자 미소를 짓기도 했다. 그러고는 메이크업이 다 끝나자 오아라의 귓가에 대고 말했다. 눈부셔요. 메이크업을 마친 부원장이 나간 후 헤어 아티스트가 들어와 곧바로 머리 손질에 들어갔다. 메이크업도 머리도 한 듯 안 한 듯 자연스러운 멋을 내는 것이 청담동 트렌드인 모양이었다. 공들인 티를 안 내기 위해 더욱 공을 들이는 전문가의 손길에 오아라는 자신의 모든 것을 내맡기고 싶은 강렬한 충동을 느꼈다. 그리고 잠시 뒤 거울 속에는 기대를 저버리지 않는 새로운 오아라가 앉아 있었다. 헤어 아티스트가 나간 후 거울을 들여다보고 있던 그녀는 휴대폰을 꺼내 지금의 모습을 사진으로 남겼다. 언제 찾아올지 모르는 생애 가장 눈부신 순간을.

미용실을 나설 때 안내 직원이 문 앞까지 따라 나오며 다음에 언제든 예약 전화를 주고 다시 찾아달라고 하면서 허리를 90도로 꺾어 인사를 했다. 오아라는 하마터면 똑같은 각도로 허리를 꺾어 인사를 할 뻔했다. 이곳을 내 돈 주고 자의에 의해 다시 찾게 될 날이 있을까. 문을 나서는 기분이 연인과 이별하는 것처럼 아쉬웠다.

스튜디오는 미용실에서 멀지 않은 곳에 있었다. 밖에서 볼 때는 1층인데 안으로 들어가니 지하 1층부터 지상까지 뚫려 있어 층고가 엄청나게 높아 보였다. 많은 스태프들이 움직이고 있어서 쭈뼛거리며 안을 기웃대고 있을 때 마침 오아라를 먼저 발견한 기자가 인사를 하며 다가왔다.

"미용실에선 잘해주셨죠? 주로 연예인들만 협찬해주는 곳인데 특별히 부탁드렸어요."

기자가 웃으며 생색을 냈고 오아라는 고맙고 만족스러웠다는 말로 화답했다. 기자를 따라 안쪽으로 들어가니 커튼이 쳐진 피팅룸이 나타났다. 안에는 미리 도착한 스타일리스트가 의상들을 정리하고 있었다. 사방에는 협찬 받아온 옷들과 구두, 가방, 액세서리 등으로 넓은 공간이 발 디딜 틈 없이 가득 차 있었다. 옷들을 여유 있게 가져왔으니까 일단 입어보시죠. 홈쇼핑에서도 몇 번 본 적 있는 유명한 남자 스타일리스트가 오아라가 입을 옷들을 손에 들고 기다렸다. 오아라는 주는 대로, 입으라는 대로 이 옷 저 옷 바꿔가며 갈아입었고 그때마다 기자와 스타일리스트, 포토그래퍼가 마치 오디션 심사위원이라도 된 듯 고개를 가로젓거나 손가락을 까딱거리다가 마음에 든다 싶으면 호들갑스럽게 펑거 스냅 소리를 냈다.

"그래도 마른 체형이라 모델 사이즈 옷들도 무리 없이 맞아서 다행이에요. 오전에 진행한 미술 작가님은 사이즈가 안 맞아서 얼마나 진을 뺐던지."

옷 갈아입는 것을 도와주던 스타일리스트가 여자 같은 높은 톤과 과장된 몸짓을 하며 말했다. 기자가 쓸데없는 소리라는 듯 스타일리스트한테 눈치 주는 걸 오아라도 봤지만 모른 체했다. 어차피 다른 작가들이 치마를 입었든 바지를 입었든 옷을 입다가 찢어졌든 자빠졌든 관심 없었다. 지금 거울 속에서 옷을 갈아입고 있는 존재만 가장 아름답고 돋보이면 된다. 협찬 제품들을 가지런히 진열해놓은 테이블 위에는 마치 청담동 플래그십스토어 거리를 통째로 털어오기라도 한 듯 온갖 명품 브랜드의 신상품이 총망라돼 있었다. 그저 눈요기로 만족해야 했던 주옥같은 아이템들이 지금 이 순간 오직 자신만을 위해 존재하고 있다는 사실이 오아라를 황홀하게 했다. 이 사랑스러운 아이들의 진정한 가치를 어떻게 단 몇 장의 사진으로 보여줄 수 있을까. 걱정이 밀려오면서도 마치 신성한 임무를 부여받은 듯 비장한 마음 또한 샘솟았다. 사진은 많아야 두 컷 정도 들어간다고 했는데 준비돼 있는 의상들은 셀 수 없을 정도였다.

"늘 이 정도는 준비해요. 재촬영 안 걸리고 편집장님 오케이 받으려면 한 번에 베스트 컷을 뽑아야 하니까."

옷이 생각보다 많다는 오아라 얘기에 기자는 대수롭지 않다는 듯 대답했다. 오랜 피팅 끝에 다가올 F/W 시즌 트렌드가 될 룩을 함께 보여줄 수 있는 파비아나 필리피의 랩 원피스와 돌체앤가바나의 퍼 코트, 랑방의 앵클부츠와 하트만 가방을 매치한 페미닌룩으로 결정됐다. 고급스럽고 우아한 털이 풍성하게 수놓아져 있는 코트를 걸친 낯선 오아라가 거울 속에 서 있었다. 미용실 부원장의 속삭임이 다시 들렸다. 눈부셔요……. 스타일링이 끝나자 곧이어 촬영이 이어졌다. 얼굴 바로 앞에서 터지는 거대한 플래시와 턱 아래에서 번쩍거리는 반사판 때문에 눈조차 뜨기 힘들어하던 오아라는 시간이 지나면서 차츰 자연스럽게 적응해갔다. 미용실에서는 직원 한 명이 케어를 했다면 지금 이곳에서는 그보다 훨씬 많은 사람들과 더 많은 장비들이 오직 오아라 한 사람만을 위해 움직이고 있었다. 오아라가 조금이라도 힘들어 할라치면 기자와 어시스턴트가 달려와 빨대를 꽂은 물이나 주스를 대령했고, 메이크업이 뜨거나 머리가 흐트러질 때마다 대기하고 있던 스태프가 자상한 손길로 다시 매만져주었다. 어정쩡하던 포즈와 표정도 시간이 지나면서는 '굿, 좋아요, 지금 그대로' 하는 포토그래퍼의 추임새를 끌어낼 정도로 안정을 찾아갔다. 셔터 소리와 동시에 번쩍거리며 점멸하는 섬광과 반사판의 빛도 차츰 자신을 축복하기 위해 비추는 오라처럼 느껴졌다. 그리고 어느 순간 오아라는 머리끝부터 발끝까지 진짜 '셀럽'이 되어가고 있었다. 스칼렛의 잔흔을 완벽하게 지운 채.

"데뷔 작품 인상적이었어요. 원래 명품에 대해 관심이 많으셨나요?"

"명품에 대한 관심이라기보단 명품을 만들어낸 특별한 역사와 철학에 관심이 있어요. 그들만의 헤리티지가 주는 메시지라고 해야 할까."

"하지만 소설은 명품이라는 대상을 다소 조롱하거나 희화화하고 있다는 느낌도 들더군요."

"명품 혹은 명품 소비에 대한 조롱은 아니에요. 오히려 가장 고급한 헤리티지를 누리지 못하는 박탈감에 대한 자학적 조롱이죠."

"가장 고급한 헤리티지야말로 문학, 나아가 예술이 아닐까 싶어요."

"그렇게 봐주신다면 고마운 일이죠. 깐깐한 장인정신과 치열한 노력에 의해 탄생되는 것이 명품이라고 한다면 예술과 명품은 같은 태생이라고 볼 수 있죠."

"특히 좋아하는 브랜드가 있으세요?"

"브랜드는 그렇게 중요하지 않아요. 다 저마다의 아이덴티티가 있고 때와 상황에 따라 교감이 생겨나는 아이템들이 있죠."

"명품에 대한 현명한 소비에 대해 독자들에게 팁을 주신다면요?"

"어려운 질문이네요. 〈더 퍼플〉이 늘 강조하는 것들이 있잖아요. 물질적인 사치를 넘어서 정신의 풍요를 가져다줄 수 있는 럭셔리한 소비문화. 문제는 저마다의 기준이 다 다르다는 건데, 그걸 일반화할 수는 없는 것 같아요. 다만 명품이든 무엇이든 이미지에 현혹되지 말고 내재된 콘텐츠를 봤으면 한다는 말씀을 드리고 싶어요."

"콘텐츠라 함은요?"

"역사, 과정, 가치, 의미, 상징성, 희소성 같은 것들이겠죠."

"사실 명품을 좋아하는 소설가라고 하면 잘 매치가 안 될 수도 있을 것 같은데."

"인간의 욕망이란 것은 결국 똑같은 거 아니겠어요. 그것에 접근하고 그것을 실현하는 방법론의 차이 혹은 인식의 차이일 뿐이지. 다시 말하지만 이미지에 현혹되지만 않으면 된다고 봐요. 적잖은 명품 브랜드들은 오랜 세월을 거슬러 올라가 유럽 왕실이나 귀족, 최고 상류층들을 위한 소수의 제품을 만들던 것이 시초잖아요. 희소성이 많이 사라졌다는 게 서글픈 일이긴 하지만 역사와 전통은 분명한 족적으로 남아 있는 거니까. 그들이 보여준 성장과 역사의 궤적 자체가 매우 소설적이라는 생각을 해요. 명품은 누가 소비하느냐가 아니라 어떻게 소비하느냐가 중요하니까."

"아, 지금 말씀 너무 멋지네요. 기사 제목으로 뽑아도 될 것 같은데요. 어떻게 소설가가 되셨어요?"

"초등학교 때 읽은 토마스 하디의 『테스』가 처음 문학에 대해 제 눈을 깨웠어요. 그리고 밀란 쿤데라와 미시마 유키오, 폴 오스터 같은 작가들이 절 본격적인 소설의 세계로 이끌었죠."

"등단한 후 가장 달라진 점은 무엇인가요?"

"글쎄요. 글 쓰는 게 더 무서워졌다는 거? 그럼에도 불구하고 계속 더 끈질기게 써야 하는 당위성이 생겼다는 것이죠."

"평소 일상이 어떠신지 궁금해요. 뭔가 고급스러운 라이프스타일을 영위하며 사실 것 같아요."

"고급스러운 라이프스타일은 기자님께 배워야 할 것 같은데요. 무라카미 하루키는 글을 쓰기 위해 매일 빠지지 않고 10킬로미터를 달리거나 1.5킬로미터 수영을 한다고 해요. 무엇보다 체력이 정말 중요하니까요. 집중력이든 체력이든 지식이든 작가들은 저마다 자신에게 필요로 하는 것을 얻기 위해 각자의 방식으로 라이프스타일을 맞추는 것 같아요."

"작가님을 예로 들자면요?"

"독서와 클래식 감상, 오래된 고전 영화들, EBS나 디스커버리 채널에서 해주는 다큐 프로그램, 예정에 없던 낯선 곳으로의 여행, 한적한 시간 혼자 찾는 수제 초콜릿 카페, 마인더숍나 백화점 명품관에서 생각 없이 시간 보내기, 미각뿐 아니라 오감을 깨우는 레스토랑의 특별한 음식들. 이런 것들이 집중력을 높이고 영감을 주죠. 체력적으로는 틈 날 때마다 산책 겸 걷는 것."

"그 정도면 충분히 고급진데요. 너무 작가다운 일상인 것 같아요."

"그런가요. 다행이네요."

"솔직히 예전에는 가난한 작가들이 많았는데 요즘엔 그렇지도 않은 것 같아요. 물질적으로도 풍족한 것이 좋은 작품을 쓰는 데에도 도움이 된다고 생각하시나요?"

"물질의 풍요와 정신의 풍요는 분명히 유기적인 관계가 있죠.

일상이 궁핍하면 정신이 피폐해지고 글도 가난해질 수 있으니까요."

"글이 가난하다. 굉장히 인상적인 표현인데요."

"물질적인 풍요는 우리 정신에 매우 긍정적인 시너지 효과를 가져다준다고 믿어요. 더 다양한 사유와 경험의 기회를 제공하기도 하니까요. 그것이 곧 소설을 풍요롭게 하는 순기능을 한다고 봐요."

"정말 작가님 섭외하길 잘한 것 같네요. 〈더 퍼플〉지가 원하는 답이 작가님의 대답 속에 다 들어 있는 것 같아요."

"그냥 생각나는 대로 떠들고는 있는데 알아서 잘 편집해주시리라 믿어요."

"현재 집필 중인 작품은 있으신가요?"

"곧 〈문학과 미래〉에 단편이 실릴 예정이고. 현재 장편 작업도 하고 있어요."

"오, 〈문학과 미래〉라니 대단하시네요. 등단하고 나서 그대로 사장되는 작가들이 부지기수인데 이런 좋은 성과를 이어갈 수 있는 이유가 뭐라고 생각하세요?"

"그냥, 운이 좋은 거죠. 열심히 쓸 뿐인데."

"겸손하시네요. 다음 작품에도 명품 이야기들이 등장하나요?"

"아마도 장편에 그런 내용들이 등장하게 될 것 같아요."

"살짝 힌트를 주신다면요?"

"제가 지금까지 한 이야기들 속에 힌트가 들어 있어요."

"혹시 자전적 소설인가요?"

"제 개인의 역사에 관한 소설이면 재미없죠. 소설이 요구하는 서사와 극적인 재미를 위해 철저히 계산된 픽션으로 갈 수밖에 없어요. 물론 제 경험적 사고나 상상력이 일부 가미되겠지만."

"제목만 미리 알려주실 수 없으세요?"

"아직 확실한 건 아닌데, '스칼렛 오아라'요."

"어머, 작가님 이름을 제목으로 사용하시네요. 제목만 들어도 기대돼요."

"어쩌다 보니 재미를 위해 스칼렛 오하라의 변주를 만들어낸 것일 뿐이에요. 〈바람과 함께 사라지다〉에서 그녀가 보여주었던 인물의 상징성과 캐릭터를 중요한 모티프로 가져왔거든요. 어쨌든 모든 캐릭터와 사건은 단지 허구에 지나지 않아요."

"궁극적으로는 어떤 소설을 쓰고 싶으세요?"

"존 어빙은 어느 인터뷰에서 좋은 책을 읽는 건 마약 주사 같은 거라고 했어요. 일단 중독되고 나면 항상 다음을 기대하게 된다고. 마약 같은 소설을 쓰고 싶어요."

"현재 미혼이신 걸로 알고 있는데 결혼에 대한 생각은 어떠세요?"

"글쎄요. 지금은 결혼이든 남자든 관심 밖이라 구체적으로 생각해본 적은 없지만 시절인연이라는 걸 믿어요. 중요한 건 타이밍이니까."

"마지막으로 작가님이 생각하시는 가장 럭셔리한 삶은 어떤 것인가요?"

"럭셔리한 삶이라. 물론 앞서 얘기했던 물질적이고 정신적인 풍요도 중요하죠. 한데 제가 꿈꾸는 가장 럭셔리한 삶은 욕망 으로부터, 운명으로부터, 그리고 쓸데없는 희망으로부터 자유 로워지는 거예요. 무언가를 갈급하거나 채우기 위해 자존감까 지 꺾여가며 괴로워하지 않아도 되는, 굳이 오늘보다 내일이 더 나아질 필요가 없는⋯⋯."

오아라는 인터뷰 내내 진실과 거짓말 사이에서 아슬아슬한 줄타기를 했다. 물론 듣고 있던 기자는 그 위태로움을 전혀 느 끼지 못했을 것이다. 끝내놓고 보니 이 정도면 제법 연기를 잘 했다는 생각이 들었다. 얘기를 이어갈수록 어떤 것이 진실이 고 어떤 것이 거짓말인지 자신도 헷갈리는 경지가 됐으니까. 거 짓말을 할 때조차 진심이 담긴 듯했고, 입에서 나오는 모든 말 이 진실의 목소리인 것 같은 착각이 일었다. 조금 더 지나니 진 실이니 거짓이니 구분하는 것 자체가 무의미해졌다. 진실은 과 거나 현재이고 거짓은 바람이 담긴 미래였다. 100퍼센트 진실 도, 100퍼센트 거짓도 없었다. 모든 명제는 진실과 거짓이 뒤섞 여 만들어지는 것이다. 단지 그 비율의 차이가 있을 뿐. 중요한 것은 인터뷰를 끝낸 후 기자가 매우 만족스러워했다는 것이다.

역시 작가님이라 그런지 쓸거리를 많이 만들어주시네요. 다른 분들은 죄 단답형이라 난감했는데. 원하는 답을 들려주기 위해 지난 1년 치 과월호에 실린 인터뷰 기사를 모조리 정독했다는 걸 기자는 모를 것이다. 마치 공식처럼 기사마다 비슷하게 반복되는 내용들을 추려 모범 답안을 만들어왔다는 것을.

오아라가 떠든 많은 이야기들이 지면에 어떻게 가공되어 나올지 궁금했지만 그것은 기다리면 알 일이었다. 다만 인터뷰 후 아무래도 불안한 마음에 '스칼렛 오아라'에 대한 내용은 빼달라고 부탁했고 기자는 그냥 장편 작업 중이라고만 언급하겠다고 했다. 그래도 〈더 퍼플〉지 인터뷰인데 하나라도 작업물이 더 많은 것이 좋을 것 같다며. 위선과 가식도 꼬리에 꼬리를 물다 보면 어느덧 진실과의 경계가 모호해진다. 순전히 바람일 뿐인 허구의 삶을 진짜 일상인 듯 얘기하는 동안 오아라는 더 간절해지고 있었다. 자신이 빚어놓은 가상의 세상 속으로 걸어 들어갈수록 현실 속 스칼렛은 사라지고 풍요로운 자존감으로 빛나는 작가 오아라가 답을 하고 있었다. 완벽한 자기 최면이었으므로 속인 것이 아니었다. 그래서 죄책감은 느껴지지 않았다.

인터뷰와 촬영이 모두 끝난 후 기자는 작은 성의라며 뭔가를 건넸다. 집에 와서 풀어 보니 프랑스 명품 화장품 브랜드의 나이트 안티에이징 크림이었다. 50밀리리터 크림 한 통 가격이 96만 원 하는. 대충 계산해보면 1밀리리터에 2만 원 정도 하는 셈이었다. 아무리 소량을 찍어 발라도 한 번에 1밀리리터 이상은 쓰게 된다. 이 크림을 쓰면 한 번에 몇 만 원을 얼굴에 발라 대는 호사를 누릴 수 있다. 기자에게 인사 겸 문자를 보냈다. 비싼 선물 감사하다는 말도 덧붙여서. 잠시 후 기자로부터 답 문자가 왔다. 백화점에서는 없어서 못 파는 화장품인데 특별히 챙겨 드린 거예요. 96만 원짜리 화장품을 없어서 못 판다는 기자의 말이 먼 남의 나라 얘기 같기만 했다. 아껴 써서 두 달에 한 통씩 쓴다고 해도 1년이면······. 바보 같은 생각이다. 이 크림을 쓰는 사람들은 아껴 쓸 이유가 없는 사람들일 테니. 96만 원짜리 크림을 쓰는 사람은 토너도 세럼도 에센스도 96만 원짜리를 쓸 것이다. 그것으로도 모자라 틈틈이 KY피부과 같은 곳에서 정기적으로 케어를 받겠지. 한 달에, 1년에 피부 관리를 위해 얼마가 들어가는지 그들은 굳이 계산할 필요가 없다. 길거리 화장품 숍에서 만 원짜리와 2만 원짜리 제품을 두고 뭘 살지 고민해야 하는 사람들. 그들에게나 삶은 늘 계산의 연속일 뿐이다.

오아라는 화장품 단상자에 적혀 있는 제품 설명을 천천히 읽어 내려갔다. '남태평양의 천연 진주와 다이아몬드, 로열젤리와 황금누에고치 등의 귀한 성분을 독자적인 피부 과학을 통해 나노 입자화시킨 기적의 나이트 안티에이징 솔루션. 잠자는 동안 죽어 있던 피부 속 세포를 깨우고 피부 턴오버를 도와 깊은 주름은 사라지며 탄력이 살아납니다. 유기농으로 재배된 각종 식물에서 추출한 활성화 성분이 피부 속부터 빛과 에너지를 채워 다음 날 아침 새로 태어나는 눈부신 피부를 만날 수 있습니다.' 오아라는 단 몇 줄의 설명을 읽고 깜짝 놀랐다. 순간 완벽하게 현혹될 뻔했기 때문이다. 정작 글을 쓰는 작가이면서도 글이라는 것이 이런 위력을 발휘한다는 사실이 신선하고 새삼스러웠다. 이 빛나는 문장을 만들기 위해 담당자들은 얼마나 머리를 쥐어짰을까. 소설 한 줄, 시 한 줄 뽑아내는 고통보다 더하면 더했지 못하진 않을 듯싶었다. 좋은 문장이 따로 있을까. 이처럼 사람 마음을 움직이면 좋은 문장인 것이다. 맹목적 신뢰를 갖게 하는 단 몇 줄의 희뿌연 희망과 판타지 역시. 설령 그것이 손에 잡히지 않는 생판 거짓이라 할지라도.

오아라는 이 귀한 화장품을 중고 사이트에 올려 팔기로 결심했다. 돌체앤가바나 옷을 날리게 된 대신이었다.

김중권은 김순옥의 얘기를 가만히 듣고 나서 조용히 앞에 놓인 커피를 한 모금 마셨다. 너무 천천히, 여유롭고 침착하게 행동을 해서 김순옥은 순간 자신이 그에게 제대로 이야기를 전달한 것인지 의심이 됐다.

　"그러니까 요는, 오 작가님이 몸 파는 여자다. 한데 그 사실을 알고 있느냐고 지금 제게 묻는 겁니까?"

　커피 잔을 내려놓은 김중권이 시종일관 얼굴에는 미소를 띤 채, 사무적이지만 부드러운 어조로 김순옥에게 물었다. 김순옥은 그의 말투에서 이상한 위압감을 느꼈다. 상류층이라는 사람들에게 태생적으로 배어 있는 소름 끼치는 예의. 묘한 질투심마저 불러일으키는.

　"왜 그런 얘기를 굳이 제게 하는 건지 먼저 물어봐도 될까요? 전 제 에세이 청탁 때문에 만나자고 한 걸로 알고 있습니다만."

김중권을 만날 방법이 없었던 김순옥은 〈문학과 미래〉의 이름을 팔아 KY성형외과 홍보실에 전화를 넣었다. 출판사 편집자라고 하니 전화를 받는 홍보 담당자는 목소리를 한껏 높여 친절하고 상냥하게 전화를 받았다. 용건을 전한 뒤 정확히 30분 뒤 김중권에게서 전화가 걸려왔다. 다시 한 번 아쉬웠다. 김중권도 바로 반응하게 만드는, 이제는 사라진 〈문학과 미래〉라는 간판이.

"모르실 거 같아서요. 그리고 아셔야 할 것 같아서요."

김순옥의 대답을 듣고 김중권은 잠시 침묵했다가 다시 물었다. 오 작가님과 어떤 관계냐고. 그러게요. 대체 우린 어떤 관계인 걸까요. 되레 김순옥이 묻고 싶었다. 바로 앞에 앉아서 바라보는 김중권의 모습은 오피스텔 복도에서 잠시 스쳐 지났을 때보다 훨씬 매력적이었다. 젊고 싱싱한 노아의 육체가 나이 들면 저렇게 될까 싶었다. 아니, 저런 모습은 아닐 것이다. 이 사람은 20대부터 노아와는 여러모로 달랐을 테니까. 환경의 차이, 생각의 차이, 지식과 정보의 차이, 경험의 차이는 고스란히 세월이라는 유화제가 섞이면서 서로의 간극을 더욱 극명하게 벌려놓을 것이다. 노아의 삶은 구조적으로 그 격차를 극복할 수 없을 것이고 김중권처럼 나이 들어가지 못할 것이다.

현재만 보고도 충분히 미래를 짐작해볼 수 있는 삶을 살고 있는 그를 보며 오아라가 왜 김중권을 선택했는지 이해할 수 있었다. 수첩에 적혀 있던 이니셜들과는 분명히 다른 의미의 고객이었을 것이다. 돈과 몸의 물물교환 차원을 넘어서는 보다 은밀하고도 끈끈한 정신적 교감이 있었을 수도 있다. 그렇다면 이미 오아라의 정체를 알면서도 부적절한 관계를 맺어온 것은 아닐까. 지금 이 행동이 우스꽝스러운 '뒷북'이면 어쩌지. 김순옥은 그저 편집자와 작가의 관계일 뿐이라고 했고, 김중권은 더 이상 따져 묻지는 않았다.

"좀 놀랐습니다. 모르고 있었어요."

다행히 뒷북은 아니었다. 이로써 오아라에게 이중적이고도 추접한 캐릭터를 씌우는 데는 성공했다.

"하지만 이미 난 오 작가님과 끝난 사이입니다. 지금 이 사실과 상관없이."

오피스텔 복도에서 나란히 걸어오던 두 사람의 눈빛, 그 사이에서 오가던 찰나의 기류는 이상하게도 매우 공고해 보였다. 그 기류의 한 중간을 가로지르며 느꼈던 야릇한 소외감을 김순옥은 지금도 기억하고 있었다. 윤석향을 더 이상 보지 못하게 됐음을 엄연한 현실로 받아들이는 순간에도, 노아의 품속으로 영원히 돌아갈 수 없음을 직감하는 순간에도 김순옥은 그 기억을 떠올렸다. 절대 깨질 것 같지 않은 관계에 대한 알레고리 같았던 그 기류, 그 심상.

"사랑하셨나요?"

꼭 물어보겠노라 생각했던 것은 아니었지만 어쩌면 이 질문 때문에 여기까지 나온 것일지도 몰랐다. 김중권의 얼굴에서 느꺼지는 미묘한 표정 변화만으로는 대답을 예측하기 힘들었다.

"꿈꿨었죠. 사랑을."

"근데 왜……"

"잘못 꾼 꿈이었을 뿐이에요. 현실이 될 수 없는. 간절히 원해도 꿈에서조차 이루기 어려운데 현실에서는 더 어렵겠죠."

윤석향도, 노아도 현실이 될 수 없는 꿈이었던가. 김중권의 눈빛에 중첩되는 낯익은 감상이 측은해 한동안 그를 빤히 바라봤다.

"무엇을 꿈꿨나요. 어떤 사랑을?"

"사랑은 그냥 접착제 같은 거예요. 서로의 꿈을 붙이는. 내게 중요한 건 사랑이 아니라 내 삶에 다가와 붙게 될 그녀의 꿈이었어요. 지키고 싶은 내 존재의 뒷면이 돼줄."

꿈. 김순옥은 자신이 꾸었던 꿈이 무엇이었는지 기억나지 않았다. 윤석향은 감히 그럴 수 없는 상대였으니 꿈을 품어볼 기회조차 없었다고 하는 게 맞을 것이다. 노아에게 구찌 열쇠고리를 주고 돌아오던 밤길. 그때 머릿속을 아스라하게 채워오던 상념들이 혹 꿈은 아니었을까. 이룰 수 없게 된, 바닥에 떨어진 앙금 같은 꿈의 찌꺼기. 노아와 함께였다면 가능했을 것도 같다. 노아는 상대로 하여금 꿈꿀 수 있는 자유 정도는 허락하는 존재니까.

김중권이 가버린 후 차갑게 식은 찻잔을 앞에 두고 김순옥은 한동안 이런저런 생각에서 빠져나올 수 없었다. 꿈결처럼 유난히 시간이 더디게 흐르는 어느 오후였다.

　김순옥과 헤어진 김중권은 곧바로 퇴근해 집으로 향했다. 청담 파라곤의 문이 열릴 때 잠시 오아라가 떠올랐지만 말 그대로 잠시였다. 뇌의 회로가 오아라에 대한 모든 기억과 감정을 알아서 차단시키기 시작한 듯했다. 물론 김순옥이 해준 얘기도 한몫했다. 놀랍긴 했지만 충격적이진 않았다. 듣고 보니 그럴 만한 형편이 전혀 못 되는데도 명품을 사들이던 그녀의 정황이 이해되기 시작했다. 이미지를 좇고 있다던 오아라의 말이 떠올랐다. 이미지, 이미지……. 자신이 말한 꿈과 이미지가 결국 동의어라고 한다면 그녀가 했던 말을 이해할 수 있을 듯했다. 작가라는 이미지를 좇아간 곳에 정작 작가로서의 꿈은 보이지 않았으니까.

　이루지 못한 꿈은 되새김질할 가치도, 필요도 없었다. 이루지는 못했으나 실패한 것은 아니었다. 실패하기 전에 포기했으므로. 들어오는 차 안에서 김중권은 요양병원 원장으로 있는 선배한테 전화를 해 페이닥터 얘기는 없었던 것으로 하자고 전했다. 선배는 그럴 줄 알았다며 일상이 지루하면 그냥 일탈을 하라고 대수롭지 않게 웃으며 충고했다. 김중권은 생각했다. 그래, 일탈이었어. 성공하지 못한 일탈.

　집에 들어가니 거실에 커다란 루이비통 제피르 트롤리 케이스 두 개와 키폴 여행 가방이 놓여 있었다. 겉면에 새겨진 모노

그램 로고는 잠시 다른 세상으로 향하는 꿈을 꿨다가 눈을 떴을 때 그것이 꿈이었음을 알려주는 가장 명징한 상징 같았다. 곧 떠나게 될지도 모른다고 생각했던 청담 파라곤은 다시금 기약 없이 머물러야 할 곳이 됐다. 글을 쓰는 작가 아내와 함께 고즈넉한 전원생활을 하게 되리라는 희망이 생긴 것과 동시에 낯설고 불편해지기 시작했던 공간은 빠르게 원래의 의미로 복원되기 시작했다. 김중권은 그것이 신기하고 우스웠다. 공간도 사람에게 적응하는구나 싶어서.

방에서 유인혜가 나왔다. 김중권은 얼마 만에 보게 된 것인지 언뜻 계산이 안 됐다. 바로 엊그제 본 것 같기도 했다. 옷을 갈아입고 나온 아내는 내내 그 방에 머물렀던 존재처럼 익숙했다. 유인혜는 김중권에게 다가가 뺨에 가볍게 입을 맞췄다. 트렁크 하나는 유인혜의 짐 가방이었고, 다른 하나에는 둘째 아들과 김중권을 위해 미국에서 사온 옷들이 한가득이었다. 떠날 때 예감했던 이별의 그늘은 신기하게도 찾아볼 수 없었다. 아줌마. 옷장 새로 채워야 하니까 시즌 지난 것들 다 비워줘요. 유인혜는 어제도 그랬던 것처럼 자연스럽게 가사도우미에게 지시를 내렸다. 비워진 옷들이 버려지는지 가사도우미들의 수중으로 들어가는지 유인혜는 개의치 않았다. 버려도 그만, 남이 주워 입어도 그만. 옷장에서 퇴출당할 옷들 중에는 서너 번밖에 입지 않은 옷들이 태반이었다. 김중권은 불현듯 버려질 옷들을 오아라에게 가져다주고 싶은 마음이 잠깐 들었다. 이만큼 명품 옷들을 장만하려면 그녀는 몇 번이나 몸을 팔아야 할까. 부질 없는 생각이었다. 옷장에는 앞으로 서너 번 입다 버리게 될 또 다른 옷들이 차례대로 진열됐다.

"자, 이제 부득불 날 들어오게 한 이유를 말해봐요."

대충 정리가 끝나자 김중권을 안방으로 데리고 들어간 유인 혜가 물었다. 시간의 틈을 인지하지 못할 만큼 그녀의 모습은 변한 게 없었다. 여전히 아름다웠고 기품 있었으며 상대를 주 눅 들게 했다.

"묻고 싶은 게 있어서."

유인혜가 조금 어이없다는 표정으로 팔짱을 낀 채 웃었다.

"나와 계속 살 생각인가?"

말을 하는 동안 김중권의 시선은 유인혜의 시스루 가운 속 으로 비치는 라펠라의 붉은색 속옷에 가 있었다. 흰색 시스루 안에 본색을 감추고 있는 붉은빛은 더 선연하게 느껴졌다. 그 붉은빛이 감히 나와의 이혼을 꿈꾸고 있었던 거냐고 따져 묻는 것 같았다. 집과 병원과 아이들과 외제 자동차와 철마다 바뀌 는 옷장 속 명품들. 이 모든 것들이 상징하는 부의 굴레를 벗어 던지고 과연 무탈한 행복을 누리며 살 수 있겠느냐고. 유인혜 가 없는 동안 김중권의 가슴속에 결연히 용솟음쳤던 용기와 희 망은 작은 삼각의 붉은빛 앞에서 허무하게 으스러지고 있었다. 김중권은 그것이 김순옥 때문이라 말하고 싶었다.

"그게 12시간 걸려 날 날아오게 만든 이유라고요? 뉴욕 백화점 돌며 아들과 당신 입힐 옷 바리바리 사들고 온 내게 한다는 소리가 고작……."

유인혜는 믿을 수 없다는 듯 한 손으로 이마를 짚으며 돌아섰다.

"언제부터인가 당신이 나와 헤어지고 싶어 한다고 느꼈어. 미국으로 간 것도 그 때문이라고."

그래. 이렇게 얼버무리자. 당신이 이곳에 들어와야만 했던 이유는 바로 당신 때문이었던 것처럼. 그러나 생판 거짓은 아니었다. 언젠가 한번은 물어야 할, 확인해야 할 일이었다. 이혼을 강행했더라도 최대한 책임 소재를 떠넘기기 위해 거쳤어야 할 통과의례였고.

유인혜에게 김중권은 미국에 있는 애인과는 별도로 현재의 삶을 유지하기 위해 필요한 파트너였다. 따라서 이혼할 생각은 전혀 없었다. 그가 한국에서 제자리를 지키고 있을수록 미국에서의 로맨스는 더 편안하고 안정될 수 있으니까.

"들어온 김에 제주도에 지을 프라이빗 메디컬 센터 부지 매입이나 끝내야겠어요. 당신한테만 맡겨두니 도무지 진행이 안 되는 것 같아."

유인혜가 친정아버지 뜻을 받들어 중국 갑부들을 상대로 고급 성형 관광과 리조트를 결합한 프라이빗 메디컬 센터를 짓겠다고 했던 건 미국으로 가기 전 일이었다. 김중권은 자신과 무관해 보이는 미래의 일에 관심을 둘 이유가 없었다. 무관한 것이 긴밀한 것으로 바뀌는 것은 순식간이었고, 그 계기는 사소했다. 타인이 될 뻔한 아내가 다시 긴밀한 존재로 바뀐 것처럼.

김중권은 오아라를 더는 만날 일이 없을 줄 알았다. 〈더 퍼플〉지 창간 10주년 기념 파티에서 팔짱을 낀 아내를 옆에 두고 저만치서 걸어오는 오아라를 바라보며 김중권은 환영을 보는 줄 알았다. 현실감이 전혀 없었기 때문에 피할 생각도, 외면할 생각도 못한 채 거짓말처럼 가까워지고 있는 그녀의 얼굴을 명청하게 바라보고만 있었다. 유인혜가 옆에서 뭔가 계속 떠들고 있었지만 까마득히 먼 곳에서 들려오는 소음 같았다. 그 순간 들리는 건 세상의 잡음을 거세시킨 오아라의 하이힐 소리뿐이었고, 보이는 건 오직 그녀의 얼굴뿐이었다.

오아라는 정확히 김중권 쪽을 직시하고 있었다. 때문에 김중권은 그녀의 등장이 더 비현실적으로 느껴졌다. 그것은 꿈속에서나 만날 법한 시선이었다. 게다가 그녀는 지금 막 TV 드라마에서 빠져나온 여주인공처럼 베르사체 시폰 드레스와 모피를 두른 펜디의 클러치 백을 들고 낯선 향기를 풍기며 걸어오고 있었다. 지금까지 한 번도 보지 못한 모습으로. 그것은 꿈에 대한 포기와 함께 한 점 남김없이 날려버린 줄 알았던 미련을 되불러올 만큼 대단히 매혹적인 한 장면이었다.

바로 코앞까지 다가온 오아라는 이내 김중권과 유인혜의 곁을 스치듯 지나쳐 바로 뒤에 있던 여자와 인사를 나누었다. 김기자님, 반가워요. 김중권은 차마 뒤돌아볼 엄두를 내지 못했지만 귀는 등 뒤에서 들려오는 오아라의 목소리를 향해 한껏 열렸다. 어머, 오 작가님 오셨어요? 이렇게 차려입으시니 진짜 셀럽이신데요? 기자의 목소리는 오아라보다 반 옥타브 정도 높은 것 같았다. 여기 유명하신 분 많이 오셨으니까 두루두루 상류층 인맥 좀 만들고 가세요. 기자는 농담인지 당부인지 모를 말을 남기고 총총히 사라졌고 오아라는 혼자 남았다. 아까부터 넋 나간 사람처럼 서 있는 김중권에게 유인혜가 왜 그러냐고 물었다. 김중권은 화장실 좀 다녀오겠다고 말한 후 자리를 벗어났다.

김중권이 잠시 사라진 후 등을 진 채 서 있던 오아라는 뒤돌아서 유인혜의 어깨를 톡톡 두드렸다. 유인혜가 돌아섰다. 오아라가 기억하고 있던 것만큼 여전히 아름답고 귀족적이었지만 이제야 자세히 뜯어보게 된 얼굴은 예전에는 못 느꼈던 선뜩한 기운을 머금고 있었다. 누구시죠? 예상한 대로 유인혜는 오아라를 전혀 기억하지 못했다. 청담동 미용실 VIP룸에서 방금 받고 온 것 같은 메이크업은 그녀의 피부에 도자기 같은 윤광을 만들어내고 있었다. 아침, 저녁으로 96만 원짜리 안티에이징 크림을 아낌없이 발라댈 수 있는 호사를 타고난 피부. 소더비 경매에 나온 엄청난 호가의 그림을 감상하는 기분이었다. 오아라는 유인혜의 티끌 없는 피부에 생선 살을 저미듯 얇게 칼집을 넣고 싶은 충동을 느꼈다. 매끄럽게 빛나는 볼을 타고 유유히 흘러내릴 한 줄 핏방울을 보고 싶었다.

"전 중권 씨와 불륜을 저지른 사람이에요."

오아라의 얘기에 유인혜는 눈을 살짝 치켜뜨며 샴페인 잔을 옆 테이블에 내려놨다.

"그래서요?"

심드렁한 유인혜의 대답이 한 템포 늦게 이어졌다.

"잠도 잤죠. 여러 번. 마인더숍에서 제게 선물도 사주었고요."

유인혜는 '요것 봐라' 하는 표정으로, 혹은 결코 처음 당하는 일인 것처럼 보이지 않겠다는 듯 결사적으로 여유로운 웃음을 잃지 않았다.

"불륜을 했으면 잤을 것이고, 잤으면 대가를 치렀겠죠."

허리춤에 한쪽 손을 짚은 채 유인혜는 연극 무대에 오른 여배우처럼 상당히 인위적인 어조로 대답했다.

"제게 곧 이혼할 테니 함께 살자고도 했어요. 전, 답하지 않았죠. 사람 일은 어떻게 될지 모르니까."

조용히 이어지는 오아라의 얘기에 평정을 유지하던 유인혜의 눈빛도 차츰 변하기 시작했다.

"그런데 뜻대로 안 됐나 보죠? 그래서 유치하게 복수하겠다고 여기까지 찾아온 건가? 막장 드라마처럼?"

유인혜의 음성에서 스멀스멀 피어오르는 분노가 느껴질수록 로비에서 처음 이들 부부를 발견했을 때 치솟았던 오아라의 분노는 천천히 사그라들고 있었다.

"복수도 사랑이 있어야 하죠. 전, 영 아니었거든요. 큰 병원 원장이면 뭐해요. 너무 지질해서 금방 질리는데. 여기 초대받아 왔다가 그냥 우연히 마주친 것뿐이에요. 삶이란 게 환장할 우연의 연속이잖아요. 막장 드라마처럼."

그 말을 남기고 오아라는 유인혜 옆을 유유히 스쳐 저만치 떨어져 있는 지정 좌석 쪽으로 가 앉았다. 그곳에서 김중권과 유인혜를 만나게 될 줄은 오아라도 몰랐다. 인터뷰 한 번 한 인연으로 매체 창간 20주년 기념 파티에 정식으로 초대를 받았고, '오늘의 〈더 퍼플〉지가 있게 해주신 셀러브리티로서 꼭 파티에 참석하시어 매체 창간 20주년을 더욱 빛내주세요'라는 문구에 마음이 동해 참석을 결정했을 뿐이다. 명품 대여 숍에 가서 드레스와 클러치 백과 구두를 빌리고 청담동 미용실에서 30퍼센트 할인을 받아 난생처음 28만 원을 지불하고 메이크업에 머리 손질까지 한 후 이곳으로 향했을 때만 해도 진정 '셀럽'이 되었다는 기쁨과 신기함에 기분이 들떠 있었다. 강남의 별 여섯 개짜리 특급 호텔 그랜드볼룸 전체를 뒤덮은 형형색색 생화의 향연에는 들어가던 발걸음을 멈추기도 했다. 꽃값만 3천만 원이 들었다며 수선 떠는 누군가의 얘기를 들었을 때는 황홀함에 전율이 흘렀다.

김중권과 유인혜를 보는 순간 기쁨과 희열과 놀라움과 황홀함은 일시에 분노를 향해 일렬횡대로 늘어섰다. 그 분노가 가리키는 곳으로 저절로 발이 움직였다는 느낌이 맞을 것이다.

자리에 앉아 물을 한 모금 마시고 눈을 돌리니 김중권도, 유인혜도 보이지 않았다. 그렇게 오아라 역시 김중권과 이별했다. 완전하게.

파티를 마치고 옷과 백을 반납한 후 집으로 돌아온 오아라는 머리도 비울 겸 미처 정리 못한 신발장을 열어 어지럽게 뒤섞여 있는 노아와 자신의 신발들을 하나둘씩 끄집어내기 시작했다. 신발장이 거의 다 비워져갈 즈음 노아의 구두 뒤에 가려져 있던 비닐봉지 하나가 나왔다. 무심코 봉지를 열자 그 안에 오아라가 잃어버렸던 구찌 열쇠고리가 들어 있었다. 이게 왜 여기 있을까……. 곰곰이 생각해봤지만 기억나는 건 없었다. 자신이 어딘가에 처박아 두었던 것이 이삿짐에 섞여 왔다가 함께 짐 정리를 하던 노아가 급한 대로 신발장 안에 넣지 않았을까 어설픈 추측만 해볼 뿐이었다. 어쨌든 달갑지 않은 물건을 버릴 수 있게 됐으니 잘된 일이다. 오아라는 거의 꽉 찬 20리터짜리 쓰레기봉투에 열쇠고리를 넣고 잘 묶어서 문밖에 내놨다. 한데 한 시간쯤 후 문이 열리고 노아가 그걸 다시 들고 들어왔다.

"이거 왜 버렸어?"

오아라는 노아의 질문이 무슨 의미인지 몰라 처음엔 눈만 동그랗게 뜨고 쳐다봤다.

"그냥 필요 없는 거라서."

노아 역시 오아라의 얘기를 잘 이해하지 못해 고개를 갸우뚱거렸다. 이건 내가 너에게 준 유일한 물건이야. 이건, 버리지 말아줘. 김순옥이 했던 마지막 말이 떠올랐다.

"전에 동거하던 여자한테 선물로 받은 거라 버리기 좀 그런 물건이야."

노아가 지금 무슨 소리를 하고 있는 것일까. 오아라는 뭐라고 해야 할지 난감했다.

"그건 내가 받은 선물인데……."

두 사람 사이에 대단히 모호한 대화가 한동안 더 오간 후에야 오아라는 얽혀 있는 실타래의 희미한 끝을 잡았다. 설마 하는 심정으로.

"혹시 그거 준 여자, 그러니까 전에 동거했다던 여자 이름이 김순옥이야?"

이번엔 노아가 두 눈을 크게 뜬 채 말없이 그녀를 바라봤다.

"어떻게 알아? 아는 사람이야?"

오아라의 머릿속에서는 다시금 운명이란 단어가 배시시 대며 머리를 쳐들었다. 삼류 드라마처럼 돌아가는 삶에 언제쯤 완벽히 적응할 수 있을까. 네가 동거했던 여자가 그 여자였구나……. 아직도 알 수 없는 것투성이였지만 오아라의 머리는 빠른 속도로 하나의 가설을 쓰고 있었다.

오아라는 다음 날 오피스텔 관리사무소를 찾아 자신이 살았던 곳에 누군가 몰래 들어왔던 것 같다고 사정을 설명한 후 CCTV를 확인했다. 2주 전쯤 김중권과 함께 오피스텔을 나가면서 복도에서 마주쳤던 여자. 화면 속 여자는 복도 끝까지 천천히 걸어갔다가 김중권과 오아라가 엘리베이터를 타고 사라진 후 다시 되돌아와 문 앞에서 잠시 망설이는 듯했다. 뒤로 물러서던 그녀가 바닥에서 뭔가를 주워 들었는데 가만히 살피더니 그대로 주머니 안에 넣었다. 화면상으로는 잘 보이지 않았지만 집을 나서면서 주머니에서 휴대폰을 꺼내드는 자신의 모습을 먼저 확인한 터라 그때 열쇠고리를 흘렸던 모양이라고 오아라는 생각했다. 그대로 뒤돌아 가는 것 같던 여자는 이내 또 한 번 되돌아와서는 메모지를 꺼내 무언가를 적어 문에 붙여 놓고 사라졌다. 문에 남겨진 노란색 메모지는 그녀가 김순옥이 확실하다는 것을 말해주고 있었다.

혹시나 하는 마음으로 CCTV를 계속 돌려 보던 오아라의 눈에 김순옥이 두 번째 등장했다. 불과 이사 오기 며칠 전이었다. 처음 나타났을 때와는 달리 어딘지 행동이 좀 급해 보였다. 이번에도 잠깐 고민을 하는가 싶더니 이내 오피스텔 문을 열고 안으로 들어갔다. 대체 비밀번호는 어떻게 알았을까. 오아라는 그것까지 알아내지는 못했다. 15분 정도 머물렀던 그녀는 오피스텔을 나와 표정 없는 얼굴로 복도를 걸어가더니 엘리베이터를 타고 황급히 사라졌다. 1층 출입문에서 택배 배달원이 들어가는 타이밍에 맞춰 안으로 들어가는 모습도 확인했다.

CD에 담아온 CCTV 화면을 본 노아는 영상 속 여자가 김순옥이 맞다고 했다. 그리고 물었다. 김순옥과 어떤 관계냐고. 왜 김순옥이 그 집에 들어간 것이냐고. 오아라는 그냥 모르는 여자라고 둘러댔다.

"이름은 알고 있는데 모르는 여자라고?"

노아는 이해할 수 없다는 표정으로 물었다.

"응, 몰라. 한 번도 만난 적이 없으니까."

오아라의 아리송한 대답에 노아는 궁금증이 커졌지만 그녀가 불편해 하는 것 같아 더 이상 묻지는 않았다.

"그런데 어떡할 거야? 그 여자, 좀 불쌍한데."

오아라는 측은지심 가득한 얼굴로 말하는 노아를 보며 두 사람은 어떤 관계였을까 문득 궁금해졌다. 잠을 자기는 했지만 사랑하는 사이는 아니라고 했다. 그러면 지금 우리 관계 같은? 오아라가 그렇게 물었을 때 노아는 짐짓 서운해했다. 사랑인지 아닌지는 노아도 규정할 수 없었지만 김순옥을 향했던 것과 다른 마음인 것만은 분명했으니까. 누구에겐가 서운한 마음이 들기는 처음이어서 노아는 그 감정이 낯설고 어색해 오아라에게 되묻지 않았다. 김순옥 얘기를 들려주던 그의 입에서 윤석향이라는 이름 석 자가 나오지 않았다면 오아라는 노아의 표정에 잠시 서렸던 애잔한 감정을 확실한 사랑이라고 읽었을 것이다. 윤석향에 대한 김순옥의 짝사랑 스토리는 별달리 감동적이거나 특별할 것 없었지만, 그로 인해 노아에게 보였던 행태는 착한 그의 마음에 동정심을 불어넣을 만하긴 했다. 동정심을 얻기 위한 의도된 행위였거나.

김순옥은 윤석향의 어떤 매력에 끌렸던 것일까. 오아라는 곰곰이 생각해봐도 딱히 합당한 이유를 찾긴 힘들었다. 그저 문예지 편집주간이자 교수라는 타이틀에 어울리는, 딱 그만큼의 정형화된 이미지일 뿐인데. 윤석향을 흠모했던 그것과 오피스텔에 무단 침입한 그것 사이에 어떤 연관성도 있어 보이진 않았다. 이러나저러나 이젠 상관없었다. 김순옥은 어차피 이 일로 회사를 나갔고, 이 집에서도 나갔다. 다만 그녀가 한동안 머물렀던 공간으로 들어왔다는 사실이 조금 찝찝하고 불편할 따름이었다. 어쨌든 김중권과 김순옥, 두 사람의 메타포가 돼버린 열쇠고리는 이제 반드시 치워 없애야 할 물건이 됐다.

김순옥이 살던 공간으로 들어왔다는 찝찝함과 불편함은 얼마 가지 않아 잊혀졌다. 김순옥이 퇴짜를 놨던 단편은 두 번의 수정을 거쳐 〈문학과 미래〉 여름호에 게재될 일만 남았고 장편 '스칼렛 오아라'도 본격적으로 진도를 빼기 시작했기 때문이다. 또한 〈더 퍼플〉지 기자로부터 걸려온 뜻밖의 전화 때문이기도 했고.

기자는 〈더 퍼플〉지가 다섯 개의 명품 뷰티 브랜드와의 컬래버레이션 작업을 진행할 예정인데 오아라가 참여해주기를 희망한다고 했다. 본지의 부록이자 별도 단행본으로 만들게 될 컬래버레이션 북은 다섯 개 뷰티 브랜드의 대표 아이템을 각각 회화, 사진, 설치, 조각, 소설의 다섯 가지 장르로 재해석해 그 과정과 결과물을 싣는 작업이었다. 그중에서 소설은 주력 아이템의 광고 콘셉트와 브랜드 스토리에 적당한 허구를 가미해 원고지 50매 정도의 '팩션'으로 만드는 것이었다. 그러니까 광고 내용이나 브랜드 스토리를 소설적으로 스토리텔링 해주시면 되는 거예요. 기자의 길지 않은 설명만 듣고도 대충 어떤 작업인지 감이 잡혔다.

오아라가 맡게 될 브랜드는 선물로 받았던 96만 원짜리 화장품을 만드는 바로 그 회사였다. 기자는 오아라의 등단작을 본 브랜드 관계자가 매우 흡족해했으나 다만 작가로서의 경력과 작품 활동이 다소 적어 잠시 고민을 했다고 전했다. 하지만 기자는 곧 유명 출판사를 통해 다른 작품이 발표될 것이며 장편도 나올 예정이라는 말로 설득을 했다면서 자기 공치사를 섞어 저간의 과정을 전했다.

"그러니까 브랜드에 사기 친 게 되지 않으려면 단편도 꼭 발표하셔야 하고 장편도 꼭 나와야 한다는 말이죠."

사기라는 말을 듣는 순간 살짝 불쾌해지긴 했지만 '이 기회에 확실히 셀럽에 등극하셔야죠'라는 기자의 다음 말을 듣고는 더 생각할 것 없이 제안을 받아들였다. 무엇보다 원고료가 천만 원이나 된다는 사실이 거부할 수 없게 만들었다. 분량은 신춘문예의 절반인데 상금은 세 배 이상이었다. 사회적으로 지탄의 대상이 되기도 하는 〈더 퍼플〉지가 이렇게 가난한 예술가들을 먹여 살리고 있었다. 이제 준비 단계라 실질적으로 진행이 되어 부록이 만들어지기까지는 최소 6개월 이상 잡고 있다고 하니 시간적인 여유도 충분했다. 그사이 단편은 실릴 것이고 장편 역시 윤석향을 어떻게든 구워삶으면 길이 보일 것 같았다.

윤석향은 처음 만난 이후로 자주 문자를 주거나 전화를 걸어와 작품에 대한 이야기를 했고 〈문학과 미래〉 편집주간으로서의 사명감이나 여러 작가들과 있었던 자잘한 뒷이야기들을 전하기도 했으며, 오늘은 아주 힘든 하루였다는 등의 푸념 섞인 말들을 늘어놓기도 했다. 자주 편집부 사무실에 들러 직원들과 인사도 하고 점심이나 하자고도 했고 초밥 잘하는 집이 있는데 함께 저녁을 먹지 않겠냐고 연락을 하기도 했다. 굳이 거절할 이유도 없어서 오아라는 편집부 사무실에 몇 번 들르기도 했고 초밥집에서 윤석향과 저녁을 먹기도 했다. 윤석향은 장편을 쓰기 시작했다는 오아라 말에 다행히 관심을 보였다. 단편집이 먼저 나와야 한다는 말도 했다. 꼭 장편을 〈문학과 미래〉에서 낼 필요는 없었지만 그래도 이왕이면 불확실한 공모전보다는 윤석향과 출판사 간판의 힘을 딛고 책을 내는 것이 여러모로 유리했다. 〈더 퍼플〉지와의 컬래버레이션 작업에 대해 조심스럽게 털어놓자 윤석향은 좋은 일이라고 말했다.

"이젠 작가 스스로 마케팅을 해야 하는 시대예요. 명품 광고지라고 욕먹는 매체이긴 하지만 이런 가난한 예술에 돈을 쏟아붓는 일은 문예지도 못하고 있는 거니까. 돈 많은 사람들한테 인지도 높여서 손해날 거 없어요. 무엇보다 오 작가의 상품성을 높여가는 데 도움도 될 거고."

윤석향의 평가는 뜻밖에도 긍정적이었다. 컬래버레이션 프로
젝트에 대해 신나게 떠들던 윤석향은 김순옥에 대한 얘기가 나
오자 180도 태도가 바뀌었다. 오피스텔에 무단으로 침입했다
는 말에 윤석향은 헛웃음을 연거푸 터뜨렸다. 그런 '또라이' 같
은 인간이 〈문학과 미래〉 편집부에서 4년이나 근무했다는 사실
이 수치라며.

"그런데, 김순옥 씨가 많이 흠모했다고……."

오아라가 조심스럽게 입을 떼자 윤석향은 불쾌한 표정을 숨
기지 않았다.

"술만 마시면 들러붙긴 하더이다. 근데 난 뭐 보는 눈이 없나.
그 몰골을 해서는."

말을 해놓고 아차 싶었는지 윤석향은 이상한 쿵쿵 소리를
내며 얘기를 끊고는 다른 데로 화제를 돌렸다. 결과적으로 그
는 〈문학과 미래〉의 편집주간이자 겸임교수임을 떠나 어쩔 수
없는 수컷임을 스스로 실토한 셈이었다. 오아라는 그것이 진심
으로 다행이었다.

〈더 퍼플〉지 기자는 이틀 후 컬래버레이션 하기로 한 브랜드
와 식사 자리를 주선했고, 오아라는 다시 한 번 명품 대여 숍을
다녀와야 했다. 브랜드 홍보 담당자를 만나는데 대여 숍까지
갈 필요가 있을까 싶었지만 '작가님을 위해 브랜드에서 특별히

강남에 있는 최고급 호텔의 다이닝 레스토랑을 예약했답니다'
라는 기자의 말을 듣고는 무언가에 홀린 듯 대여 숍으로 향했
다. 다행히 전날 96만 원짜리 크림이 중고 사이트에서 86만 원
에 팔려 여윳돈이 있었다. 96만 원짜리 크림을 파는 브랜드의
관계자를 만나러 가기 위해 96만 원짜리 크림을 중고 사이트에
내다 판 상황이 좀 우습긴 했지만 그보다는 난생처음 6성급 호
텔의 파인다이닝 레스토랑을 가볼 수 있게 됐다는 사실에 가
슴이 설렜다.

　삼성동 한복판에 자리 잡고 있는 특급 호텔 2층에 위치한 메
인 레스토랑은 높다란 층고와 탁 트인 전망, 과하지 않으면서도
고급스러운 디테일이 돋보이는 인테리어가 확실히 다른 격조를
자아내고 있었다. 5분 정도 늦게 도착한 오아라에게 직원이 이
름을 묻더니 자리로 안내했다. 반투명 유리로 파티션이 돼 있
는 독립된 룸 안으로 들어가자 기자 말고도 세 명이나 되는 여
자들이 우르르 일어났다. 기껏해야 한두 명일 줄 알았다. 그들
은 작가님, 작가님 소리를 앞다투어 내면서 오아라를 여왕 모
시듯 가운데 자리로 이끌었다. 태어나 난생처음 받아보는 환대
에 좀 얼떨떨하기도 했다. 오아라는 이곳에 오기 전 스스로에
게 수십 번 각인시켰던 대로 여유로운 웃음과 한 템포 느린 듯
한 동작을 유지했다. 홍보 담당자들은 너나 할 것 없이 만나서
영광이며 이렇게 미모의 작가님인 줄 몰랐다는 둥 딱히 진실인
지 거짓인지 가릴 필요도 없는 말들을 경쟁적으로 쏟아냈다.

화장품의 가격만큼이나 콧대가 높기로 소문난 명품 뷰티 브랜드의 홍보 담당자들이 이렇게 앞에서 입속 혀처럼 굴고 있는 이유는 하나. 그녀가 작가이기 때문이다. 처음이었다. 신춘문예 등단에 감사해지는 순간. 아울러 자신이 왜 더욱 유명한 샐러브리티 작가로 거듭나야 하는지 그 이유와 목표를 재삼 뼈저리게 깨달았다. 청담 파라곤 안주인의 꿈이 물 건너간 대신 더욱 '에지 있는' 새로운 꿈이 우연처럼, 운명처럼 다가왔다. 등단작으로 인해 또 한 번 예기치 못한 곳으로 튀게 된 운명. 어느새 오아라는 운명이라는 단어에 발작처럼 일어나곤 하던 알레르기 반응이 차츰 짜릿함과 즐거움으로 바뀌고 있음을 느꼈다.

곧이어 차례대로 테이블 위에 올라오는 코스 음식들은 그보다 더 짜릿한 즐거움을 안겨주었다. 식전 빵부터 시작해 단호박 수프, 튀긴 수란, 가스파초, 드라이드 토마토와 타르타르를 곁들인 도미 살 훈제, 정갈한 김초밥, 바닷가재와 푸아그라 팬케이크, 그리고 메인 디시인 양 갈비와 디저트로 나온 티라미수에 망고 파나코타까지. 무식해 보이지 않도록 매 코스마다 음식을 조금씩 남기는 일이 고역일 정도로 혀를 마비시키고 심장을 녹이는 맛이었다.

문득 저만치 창가에 나란히 앉아 주말 오전 느긋한 브런치를 즐기는 김중권과 유인혜의 모습이 환영처럼 지나갔다. 그날 이후 그들은 어떻게 됐을까. 잠깐의 냉기, 습관 같은 대화, 그리고 다시 익숙한 일상. 빠르게 그려지는 삶의 패턴으로부터 결국 김중권은 빠져나오지 못할 것이다. 오아라는 김중권의 마음속에서 어떠한 감정의 궤적이 지나간 것인지 정확히는 모른다. 어떤 마음으로 왔다가 어떤 마음으로 간 것인지. 시작만 있었고, 결과만 남았다. 대체 그는 왜 단 한 번도 이런 곳에 데려와주지 않았던 것일까. 아내를 데리고도 저렴한 한식집이나 설렁탕 집에 갈까. 아내와는 갈 수 없는 곳을 함께 가줄 사람이 필요했던 것인가.

미팅 하다 말고 찾아온 뜬금없는 상념은 홍보 담당자가 오늘 만난 선물이라며 건넨 쇼핑백이 차단시켜주었다. 다섯 명의 점심 식사 값만도 얼추 수십만 원. 쇼핑백 안에는 이제 친숙해진 96만 원짜리 크림을 포함한 같은 라인 제품들이 세트로 들어 있었다. 원고료 천만 원도 황송한데, 지금 받은 선물만도 정가로 치면 수백이었다. 미팅 한 번에 이만큼의 돈을 쓸 수 있는 것은 분명 명품 브랜드 직원의 눈부신 특권이었다. 그 특권의 맛을 함께 본 오아라에게는 세상에서 가장 달콤한 식사 시간이었다. 하지만 그 달콤함은 오래가지 못했다. 엄마가 있는 요양병원으로부터 걸려온 전화 때문에.

지난 두 달간 오아라는 엄마를 까마득히 잊고 있었다. 노아 덕분에 병원비까지 자동 이체시켜놓고 보니 어느덧 엄마의 세상은 저만치 강 건너로 멀어져 가 있었다. 아니, 강 건너로 밀어 보냈던 것이다. 잘 보이지 않아 외면하기에 적당한 거리만큼. 전화를 걸어온 간호사는 엄마가 며칠 전부터 폐렴 증세를 보여 치료하던 중 증상이 심해져 큰 병원으로 이송해야 할 것 같다고 했다. 전에 수술했던 병원으로 급하게 옮겨온 엄마는 폐렴을 지나 이미 패혈증까지 온 상태였다. 담당 의사는 요양병원에서 왜 이 지경이 되도록 그냥 놔두었는지 모르겠다고 했다. 오아라는 그 말이 자신에게 하는 소리 같았다. 아프면 아프다고, 열이 나면 열이 난다고 말도 못한 채 엄마는 병원 구석방에서 거의 방치돼 있다시피 했을 것이다. 열이 40도까지 끓어오르면서 호흡이 힘들어지고 혈압이 급격히 떨어진 엄마는 병원 응급실로 이송돼온 지 반나절 만에 중환자실로 들어가 인공호흡기를 달았다. 이런 상황을 예상은 했지만 너무 빨랐다.

중환자실 복도에서 기다리는 동안 오아라가 할 수 있는 것은 아무것도 없었다. 요양병원에 있을 때도, 이곳에서도 오아라가 하는 것이라곤 아픈 엄마를 남의 손에 맡겨두는 일뿐이었다. 의자에 앉은 채 벽에 머리를 기대고 면회 시간을 기다리고 있는데 노아에게서 전화가 걸려왔다. 이사하고 정신없었는데 모처럼 좋은 데 가서 스테이크 먹고 쇼핑도 할까? 천진난만한 노아의 목소리가 티끌 하나 없는 가을날의 하늘 같아서 문득 슬펐다. 낯설고 외로운 공간을 어루만지는 하늘의 음성 같아서. 엄마 지금 중환자실에 입원했어.

오아라와 통화를 끊은 지 30분 만에 노아가 도착했다. 병원 복도 저만치에서 걸어오는 노아의 모습을 보면서 오아라는 김순옥이 분명 그를 사랑했을 거라는 확신이 들었다. 흐릿하게 보이는 실루엣이, 성큼성큼 걸어오는 걸음걸이가, 리드미컬하게 움직이는 팔 동작이, 늠름한 어깨가 그렇게 증언하고 있었다. 노아는 말없이 오아라 옆에 앉아 손을 잡아주었다. 괜찮으실 거야. 병원비는 걱정하지 말고. 처음 쓰러져 병원에 입원했을 때 오아라는 내내 혼자 엄마 곁을 지켰다. 곁을 지키고 앉아 따뜻한 온기를 전하고 있는 이 남자도 신기루처럼 부지불식간에 흩어져 사라질까 봐 움켜쥔 그의 손을 꼭 쥐어 잡았다. 너무 오래 잊고 있었어. 엄마를. 노아는 창백한 오아라의 얼굴을 바라보다가 자신의 어깨 위에 기대게 했다. 난 엄마를 잃어버렸어. 그래서 잊을 만한 기억이 없지. 녹물이 번져 형체도 알아볼 수 없게 된 흑백 사진처럼 빛바랜 채 남은 엄마의 기억. 그것은 그리움이 될 수도, 애잔함이 될 수도, 원망이 될 수도 없을 만큼 한없이 모호하며 불투명한 것이었다.

그렇다고 오아라처럼 아픈 엄마라도 옆에 있는 것이 낫겠느냐고 누가 물으면 노아는 분명히 아니라고 말할 것이다. 상실과 부재는 다르니까. 사라질 존재와 원래부터 없었던 존재의 의미 또한 다르니까. 지금 노아에게 중요한 것은 엄마에 대한 새삼스러운 감상이 아니라 오아라에게 힘이 돼주어야겠다는 일념, 그녀를 지켜야 한다는 사명이었다. 그리고 깨달았다. 엄마가 돌아오기를 바라는 소망 따위 자리할 틈도 없이 그저 오아라에 대한 걱정과 연민만이 가득하다는 것을. 그렇게 오아라를 사랑하게 됐음을. 이것이 그토록 찾아 헤매던 사랑이라는 것임을.

면회 시간이 되어도 오아라는 엄마를 만날 수 없었다. 의사와 간호사들이 들어가고 나올 때마다 중환자실 문 사이로라도 엄마를 보려 했지만 대부분의 환자들이 죄 인공호흡기를 달고 있어 어느 자리인지조차 찾을 수가 없었다. 입원이 길어질 모양이니 집으로 가서 짐을 챙겨 오는 게 어떻겠냐는 노아의 말에 오아라는 하는 수 없이 몸을 일으켰다.

집으로 가는 차 안에서 노아가 구찌 열쇠고리는 버렸다고 했다. 너에게도 나에게도 의미 없는 물건이라면서. 너한테는 의미 있잖아. 그냥 갖고 있어도 돼. 오아라는 머리를 기댄 채 창밖을 바라보며 건조하게 말했다. 그 여자에게 의미가 있었던 거지 내게는 의미 없어. 이렇게 말할 땐 노아가 선수라는 걸 잠시 잊게 된다. 선수의 길로 들어서지 않았다면, 서울역 대합실에 버려지지 않았다면, 낯선 곳으로 데리고 가 손을 놓아버린 엄마가 아니었다면 노아는 지금쯤 어떤 청년이 돼 있을까. 그의 삶을 되돌리기 위해선 얼마나 먼 과거로까지 회귀해야 할까. 그의 운명을 바꾸기 위해선.

엄마를 요양병원에 맡기지 않았다면, 어려운 형편 때문에 하루 12시간씩 고된 노동을 하지 않았다면, 내가 월급 200만 원이라도 꼬박꼬박 받아오는 평범한 직장인으로 살았더라면 엄마는 지금 중환자실에 누워 있지 않아도 됐을까. 윤석향이 내게 관심을 두지 않았더라면 김순옥이 우리 집까지 몰래 찾아드는 일은 없었을까. 오아라는 문득 운명을 뒤에서 갖고 노는 거대한 존재가, 그 정체가 궁금했다. 신이라고 하기엔 너무 사악하고. 초자연적인 힘이라고 하기엔 너무 영악한 그 정체가.

집에 도착해 대충 짐을 챙기고 다시 노아의 차에 오르려 할 때 전화가 왔다. 병원이었다. 전화를 받는 순간 오아라는 짐작했다. 그렇게 엄마가 가버렸음을.

오아라는 노아와 함께 엄마의 장례식을 치렀다. 찾아오는 방문객이 많진 않았다. 마음 같아선 조문을 아예 받지 않고 조용히 지나가고 싶었지만 엄마의 마지막 가는 길까지 너무 쓸쓸하게 할 수는 없어 연락도 하지 않던 몇몇 친척과 친구들에게만 소식을 전했다. 그중에서 절반 정도가 다녀갔으며, 고등학교 동창생 여자 하나는 눈물과 함께 애도를 표한 후 청첩장을 전해주고 돌아갔다. 친척도 친구도 모두 타인 같은 존재로 찾아와 타인 같은 위로를 건넸고, 건조한 표정으로 육개장을 한 술 뜬 후 자리를 떴다.

　그나마도 이틀째가 되니 찾아오는 손님이 뜸해졌다. 오아라는 다행이다 싶었다. 〈문학과 미래〉에도 알리지 않았다. 윤석향이라도 찾아오면 노아에게 설명할 일이 번거롭고 귀찮았으며 윤석향에게도 노아의 존재를 알리지 않는 것이 좋을 것 같았다. 정확히 촌수도 알 수 없는 먼 친척이 노아가 남편이냐고, 언제 도둑 결혼했냐고 물었을 때 답하지 않았던 것도 그저 귀찮아서였다. 남편으로 알든 무엇으로 알든 어차피 장례식 끝나면 얼굴 볼 일 없는 사람들이었다.

노아는 3일 낮밤을 꼬박 장례식장에서 오아라의 곁을 지켰다. 오아라는 엄마 시신이 화장장 안으로 들어가 불길에 휩싸이는 순간에도 울지 않았다. 영정 사진을 든 채 눈물을 살짝 글썽인 건 노아였다. 슬프거나 안타까워서가 아니라 사람이 불에 타 사라지는 순간을 처음 본 탓이었다. 저만치 사라져가는 엄마 뒷모습을 보면서도 차마 부를 수도, 불러서도 안 된다는 것을 직감적으로 깨달았을 때 느꼈던 마음과 비슷했다. 이제 다시는 영원히 서로를 볼 수 없다고 신의 선고를 받는 순간, 노아는 오아라를 바라보다가 그녀의 손을 꼭 잡았다. 이 여자만큼은 두 사람의 엄마들처럼 보내지 않겠다는 의지만큼이나 강하게. 오아라의 엄마는 그렇게 딸과 무엇인지 명확히 규정지을 수 없는 관계에 놓여 있는 한 남자의 배웅을 받으며 저세상으로 떠났다.

노아는 오아라가 걱정됐지만 며칠 우울해 보이던 그녀는 곧 일상의 모습으로 돌아와 노아와 함께 외식을 했고 쇼핑을 다녔다. 노아가 일하러 나간 동안에는 열심히 '스칼렛 오아라'를 썼고 틈틈이 브랜드 컬래버레이션 작업과 관련하여 기자나 홍보 담당자와 전화 통화를 했으며, 브랜드에서 메일로 보내온 자료들을 훑어보았다. '초암'을 위해 『불교학개론』 책을 뒤적일 때는 지끈거리던 머리가 명품 브랜드와 값비싼 화장품의 탄생 스토리를 만나니 잠자고 있던 뇌세포까지 기껍게 깨어나는 듯했다.

한번은 〈더 퍼플〉지 창간 기념 파티 때 잠깐 인사를 나눴었다면서 강남의 유명한 성형외과 홍보 담당자로부터 연락이 온 적도 있었다. 협찬의 개념으로 성형수술을 해줄 테니 병원의 시술 모델이 돼달라는 제안을 했다. 왜 자신에게 그런 제안을 하느냐 물었더니 병원 홍보 담당자는 웃으며 말했다. 흔한 연예인 말고 작가님 같은 특별한 셀럽이 더 좋아서요. KY성형외과 정도는 아니었지만 연예인과 돈 있는 사람들이 많이 찾는다는 꽤 유명한 성형외과였다. 3D 윤곽성형이나 양악 수술을 무료로 해주는 대신 1년 동안 병원 홍보에 사진을 사용할 수 있게 해주는 조건이었다. '셀럽'이라는 말에 오아라는 다시금 가슴이 설레긴 했지만 얼굴에 칼을 대는 일은 섣불리 결정할 수 있는 문제가 아니었다. 만천하에 얼굴 팔아서 어떤 부메랑이 되어 돌아올지 걱정도 앞섰고. 이럴 때 김중권이 옆에 있었다면 상의라도 해 볼 수 있었을 텐데. 오아라는 그런 생각이 드는 것 자체가 불쾌했지만 머릿속을 차고 들어오는 생각까지 어떻게 할 수는 없었다. 다신 볼 일 없을 거라고 여겼던 김중권으로부터 연락이 왔을 때 간신히 밀어냈던 불쾌함도 함께 찾아왔다.

"당신을 처음 만났던 날 난 꿈을 꿨어요. 그동안 내가 꿈꿔왔던 꿈이 어쩌면 현실이 될 수도 있겠다는 꿈."

김중권은 전화기 너머로 뭔가에 취한 사람처럼 중얼거렸다.

오아라는 불쾌함에 더해 짜증이 확 치밀어 올라 그냥 끊어버리고 싶었다.

"난 그 꿈에 속았고, 당신에게 속았어요."

무슨 말을 하고 있는지 오아라는 이해되지 않았다. 뜻도 모르고 떠들어대는 말장난 같을 뿐이었다.

"김순옥이라는 여자한테 얘기 다 들었어요. 당신이 어떤 여자인지."

그의 입에서 또다시 듣게 된 낯익은 이름. 휴대폰을 쥐고 있는 오아라의 손이 부르르 떨렸다. 김중권도 김순옥도 모두 캄캄하고 단단한 어둠의 관 속에 봉인시키고 싶은 이름이 됐다. 다시는 세상의 빛을 보지 못하게, 숨도 쉬지 못하도록.

"혼자 꿈꾸고 혼자 깨고 혼자 결론짓고. 당신의 그 유아적이고 이기적인 발상과 행태를 알고 나니 이제야 나도 당신이란 사람이 얼마나 하찮은 존재인지 알게 됐어요. 문화상품권과 설렁탕. 딱 그만큼이 당신 스스로 꿀 수 있는 꿈의 그릇인 거예요. 그냥 솔직히 말해요. 잠깐 꿈을 꿨는데 깨어 보니 바다와 같이 넓은 아내의 품이더라고. 꿈이어서 다행이더라고. 풍요로운 아내의 바다를 벗어나선 단 한순간도 살 수 없다는 걸 깨달았다고. 혼자서 꿈꾸는 건 내 능력 밖이라고."

오아라는 김중권에게 밀리고 싶지 않았다. 지기도 싫었다. 죄인이 되기는 더더욱 싫었다. 설령 스칼렛의 존재가 발각됐다고 하더라도 그에게 대가를 받고 몸을 준 것도 아니었으니. 차라리 대가가 있었다면 더 떳떳할 수 있었을까. 김중권은 아무 말이 없었다. 하찮다는 표현은 아주 마음에 들었다. 순간적으로 떠오른 표현이었지만 자신의 심정과 그에 대한 평가를 가장 함축적으로 아우르는 단어라는 생각이 들었다.

청담 파라곤의 왕, KY성형외과의 수장이라는 황홀한 후광으로 다가왔던 김중권은 그 누구보다 보잘것없는 존재였다. 오아라는 그와 마지막 통화를 끝내고 나서야 비로소 확실히 깨달았다. 깨달음은 절대 경험을 앞지르지 않는다.

장례식을 치른 후 노아는 조금 더 바빠졌다. 오아라에게는 말하지 않았지만 난생처음으로 자신의 인생에 대해, 오아라와 함께할 미래에 대해 보다 건설적인 변화와 모색의 필요성을 느꼈기 때문이다. 오아라가 집으로 들어오고 그녀의 엄마가 떠나는 일련의 일들을 겪으면서 노아는 가족이라는 것에 대해 생각했고 선수 생활을 앞으로도 계속 할 것인가에 대해 진지한 고민을 하기 시작했다.

사실 화장터에서 노아가 눈물을 보였던 것은 외롭고 쓸쓸히 혼자서 엄마를 보내는 오아라 때문이기도 했다. 노아는 신기했다. 타인 때문에 자신이 눈물을 흘릴 수 있다는 사실이. 엄마를 그리워하다가 두려움에 떨며 잠들어야 했던 무수한 밤도 울지 않고 견뎠던 그였다. 눈물샘이 있긴 있음을 확인하게 되고 보니 새삼 사람이 된 것 같은 기쁜 마음이 들었고, 그 기쁨을 알게 해준 오아라가 더 소중해졌고, 이 소중한 사람을 위해 이제 뭔가 다른 준비를 해야겠다는 막연한 결심이 섰던 것이다. 그리고 그 결심이 지금까지 잊고 살았던, 혹은 잃고 살았던 가족에 대한 근원적인 갈망이라는 것을 며칠이 흐르면서 깨닫게 됐다. 자신과 같은 처지가 된 오아라에게 가족이 돼주고 싶었다. 자신이 가족이 돼주는 순간 오아라 역시 자신에게 가족이 돼줄 것이다. 노아는 상상만으로도 가슴이 벅차올랐다.

오아라에게는 아직 아무 얘기도 하지 않았다. 벌써부터 부담을 주고 싶지 않았다. 오아라에게 말하는 것보다 자신의 삶이 바뀌는 것이 먼저였다. 그러자면 선수 생활부터 청산을 해야만 했다. 그래야 어떤 변화든 가능해질 것 같았다. 변변한 회사에 취직하는 것까지는 어렵겠지만 1년 정도 바짝 벌면 뭐든 작게라도 시작할 수 있는 목돈은 모을 수 있을 것이다. 그런 생각을 사모님들한테 전했을 때 모두 아쉽고 안타까운 표정을 짓긴 했지만 이제라도 평범한 삶을 살아가고자 하는 노아의 앞길을 막고자 하는 이는 없었다. 오히려 도와주겠다고도 했다. 물론 이제는 도움의 의미가 투자 내지는 빌려준다는 의미로 바뀌긴 했지만 그 정도만으로도 노아에게는 고무적인 일이었다.

그러는 와중에 랜드로버를 선물했던 신사동 사모님이 먼 친척이 최근 꼬막 껍데기가 항균·항염 작용이 뛰어나다는 것을 알게 되어 그것을 이용한 신소재 개발 사업을 시작했는데, 버려진 꼬막 껍데기를 헐값에 사와 납품하는 일을 하면 어떻겠냐고 아이디어까지 주었다. 원한다면 친한 친구의 동생 정도로 소개해줄 수도 있다고. 흰소리나 할 사모님은 아니기에 노아는 진지하게 고민해보기로 했지만 늑장을 부리다간 다른 사람에게 기회를 빼앗길 수도 있는 상황이라 빠른 선택과 결정이 필요하다고 판단했다. 더군다나 그 일을 시작하게 되면 자연스럽게 신사동 사모님으로부터 투자 명목으로 사업 자금을 확보할 수도 있어 충분히 매력적인 조건이었다. 일이 이렇게 물 흐르듯 흘러가는 걸 보면서 노아는 뜻이 있는 곳에 길이 있다는 말이 정말 맞는가 보다 생각했다. 왜 진작 삶의 방향을 바꿔보기 위해 노력을 하지 않았을까 하는 후회도 들었다.

결심이 선 후 사모님들과 차례대로 마지막 식사를 하고 마지막 와인을 마셨으며 호텔에서의 마지막 순간을 보냈다. 마지막이라는 생각에 노아도, 사모님들도 최선을 다해 봉사했고 봉사를 받았다. 노아와 이별이 아쉬운 만큼 사모님들은 저마다 금일봉을 선사하듯 두둑한 봉투를 내밀거나 계좌번호를 물어 사업 밑천 하라며 적잖은 돈을 넣어주었다. 노아는 홀가분하기도 하고 서운한 것 같기도 했으며 뭔가 조금 떨리고 두렵기도 했다. 선수라는 딱지를 떼고 홀로서기를 해야 하는 지금 심정이 엄마 손을 놓던 그 순간의 심정과 비슷한 듯했다. 하지만 달랐다. 그땐 아이였고 지금은 다 큰 어른이니까. 그땐 보호를 받아야 할 처지였고 지금은 누군가를 보호해야 할 입장이니까.

노아는 상황이 어느 정도 정리된 후 오아라를 앉혀놓고 차분히 얘기를 전했다. 가만히 듣고 있던 오아라는 그 사모님이 믿을 만한 분인지, 꼬막 껍데기는 어딜 가면 구할 수 있는지, 그 일을 하자면 트럭이나 기타 등등 무엇이 얼마나 필요한지 등등을 물었다. 노아는 자신이 아는 한도 내에서 거짓 없이 답했다. 그간 모아두었던 돈과 사모님들이 챙겨주신 돈만으로도 사업을 준비할 동안 먹고살 걱정은 없다는 말로 안심도 시켰다. 그런 다음 꼬막 껍데기를 구하기 위해 사모님이 일러준 서해안 쪽 몇 곳을 둘러보고 오겠다고 했다.

"알았어. 네가 돌아오면 나도 너한테 할 얘기가 있어. 내가 누구인지에 관한 얘기."

노아는 궁금했지만 자신이 돌아올 때까지 기다려달라고 했다. 금방 오겠다고.

다음 날 노아는 간단히 짐을 챙겨 집을 나섰다. 자신을 배웅해주는 오아라의 모습에 잠깐 또 한 번 눈물이 날 것 같아 크게 손을 몇 번 흔들어준 후 얼른 뒤돌아서 차에 올라탔다. 룸미러로 비치는 오아라의 모습을 바라보는데 기시감이 일어나는 것처럼 언젠가 똑같은 장면을 겪은 느낌이 강하게 일었다. 그만큼 익숙해지고 가까워진 것이겠지 생각했다. 거울 속 오아라의 모습이 작아지면 작아질수록 노아는 슬프고 행복했다.

노아가 새로운 사업을 위해 떠난 날 저녁, 서지희가 찾아왔다. 문을 연 오아라의 얼굴을 뚫어져라 바라보더니 '그때 그 여자가 아니잖아' 하며 말릴 틈도 없이 안으로 성큼 들어섰다. 오아라는 노아의 고객 중 하나일 것이라고 추측했다. 이런 상황을 언젠가 상상해봤던 것처럼 당황스럽지도, 놀랍지도 않았다.

서지희는 식탁 의자에 앉아 고야드 백에서 담배와 듀퐁 라이터를 꺼내 불을 붙였다. 오아라는 재떨이가 없어 찬장에 있던 종이컵 하나를 꺼내 물을 담아 테이블 위에 올려주었다.

"저번 여자보다는 친절하시네."

저번 여자라면 김순옥을 얘기하는 것일까. 그녀는 이런 상황에 어떻게 대처했을까. 사모님들은 노아의 결정을 다 존중해주었다고 했는데, 결국 이 여자는 이별을 받아들이지 못한 채 여기까지 쳐들어온 것인가. 노아가 말한 사모님들 중 어느 동네 사모님일까. 지금 막 상처받거나 배신당한 여자라고 하기에는 꽤나 오래 묵은 듯한 낡은 감정의 궤적이 느껴졌다.

"노아 지금 집에 있을 시간 아닌가?"

"일 때문에 지방에 갔어요."

반말이 참 자연스러워 오아라는 왜 반말이냐고 따져 묻는 것을 잊었다. 서지희는 지난번과 사뭇 다른 분위기로 바뀌어 있는 집안을 둘러보며 질문인지 따지는 것인지 모를 어투로 말했고, 오아라는 침착하게 대답했다.

"훗. 저번엔 여행 갔다더니 이번엔 일? 노아가 호텔에서 뒹구는 것 말고도 그렇게 바쁜 인간이었어?"

말이 점점 거칠어지는 것 같아 오아라는 심기가 불편해지기 시작했다.

"이렇게 여자는 잘도 바꿔가면서 계속 날 피하고 거부하는 이유는 뭔지 모르겠네. 돈도 달라는 대로 줄 수 있는데."

의자에 다리를 꼬고 앉아 담배를 피우며 혼잣말처럼 독백하듯 중얼거리는 모습이 오아라는 낯설지 않았다. 한참 난리를 피우던 A의 모습이 중첩됐기 때문이다. 노아도 그때 이런 심정이었을까. 그녀가 A처럼 이성을 잃고 행패를 부린다 하더라도 같은 여자니까 상대할 만할 것 같다. 만약 그렇게 되면 신속하게 그녀의 뒤로 돌아가 목을 조르거나 재빠르게 정강이를 걷어차 무릎을 꿇리고 머리채를 잡아야겠다고 오아라는 생각하고 있었다. 하지만 고야드 백과 불가리 선글라스를 하고 온 여자가 그렇게까지 엉망으로 굴지는 않을 것 같기도 했다.

"노아는 이제 그 생활 그만두었는데요. 아시지 않나요?"

그 말을 듣는 순간 서지희의 고개가 오아라를 향했다. 까만 장막 뒤에 숨어 있는 그녀의 시선이 레이저처럼 선글라스를 뚫고 나와 자신의 눈을 태워버릴 것 같아 은근히 소름이 돋았다.

"그만둬? 누구 맘대로?"

'누구'라는 것이 너를 말하는 거니? 오아라는 되묻고 싶었다. 당사자가 아닌데도 서지희 말이 갈수록 오아라의 심기를 긁고 있었다.

"참 천박해. 지금 당신."

오아라의 입에서 반말이 나오자 서지희가 선글라스를 벗고 노려봤다. 오히려 선글라스를 벗으니 오아라는 두려움이 없어졌다. 뭐든 보이지 않을 때가 더 무섭다. 게다가 말까지 놓고 보니 긴장도 풀렸다.

"노아가 이 꼬락서니를 봤어야 하는데 안타깝네. 다음에 한 번 더 와. 노아 있을 때 내가 연락해줄게."

오아라가 서지희 바로 앞까지 다가오면서 말하는 통에 서지희가 오아라를 한껏 올려다보는 모양새가 됐다. 그것이 못 견디겠던지 서지희가 부르르 떨며 벌떡 자리에서 일어섰다. 오아라는 전혀 물러서지 않았다. 들어올 때는 비슷한 키였는데 킬힐을 벗어던진 그녀는 오아라의 시선보다 반 뼘쯤 낮은 곳에 머물렀다. 위압적이기 위해, 공격적이기 위해 문을 들어오기 전 얼마나 표정을 다잡았을까 싶어 오아라는 그녀가 가련하기까지 했다.

"넌 누군데?"

좀 전의 기세는 어디 갔는지 서지희의 목소리는 불안한 듯 흔들리고 있었다.

"나? 네가 못 가진 노아의 새 주인. 노아가 유일하게 허락을 구해야 하는 몸."

서지희가 한쪽 입술을 깨물었다. 그렇게 깨물어서 피가 나겠니. 더 세게 깨물렴. 이 멍청한 년아. 공격의 날이 한 번 서자 오아라는 더욱 강하게 밀어붙이고 싶은 충동을 느꼈다. 그리고 끝내 고야드 백과 불가리 선글라스를 뺏어 전리품으로 챙기고 싶었다. 하지만 생각보다 싸움은 싱겁게 끝났다. 더 이상 별말을 잇지 못한 서지희는 다시 선글라스를 끼고 하염없이 높다란 킬힐에 몸을 싣고는 현관에서 큰 숨을 한 번 쉬더니 조용히 나갔다. 오아라는 돌아서 나가는 그녀를 붙잡고 확인하고 싶었다. 완전히, 완벽히 포기하고 가는 것이냐고. 아니면 일단 후퇴인 것이냐고. 뭔가 흥미진진한 게임처럼 느껴져 당신이 확실하게 포기하고 돌아가는 것이라면 조금 아쉬울 것도 같다고. 사실 노아는, 그 누구의 것도 될 수 있는 존재이고 나 역시 잠시 머물다 가는 정류장일 뿐이라고. 이곳이 나의 종착역은 아니라고.

서지희가 돌아간 후 얼마 있다가 노아에게서 전화가 걸려왔다. 뭔가 들떠 있는 듯한 그의 목소리에 어딘지 모를 바다 소리가 실려왔다.

"아라, 다행히 일이 잘 풀릴 것 같아."

처음이었다. 그가 이름을 부른 것은. 뭐라 형용할 수 없는 기분이 파도 소리처럼 밀려왔다 쓸려갔다. 오아라는 서지희 얘기를 전하지 않았다. 행복해 보이는 그의 기분을 망치고 싶지 않았다. 그는 구체적인 협의를 끝내고 곧 올라오겠다고 말한 뒤 전화를 끊었다. 오아라는 처음으로 그가 기다려지기 시작했다.

모텔에서 나와 허름한 원룸을 구하고 전입신고를 마친 얼마 뒤 김순옥은 등기우편을 하나 받았다. 전입신고한 지 얼마나 됐다고 벌써 등기우편이 왔을까 신기한 것도 잠시, 안에서 나온 출석요구서를 보고 잠시 정신이 아득해졌다. 일주일 후 경찰서로 출석하라는 내용과 함께 피고인란에 자신의 본적과 주소, 주민등록번호와 성명 등이 나와 있었고 범죄 내용에는 특정 일시와 함께 '무단가택침입'이라고 기재돼 있었다. 무단 침입을 했다고 적혀 있는 주소를 보니 오아라의 오피스텔이었다. 일시도 김순옥이 두 번째 찾아갔던 그즈음이었다. 김순옥은 뭔가에 얻어맞은 듯 멍한 기분으로 주저앉은 채 한동안 일어나지 못했다. 가까스로 정신을 수습하고 오아라에게 전화를 걸었지만 아무리 기다려도 받지 않았다. 전화를 받지 않을수록 의심은 확신으로 굳어져갔다. 한 번만 받아줘요. 다급한 마음에 문자를 남긴 후 다시 걸었다. 그러자 오아라가 전화를 받았다. 목소리를 듣는 순간 김순옥의 마음속에는 오만 가지 감정이 폭풍처럼 지나갔다.

"절 고소했나요?"

"알고 전화한 거 아닌가요?"

냉랭하기 그지없는 오아라의 목소리가 왠지 윤석향을 닮아 있는 것 같았다. 그새 두 사람은 많이 가까워진 것일까.

"고소 취하해줘요."

김순옥은 침을 한 번 꿀꺽 삼킨 다음 힘겹게 말을 꺼냈다. 저편에서 낮은 웃음소리가 건너왔다. 이럴 걸 왜 그랬냐고 비웃듯.

"대체 나한테 왜 그런 거죠? 원고는 어떻게 된 거고?"

오아라가 웃음기를 지우고 무거운 목소리로 물었다. 고소를 취하해달라는 말 따위 다시는 못 꺼내게 만드는 차갑고도 단호한 음성이었다. 고래고래 질러대거나 속사포처럼 쏘아대는 고성보다 이렇듯 한 템포씩 느리고 별 억양을 느낄 수 없는 말들이 김순옥을 더 소름끼치게 했다.

"나도 모르겠어요. 내가 왜 그랬는지."

답을 하면서도 김순옥 역시 답을 찾아야 했다. 단지 오아라라는 작가가 개인적으로 탐탁지 않았고 윤석향에 대한 애증이 복합적으로 작용한, 사소한 충동에서 시작된 일이었을 뿐이다. 한데 정말 어쩌다가 이런 상황까지 온 것일까. 이걸 어떻게 논리적으로 설명할 수 있을지.

"당신 잘못도 있어요."

이어진 김순옥 얘기에 오아라의 침묵이 길어졌다. 하지 말았어야 할 말이었다. 후회해도 이미 소용없었다.

"어쨌든 미안하게 생각하고 있어요."

아무런 대답 없는 오아라를 향해 김순옥은 계속 혼잣말처럼 중얼거렸다. 욕을 듣는 것보다 침묵을 견디는 것이 더 힘들었다.

"오피스텔까지 몰래 들어와 고작 구찌 열쇠고리 훔쳐서 노아한테 생색낸 건가요?"

김순옥은 순간 오아라의 입에서 나온 노아라는 이름을 잘못들은 건가 싶었다. 왜 그녀의 입에서 노아 얘기가 나온 것일까.

"걱정 말아요. 당신이 누웠던 침대, 당신이 덮었던 이불, 당신이 썼던 옷장, 당신이 썼던 화장대 모조리 다 갖다버렸으니까."

사랑하는 여자가 생겼어. 이제 너와 헤어지고 싶어. 김순옥의 뇌리에 노아가 했던 말이 스쳐 지나갔다. 그의 집으로부터, 그 따뜻하고 포근했던 빛으로부터 자신을 몰아낸 여자, 노아로 하여금 처음 사랑이라는 단어를 내뱉게 한 여자가 오아라였다는 사실을 어떻게 받아들여야 하는 것일까. 그냥 꿈일까 아니면 드라마 속 상상의 한 장면일까.

"정말…… 막장 같은 얘기군요."

김순옥의 어조가 어느새 바뀌었다. 노아 얘기를 듣고 나자 가슴속 밑바닥에 남아 있던 마지막 희망과 의지마저 남김없이 소멸됐다. 몸을 지탱하고 있던 최후의 에너지가 한꺼번에 바닥나버린 느낌. 알맹이를 모두 파낸 빈껍데기가 된 것 같은.

"몰랐어요? 원래 사는 것 자체가 막장인 거. 김중권한테 한 것처럼 노아한테도 가서 또 떠들어봐요. 아, 당신의 더러운 손때가 탄 열쇠고리는 버렸어요. 노아가 그러라고 해서."

오아라의 얘기를 들으면 들을수록 김순옥의 자존감은 끝을 알 수 없는 나락으로 추락하고 또 추락했다. 오아라의 비수 같은 말끝에서 김순옥은 세상에서 가장 추악하고 치졸하며 가련한 인간으로 전락했다. 게다가 노아까지 뺏겼다. 노아와 함께였던 아늑한 보금자리도 잃어버렸다. 오아라라는 걸쇠가 채워진 그 집으로는 영원히 돌아갈 수 없을 거라는 서글픈 자각이 무엇보다 김순옥을 숨 막히게 했다.

"무슨 말을 해도 고소를 취하해주진 않겠군요."

이미 결론을 알고 묻는 질문은 확인의 의미일 뿐이었다. 선고 확정을 받는 기분으로 김순옥은 오아라의 대답을 기다렸다.

"다른 건 몰라도 내 돌체앤가바나를 찢어놓은 건 절대 용서할 수가 없어!"

통화 끊어지는 소리가 단두대의 칼 떨어지는 소리처럼 섬뜩하게 들렸다. 김순옥은 그 후로도 한동안 휴대폰을 내려놓지 못했다.

김순옥이 윤석향에게 전화를 한 것은 별다른 의도가 있었던 것이 아니라 마지막으로 얼굴이나 한 번 더 보고 싶어서였다. 만나주지 않을 거라 예상했던 것과 달리 윤석향은 〈문학과 미래〉 근처 직원들이 자주 가는 카페로 오라고 했다. 혹 함께 일하던 직원들과 얼굴이라도 마주치면 곤란할 것 같았지만 김순옥에게는 선택의 여지가 없었다. 윤석향이 대답을 기다리지 않고 전화를 끊었기 때문이다. 매일 출근길에 들러 커피 한 잔씩 사가곤 했던 카페는 점심시간이 지난 오후라 다행히 손님이 별로 없었다. 약속 시간보다 30분이나 늦게 나타난 윤석향은 그새 살이 조금 오른 듯했다. 금테 안경 너머의 시선은 여전히 매력적이었지만 그는 김순옥과 눈빛 한 번 맞추지 않았다. 그 눈빛을 보고 나서야 전화한 것을 후회했다. 결국 이럴 걸.

"넌 이 바닥 어디에도 발붙이지 못할 거야. 그 얘기 해주러

왔어."

다짜고짜 험한 말을 늘어놓는 윤석향을 보면서 두 번째 후회를 했다. 좋은 소리 기대하고 나온 것은 아니었지만 이런 소리를 듣게 되리라는 예상 또한 못했다. 그저 말없이, 10분 정도 자리에 앉아 조용히 커피나 한 잔 비우고 일어날 수 있다면 좋았을 것을. 번번이 이력서조차 통과되지 못하고 있는 이유를 윤석향은 간단명료하게 해명해주었다.

"오아라는 창녀예요."

이 얘기를 하고자 한 것도 아니었다. 윤석향이 처음부터 너무 공격적으로 나온 탓이었다. 삶의 터전을 송두리째 앗아버리겠다는 식의 치사한 엄포 때문이었다. 그래도 한때나마 흠모했던 남자에 의해 자력갱생의 기회와 의지를 모두 박탈당해야 하는 허무함 때문이었다. 윤석향은 그 얘기를 듣고서야 비로소 김순옥과 눈빛을 마주쳤다. 함께 일을 할 때에도 제대로 바라볼 수 없었던 눈빛. 술이나 취해야 그나마 혼곤한 감성으로 마주할 수 있었던 그 눈빛. 윤석향의 눈동자가 다갈색을 띠고 있다는 것을 김순옥은 처음 알았다. 진작 맨정신일 때 그렇게 바라봐주었다면 지금 이런 결말이 아니었을지도 모른다. 모든 게 다 그 눈빛을 얻지 못해 일어났던 일이라고 변명하고 싶었다.

"낮엔 글 쓰고 밤엔 몸 파는 창녀라고요."

가만히 듣고 있던 윤석향은 안경을 밀어올린 후 팔짱을 낀 채 김순옥을 말없이 쳐다봤다. 저렇게 한참 동안 쳐다봐준 적이 있었던가.

"넌 창녀라도 되나? 팔고 싶어도 아무도 사주지 않잖아. 네 그 형편없는 얼굴과 몸뚱이로는."

테이블 위에는 한 모금도 마시지 않은 커피 두 잔이 놓여 있었다. 김순옥은 입조차 대지 않은 커피가 자신의 신세 같아서 종이컵을 들어 한 모금 마셨다.

"이 와중에 커피가 넘어가? 비위도 참 대단하네."

순간 김순옥은 들고 있던 종이컵을 거칠게 내려놨다. 테이블에 부딪힌 컵에서 뜨거운 커피가 쏟아지면서 고스란히 김순옥의 손에 다 튀었다. 윤석향이 잠시 흠칫 놀라 상체를 뒤로 젖혔지만 김순옥은 크게 동요하지 않았다.

"그래서 당신도 한번 따먹었나? 작품 실어주겠다고 하고서 모텔로 끌고 갔어? 점잖은 척하면서 할 건 다 했겠지? 같이 자는 대가로 뭘 약속했는데? 장편이라도 내주기로 했어?"

갑자기 돌변한 김순옥의 태도에 윤석향은 적잖이 당황했다. 4년간 일하면서 단 한 번도 이런 모습은 본 적이 없었다. 멍청하고 일을 못하긴 했지만 싹수까지 없진 않다고 생각했던 그녀가 이렇게 나오는 걸 보니 계속 데리고 있었다면 더 큰일을 치를 뻔하지 않았는가.

"미친년……"

가장 닮고 싶어 했던 지성인의 입에서 가장 원초적인 욕을 듣게 되자 김순옥은 지금까지 자신이 품어왔던 세상에 대한 모든 관념과 사고가 뿌리부터 하나둘 해체되는 느낌이 들었다. 무수한 파편처럼 흩어진 수천만 개의 조각들은 다시금 그 어떤 세상으로도 헤쳐 모이지 못한 채 그대로 소멸될 것이다.

"끌끌끌."

그 절망을 확인 사살하듯 혀 차는 소리가 이어졌다. 어느 때보다 길게. 인사 대신 익숙한 의성어를 마지막으로 남긴 윤석향이 카페를 나가고 김순옥도 곧 자리에서 일어났다. 뜨거운 커피를 뒤집어쓴 손은 벌겋게 달아올랐다. 길 건너편으로 〈문학과 미래〉 간판이 보였다. 김순옥은 이제 어디로 가야할지 알 수 없었다. 어디에선가 바람이 불어와 김순옥의 머리카락을 이리저리 흐트러뜨리고 지나갔다. 커피를 뒤집어썼던 손이 조금 쓰라려오는 듯했다. 경찰서에 가야 하는 날이 언제였지. 김순옥은 몽롱해지는 정신을 가까스로 다잡으면서 그 자리에 붙박여 움직일 생각을 하지 않았다. 머리는 산발이 된 채, 영원히 그러고 있을 것처럼.

집으로 돌아오는 길에 노아는 유난히 오아라의 목소리가 자꾸 듣고 싶었다. 자신이 변하고 상황이 변하고 관계가 변하고 미래가 변하는 신기한 시간들을 겪으면서 보고 싶은 마음도 더 간절해져만 갔다. 계속 전화하고 싶은 것도 꾹 참으면서 고속도로를 달렸다. 집에 도착하면 말없이 함빡 웃으며 오아라를 그윽이 품에 안고 그간 자신이 어딜 다녔는지, 누굴 만났는지, 어떤 성과를 얻어왔는지 천천히 들려주고 싶었다. 그런 다음엔 입을 맞출 것이다. 바다의 비릿한 내음이 풍길지도 모르겠지만 그것마저도 오아라는 포근하게 감싸 안아줄 것 같았다. 불행해지기 전의 엄마처럼.

그렇게 한참을 달려 해가 진 뒤에야 집에 도착한 노아가 차를 대고 내리려는 순간 검은 양복을 입은 두 건장한 사내가 앞을 가로막았다. 누구냐고 물을 틈도 없이 그들은 노아의 뒷목을 가격했고 노아는 그대로 정신을 잃고 말았다. 얼핏 정신이 들었을 때는 흔들리는 자신의 차 안이었고, 주사 한 번 더 놓으라는 누군가의 말이 꿈결처럼 들렸으며, 팔이 따끔하는 것과 동시에 다시 정신을 놓았다.

얼마인지 모를 시간이 흐른 후 노아가 눈을 뜬 곳은 어느 폐자재 창고였다. 바닥에 누운 채로 눈을 떴지만 몸을 움직일 수가 없어 자신이 묶여 있는 줄 알았다. 묶여 있진 않았다. 누워 있어도 몽롱하고 어지러운 걸 보니 주사로 주입한 약물 때문인 것 같았다. 흐릿한 시야 안에 정장 차림의 두 남자가 서 있었다. 노아는 무슨 소리라도 내보고 싶었지만 말하는 것조차 쉽질 않았다. 사내들은 노아가 정신을 차리고 꿈틀대는 것을 보면서도 아무런 미동이 없었다. 어떻게든 움직여보고자 애를 쓰던 노아는 제풀에 지쳐 다시 잠들고 말았다.

"대체 약을 얼마를 처넣은 거야?"

한동안 정신을 잃었던 노아는 화가 난 듯한 어떤 여자 목소리에 깨어났다. 바로 눈앞에서 형체를 알아볼 수 없는 여자의 얼굴이 어른거렸다.

"설마 죽은 건 아니지?"

목소리가 어딘지 낯이 익었다. 사내들이 다가오는 소리가 들리더니 양쪽에서 노아의 겨드랑이에 팔을 넣고 상체를 들어올렸다. 잔뜩 쌓여 있는 널빤지 더미에 등을 기대고 앉은 노아는 여전히 맥을 못 추긴 했지만 차츰 정신이 돌아오는 느낌이 들었다. 그와 함께 뿌옇기만 하던 시야도 천천히 윤곽을 찾아가기 시작했고 얼마 후 목소리의 주인공이 서지희라는 걸 알게 됐다. 현실감이라고는 찾아볼 수 없는 공간에서 유일하게 낯익은 얼굴을 보고 노아는 이것이 꿈인지 생시인지 헷갈렸다.

"꼴좋네."

비아냥거리는 말과 함께 서지희의 웃음소리가 창고 안을 카랑하게 울렸다. 그 웃음소리 덕분에 노아는 이것이 분명한 현실임을 알아차렸다. 서지희는 노아의 눈앞에서 계속 왔다 갔다 하며 담배를 피워댔다. 함께 명품관 쇼핑을 하고 밥을 먹고 호텔에 드나들었던 서지희를 이런 공간에서 다시 만나게 될 줄은 전혀 몰랐다. 그녀가 집에 다녀갔다고 했던 김순옥의 얘기가 떠올랐다. 집에 와서 무엇을 어떻게 하고 갔는지는 기억나질 않았다. 귀담아 듣질 않았던 탓이다. 서지희는 이미 노아의 일상으로부터 무관한 존재가 돼버린 후였으니까. 그런데 왜 이런 곳에서 그녀를 다시 만나게 된 것일까. 아직도 멍하기만 한 머리는 좀처럼 제대로 돌지 않았다.

"전화를 해도 안 받고 집으로 찾아가도 만날 수가 없고, 이렇게 모셔 오는 수밖에. 밖에선 노친네들 상대하고 집에선 젊은 여자 바꿔가면서 상대하느라 그렇게 바빴나보지?"

갑자기 서지희의 손이 뺨을 가격하는 바람에 노아는 마지막 말을 제대로 듣지 못했다. 어쨌든 어지럽고 정신없는 와중에도 그녀가 매우 화가 나 있다는 건 느낄 수 있었다. 뺨이 얼얼한 만큼 몸은 차츰 깨어나고 있었다.

"네가 날 어떻게 이렇게 대할 수 있지? 우리 아빠 곧 국회의원 될 분이라고. 난 그런 사람 외동딸이고. 날 이렇게 개무시하는 새끼가 있다고 했더니 쟤들 붙여주셨어. 우리 아빠가."

말이 끝남과 동시에 또 한 번 서지희의 손이 뺨을 향해 날아들었다. 날아오는 손을 빤히 보면서도 피할 기력도, 의지도 없었다. 두 번째 따귀 세례에 노아의 몸은 다시 바닥에 고꾸라졌다. 그러자 바로 두 사내가 달려와 일으켜 앉혔다. 뺨을 맞으면서도 노아는 그런 아빠를 둔 서지희가 다시금 부러웠다. 두 번이나 이혼한 딸을 위해 한도 없는 카드를 마음껏 쓰게 해주는 아빠, 개망나니 딸에게 자랑스러운 아버지가 돼주려고 언제나 노력하는 아빠, 자식을 무시한 놈을 처단하기 위해 깡패를 붙여주는 아빠. 세상 천지에 그런 아빠가 또 어디 있을까. 타고난 팔자다. 하늘이 내린 복이다. 그런 팔자와 복을 받지 못한 채 세상에 태어난 것 자체가 죄다. 같은 운명을 타고 난 오아라가 노아는 미친 듯이 보고 싶었다. 당장 벌떡 일어나서 오아라에게 달려가고 싶은데 팔도 다리도 말을 듣질 않았다.

"솔직히 이렇게까지 할 마음은 없었는데, 집에서 널 기다리고 있는 네 새 주인이 날 아주 열 받게 하더라고. 그 싸가지 없고 재수 없는 년 말이야. 나 원망하지 말고 그년을 원망해."

이번엔 반대편에서 서지희의 손이 날아왔다. 서지희는 그 후로도 한참 동안 노아에게 중얼거리다가 소리를 버럭 질렀다가 따귀를 때렸다가 담배를 피웠다가 또 때렸다가 얼굴을 부여잡고 흐느끼는 듯했다가 갑자기 또 때리기를 반복했다. 계속 맞다 보니 통증도 사라지고 감각도 무뎌지면서 평온이 찾아왔다. 맞아도 아프지 않는 꿈을 꾸는 것 같았다. 진짜 꿈이면 날아오를 수 있을 텐데. 두 팔을 퍼덕여볼까. 다리를 휘저어볼까. 몸이 가벼워지는 것 같긴 한데 팔과 다리는 여전히 움직이질 않는다.

어느 순간 서지희는 시야에서 사라졌다. 정신없이 고막을 울리던 그녀의 목소리도, 거친 따귀 세례도 사라졌다. 마지막으로 무슨 말을 남겼던 것 같은데 기억나지 않았다. 저만치 서서 구경만 하고 있던 두 남자가 다가왔다. 한 사람 손에는 각목이, 한 사람 손에는 야구방망이가 들려 있다. 아니, 노아는 그것이 각목과 야구방망이가 맞는지 확신할 수 없었다. 자꾸 한쪽 눈으로 따뜻하고 걸쭉한 무엇이 흘러들고 있었기 때문이다. 자신에게 다가오는 두 남자를 보면서 노아는 여전히, 아무것도 할 수가 없었다. 그저, 간절히, 오아라가 보고 싶을 뿐이었다.

아침 일찍 전화를 걸어온 노아는 서해안의 마지막 어촌 마을에서 일 마치는 대로 올라오겠다고 했다. 집에서 봐. 이제 우리 더 행복해질 거야. 그것이 노아가 마지막으로 전한 말이었다. 그는 통화를 끝내기 전 '아라야'라고 이름을 두 번 불렀다. 그러고는 싱거운 웃음을 남기고 전화를 끊었다.

    노아의 목소리가 반갑긴 했지만 오아라는 마음이 어수선했다. 자신을 바라보는 윤석향의 눈빛이 노골적으로 바뀌기 시작한 순간부터 노아가 마음에 걸리기 시작했다. 선수 생활까지 접고 새 삶을 꾸리기 위해 저 멀리 고생하러 떠난 노아. 오히려 그가 옆에 없는 틈을 타 일을 벌여야 한다는 생각에 오아라는 예상치 못한 죄책감을 느끼고 있었다.

    이런저런 생각에 그녀는 '스칼렛 오아라'를 쓰다 말고 무작정 집을 나왔다. 아직은 낯선 동네라 어디로 가야할지 망설이던 오아라는 버스 정류장에 멈춰 서서 버스 노선을 살펴보다가 마침

우이동 쪽으로 가는 버스가 들어오는 것을 보고는 올라탔다. 가는 길에 윤석향으로부터 문자가 왔다.

'오늘 저녁, 볼 수 있는 거겠지?'

문자를 확인한 오아라의 얼굴에 다소 심란한 기색이 스쳤다.

'신문에 실린 오 작가의 사진을 처음 봤을 때 눈을 뗄 수가 없었어. 운명의 상대를 만난 느낌이랄까. 미안해. 이렇게 식상한 표현밖에 할 수 없어서. 어쨌든 당신을 꼭 만나고 싶었어. 그리고 무엇이든 도움을 주고 싶었고'

함께 밥을 먹자고 만난 자리가 술자리로 이어진 며칠 전 윤석향은 붉어진 얼굴로 고백했다. 이해 못할 고집을 피웠던 이유를 정작 김순옥은 전혀 모르고 떠나갔다. 그날 이후 윤석향은 더 자주 연락을 해왔고 서슴없이 감정을 드러냈으며, 오아라는 노아를 피해 전화를 받아야 했다.

윤석향의 문자를 내려다보면서도 노아 얼굴이 떠올라 바로 답장을 보내기가 망설여졌다. 어쩌면 노아가 없기 때문에 더 수월할 수도 있는 일인데. 오아라는 버스 차창에 비친 자신의 얼굴을 바라보았다. 이제 곧 〈문학과 미래〉 여름 호에 새로운 단편이 실릴 것이고 〈더 퍼플〉지의 인터뷰에 이어 명품 브랜드와의 컬래버레이션 작가로 다시 한 번 조명을 받을 것이다. 그러고 나면 더 많은 곳에서 '샐럽'이라는 이름으로 찾아주겠지. 작가나 샐러브리티, 어느 것으로 먼저 뜨든 상관없다. 하나가 뜨면 다른 하나는 따라 뜨기 마련이니까.

오랜만에 찾은 범각사는 여름이 다가오면서 녹음이 더욱 짙
푸르러 있었다. 오아라는 처음으로 공양미와 공양초를 사들고
석불전으로 갔다. 다른 사람들이 하는 것처럼 공양미는 부처님
전에 놓아두고 공양초는 불을 붙여 초들을 모아둔 곳에 꽂아
두었다. 그런 다음 구석 자리로 가 어설픈 자세로 칠 배를 했다.
쉬워 보였던 동작이건만 오아라는 절 몇 번에 숨이 차오르는
걸 느꼈다. 옆에서는 한 중년의 여자가 일정한 속도와 흐트러짐
없는 자세로 쉼 없이 절을 하고 있었다. 숨이 차다거나 힘들어
하는 모습은 전혀 찾아볼 수 없었다. 얼마나 숙련하면 저 여자
처럼 고통이 평온이 될 수 있을까.

엄마와 노아와 김중권과 김순옥과 윤석향. 절을 하는 동안
머릿속에서는 여러 사람의 얼굴이 차례대로 지나갔다. 그러다
가 불현듯 가슴 밑바닥에서 뭔가 뜨거운 것이 울컥하는 바람
에 잠시 절을 멈추기도 했다. 그냥 남들 하는 대로 절이란 걸 흉
내 내봤을 뿐인데 왜 난데없이 눈물이 핑 도는 것일까.

서둘러 석불전을 나온 오아라는 지나는 보살님에게 물어 요
사채에 있다는 혜광 스님을 찾아갔다. 마침 대웅전으로 가기
위해 밖으로 나오던 혜광 스님은 오아라를 알아보고는 예의 인
자한 웃음으로 맞아주었다. 평일인데도 범각사 안은 뭔가 분주
하게 돌아가는 분위기였다.

"며칠 뒤가 백중이라 우란분재(盂蘭盆齋)가 있을 예정이지요. 그래서 좀 분주합니다. 미리 공양하러 다녀가시는 불자님들도 많으시고."

혜광 스님은 우란분재가 백중(百中)이라 불리는 음력 7월 15일, 죽은 부모와 조상들이 사후 세계에서 고통받지 않고 극락 왕생하길 기원하며 사찰에서 공양을 드리는 불교의 큰 행사 중 하나라고 설명했다.

"평생 고생만 하다가 돌아가신 엄마도 공양을 드리면 저세상에서는 좀 평안하실까요?"

"부모와 조상의 모든 업장소멸을 바라고 하는 것이 우란분재입니다. 공양을 드려 내 공덕을 쌓는 것이 다 부모와 조상에게 간다고 생각하는 거지요."

혜광 스님으로부터 49재를 절에서 모시는 사람도 많다는 얘기를 듣고는 오아라도 노아가 돌아오면 한번 상의해봐야겠다고 생각했다. 떠나기 전까지 남의 손에 맡겨만 두었던 것이 엄마에게 해준 전부였으니 이제라도 자신의 손으로 뭔가를 할 수 있다면 보낸 마음이라도 조금 편안해질 것 같았다. 혜광 스님은 행사 준비 때문에 대웅전으로 곧 들어가야 했다. 인사를 마치고 돌아서려던 오아라는 뒤늦게 생각난 듯 혜광 스님에게 한 가지를 더 물었다.

"저, 초암 스님 말이에요. 부모님을 죽인 살인자가 누군가에게 살해당하고 같은 해에 돌아가셨잖아요. 그냥…… 우연의 일치였던 거죠?"

혜광 스님의 얼굴에서 잔잔하던 미소가 사라진 건 그때였다. 지금까지 보지 못했던 낯설고 무거운 표정이 혜광 스님 얼굴에 서렸다. 마치 다른 사람이 서 있는 것처럼. 괜한 질문을 한 것인가 싶어 그냥 인사를 하고 돌아서려 할 때 먼 산을 바라보고 있던 혜광 스님이 읊조리듯 말문을 열었다.

"많이 괴로워하다가 스스로 모든 업장을 지고 떠나셨습니다. 그토록 반평생을 정진했던 큰스님도 인간으로서의 욕망 앞에선 결국 나약한 존재일 수밖에 없으셨던가 봅니다. 내 부모를 죽인 원수로 인해 부처님의 자식으로서 하지 말아야 할 큰 죄를 두 번이나 짓고 가셨으니 아마도 저 지옥의 불구덩이에서 끝없는 고통을 겪고 계시겠지요. 그걸 알면서도 끝내 떨칠 수 없었던 업보입니다. 업보. 죽는 순간까지도 욕망과의 사투를 벌여야 했던……."

"두 번의 큰 죄라는 건……."

"이미 다 일장춘몽처럼 지나간 일입니다. 사람이 죽고 사는 일도 지나면 그저 한낱 꿈일 뿐이지요. 죽어야만 깨는 꿈 말입니다."

혜광 스님은 그 말을 남기고 조용히 합장을 한 채 대웅전 안으로 사라졌다. 오아라는 혜광 스님을 붙잡고 확인하고 싶었다. 스님의 말은, 그러니까. 초암 스님이 살인자를 죽인 범인이라는 얘기인 거냐고. 분노가 만들어낸 살의의 욕망을 수십 년 세월

수행으로도 이기지 못해 부모의 원수를 갚고 결국 한 속세의 인간으로 그렇게 스스로 세상을 등진 거냐고. 그래서 두 번의 죄라 한 것이냐고. 내가 제대로 이해한 게 맞긴 한 거냐고.

'글도 욕망일 것입니다. 안 그런가요⋯⋯.'

처음 만났을 때 혜광 스님이 했던 말이 다시 떠올랐다. 오아라는 그 자리에 서서 얼이 빠진 모습으로 혜광 스님이 사라진 대웅전 쪽을 한참 동안 바라보고만 있었다. 수십 년을 정진해온 큰스님도 어쩌지 못했던 욕망. 지옥의 불구덩이 속에 떨어질 걸 알면서도 헤어날 수 없었던 암흑의 늪. 하물며 자신과 같은 한낱 미천한 중생이 그 거대한 운명의 소용돌이에서 어찌 빠져나올 수 있을까.

버스를 타고 돌아오는 내내 오아라의 마음속에서는 작고 큰 회오리가 나타났다가 사라지기를 반복했다. 혜광 스님만이 알고 있었을 비밀을 굳이 자신에게 들려준 이유가 무엇인지 궁금했지만 다시는 물을 일도, 들을 일도 없을 것이다. 비밀을 아는 당사자 두 사람은 모두 세상을 떠났고, 그것으로 처절한 살인과 복수의 드라마는 아무도 모르게 세월에 묻혀버렸다. 초암 스님은 지옥의 문턱에서 지장보살님을 만났을까. 다시 구원을 꿈꾸며?

집으로 돌아온 오아라는 반나절 동안 아무것도 하지 않고 침대에 누워 있었다. 늦은 오후가 되자 무표정한 얼굴로 침대에서 일어나 윤석향에게 짧은 문자를 보냈다.

'좀 있다 봐요.'

오랜 샤워를 마친 후 공들여 메이크업을 하고 돌체앤가바나 원피스로 갈아입은 그녀는 디올라마 백을 꺼내 들고 발렌시아가 선글라스를 착용한 후 해가 뉘엿뉘엿 질 때쯤 집을 나섰다. 택시를 잡아탄 오아라는 서울 시청이 한눈에 내려다보이는 호텔에서 내렸다. 엘리베이터로 가는 동안 몇몇의 남자들이 선글라스를 낀 채 로비를 가로지르는 오아라를 흘끗거리며 지나갔다. 10층으로 올라간 오아라는 복도 끝 1021호를 찾아 문 앞에 섰다.

노아를 떠올리며 고민했던 지난 며칠간의 시간들. 결국 초암 스님이 그 결론을 내주었다. 반평생 구도의 길을 걸었던 큰스님도 어찌하지 못했던 욕망이다. 그러니 이것은 잘못된 일이 아니다. 지금까지 내가 해온 모든 것들도. 난 그저 한낱 미천한 인간에 불과하니까. 노아가 돌아오면 난 아무 일 없었던 듯 노아와의 삶에 충실할 것이다. 지금은 지금 이 순간에 충실할 것이고. 그러면 더 풍요롭고 우아한 내일이 열릴 것이다. 내가 그토록 꿈꿔왔던 삶. 그토록 욕망해왔던 꿈. 헛된 욕망과 희망에 고문당하지 않아도 되는 삶. 결코 잡히지 않을 거라 생각했던 그 신기루…….

오아라는 1021호의 벨을 눌렀다. 문이 열리고, 윤석향이 반가운 얼굴로 오아라를 품에 안았다. 오아라에서 다시 스칼렛으로 변신한 그녀는 당당하고 도도하게, 윤석향이 이끄는 빛나는 세계로 천천히 걸어 들어갔다. 그를 위해 그저 잠시 스칼렛이 돼주기만 하면 얻을 수 있을 눈부신 세계로.